D1302002

Das Buch

Abbie und Chris sind ein ungleiches Paar und doch so glücklich wie zu Beginn: Chris kommt von ganz unten, Abbie aus einer mächtigen Südstaaten-Dynastie. Aber nach Jahren unbeschwerter Ehe schlägt das Schicksal zu, und bei Abbie wird Krebs diagnostiziert. Der Rat der Ärzte lautet, auf das Ende zu warten. Doch Abbie hat eine Liste mit Wünschen erstellt, und die möchte sie sich erfüllen. Zehn eigentlich recht gewöhnliche Dinge, wie am Strand Wein zu trinken oder so sehr zu lachen, dass es wehtut.

Der größte dieser Wünsche ist, im Kanu den ganzen St. Mary's River im Süden der USA hinabzufahren. Kurz entschlossen packt Chris die Rucksäcke, und heimlich brechen sie auf. Von Abbies Vater und bald auch den Medien und der Polizei verfolgt, paddeln sie den Fluss hinunter. Es wird die Reise ihres Lebens, das sie in all seiner Schönheit und Bitterkeit noch einmal auskosten. Und sie wissen: Wo der Fluss endet, beginnt die Ewigkeit.

Der Autor

Charles Martin studierte Journalismus und Kommunikationswissenschaft. Vor einigen Jahren kündigte er seine Stellung und widmet sich seitdem ganz dem Schreiben. Charles Martin ist passionierter Angler und lebt mit seiner Frau und drei Söhnen in Jacksonville, Florida.

Charles Martin

Wohin der Fluss uns trägt

Roman

Aus dem Englischen von
Ulrike Bischoff

Ullstein

Besuchen Sie uns im Internet:
www.ullstein-taschenbuch.de

Umwelthinweis:
Dieses Buch wurde auf chlor- und säurefreiem Papier gedruckt.

Deutsche Erstausgabe im Ullstein Taschenbuch
1. Auflage Februar 2009
2. Auflage 2009
© für die deutsche Ausgabe Ullstein Buchverlage GmbH, Berlin 2009
© 2008 by Charles Martin
Titel der amerikanischen Originalausgabe: *Where The River Ends*
(Broadway Books, New York)
This translation published by arrangement with
The Doubleday Broadway Publishing Group,
a division of Random House, Inc.
Umschlagkonzeption: HildenDesign, München
Umschlaggestaltung: Zero Werbeagentur, München
Titelabbildung: Getty images
Satz: LVD GmbH, Berlin
Gesetzt aus der Bembo
Druck und Bindearbeiten: CPI – Ebner & Spiegel, Ulm
Printed in Germany
ISBN 978-3-548-26996-2

Für meine Großeltern, Ellen und Tillman Cavert,
... deren Liebe siebenundsechzig Jahre währte

Prolog

Mit meiner Kindheit verbinde ich keine guten Erinnerungen. Offenbar habe ich viel Hässliches erlebt, vieles, was nicht hätte sein dürfen. Das Einzige, was ich als schön in Erinnerung habe, sind meine Mom und das Flussufer. Bis ich es besser wusste, glaubte ich, der Fluss sei nach meiner Mom benannt.

Der Mann, der in unserem Trailer wohnte, war immer wütend. Rauchte ständig. Er zündete eine Zigarette an der anderen an, dabei hielt er sie wie Wunderkerzen, und seine Augen glühten und funkelten genauso. Er schlug mich nie, jedenfalls nicht fest, aber sein Gebrüll schmerzte in meinen Ohren. Mom erklärte mir, das sei der Flaschenteufel, aber ich glaube nicht, dass man Gemeinheit trinken kann. Man kann versuchen, sie zu ertränken, aber nach meiner Erfahrung schwimmt sie gut. Deshalb steckt sie in der Flasche. Um ihr zu entfliehen, waren wir hierhergekommen, Mom und ich. Sie sagte, es würde gegen mein Asthma helfen, aber ich wusste es besser. Sterben war so etwa das Einzige, was gegen mein Asthma helfen würde.

Auf meiner Brust lastete ein Ziegelstein, und jeden Atemzug sog ich mühsam ein wie durch einen Gartenschlauch. Das machte es mir nicht gerade leicht, meine Gedanken oder Gefühle auszudrücken. Mom wollte immer, dass ich über meine Gefühle redete, dass ich aus mir herausging. »Was soll ich mit Gefühlen?«, sagte ich ihr. »Fühlen kann ich später immer noch. Ein bisschen mehr Luft wär mir jetzt lieber.« Der Flaschenmann, das Albuterol und der Krampfhusten, den ich nicht loswurde, all das hatte die Verbindung zwischen meinem Mund und meinem Herz durchtrennt. Irgendwas in mir war zerstört worden.

Mein Leben bestand aus Teilen – »Inseln« trifft es vielleicht besser. Wenn ich mich in mein Inneres verkroch und mich dort umschaute, sah ich kein Ganzes. Kein Festland. Ich sah einen zerrissenen Kontinent, dessen Landfetzen ziellos an einen fernen Winkel des Globus drifteten. Wie auf Bildern von treibenden Eisschollen im Polarmeer.

Von meinem fünften bis zum achten Lebensjahr trug ich einen Helm, auch wenn ich nicht Fahrrad fuhr. Ich wuchs auf mit dem Spitznamen »Schlumpf«, den hatten mir meine gelegentlich blauen Lippen eingetragen. Damit ich in der erzwungenen Ruhe und dem Elend meiner Kindheit eine Beschäftigung hatte, kaufte Mom mir Farben, und so fand ich einen Fluchtweg: Ich malte die Welt, in der ich gern gelebt hätte.

Mom und ich hatten eine Bank unten am Fluss, auf der wir abends oft saßen, wenn Zigarettenqualm und betrunkenes Gesabber uns aus dem Wohnwagen trieben. Wo wir uns hinsetzten, war das Holz schon ganz blank gescheuert. Eines Abends – ich war damals etwa zehn – hatte ich auf dem Wohnwagenplatz böses Geschwätz aufgeschnappt und fragte: »Mom, was ist ein ›leichtes Mädchen‹?«

Auch sie hatte die Leute reden gehört. »Von wem hast du das?«

Ich deutete mit dem Finger. »Von der dicken, fetten Frau da drüben.«

Sie nickte. »Schatz, wir kommen alle mal vom Weg ab.«

»Bist du vom Weg abgekommen?«

Sie legte den Finger an meine Nasenspitze. »Nicht wenn ich mit dir zusammen bin.« Sie legte den Arm um mich. »Aber darauf kommt es gar nicht an. Wichtig ist, was du machst, wenn du den Weg verloren hast.«

Sie ging mit mir durch den Wald und wir setzten uns auf die Bank am Ufer. Sie wies mit einer ausladenden Handbewegung auf das, was ich vor mir sah. »Chris ... Gott ist in diesem Fluss.«

Es war einer jener Abende, an denen sich vor der Sonne düstere Gewitterwolken auftürmten. Ihre Ränder glühten rot und das Dunkelblau an ihrer Unterseite verschwamm ins Schwarze. In der Ferne sahen wir Regenschwaden herannahen. Ich ließ meinen Blick am Flussufer entlangwandern, beobachtete die Kräuselwellen auf dem Wasser und dachte dabei an all die Male, in denen meine Zunge dick und taub geworden war, was stets eintrat, kurz bevor ich vor Sauerstoffmangel umkippte.

Stirnrunzelnd erwiderte ich: »Das erklärt so einiges.«

Sie strich mir das Haar aus den Augen, und ich nahm verstohlen zwei Züge aus dem Inhalator. »Wie meinst du das?«

Ich hielt den Atem an und deutete mit dem Daumen über meine Schulter. »Na ja, im Wohnwagen ist er jedenfalls nicht.«

Sie nickte kurz. »Er war da, als ich dich gemacht habe.«

Ich hatte gerade das Fluchen gelernt und testete meine Grenzen aus. »Kann sein.« Ich hustete und spuckte aus. »Jetzt ist er jedenfalls nicht mehr da, das ist so sicher wie die Scheißhölle.«

Sie kniff mich in die Wange und drehte meinen Kopf zum Fluss hin. »Chris Michaels.«

»Ja, Ma'am.«

»Guck mal auf die Wasseroberfläche dort.« Ich nickte. »Was siehst du?«

Meine Stimme klang fremd und wie erstickt. »Schwarzes Wasser.«

Sie kniff mich fester. »Werd nicht frech. Guck noch mal hin.«

»Ein paar Elritzen.«

»Guck genau hin – auf die Oberfläche.«

Ich konzentrierte mich, biss mir auf die Wangen und sagte: »Eine Baumreihe, ein paar Wolken … der Himmel.«

»Und wie nennt man das?«

»Ein Spiegelbild.«

Sie ließ meine Wange los. »Ganz gleich, mit wie viel Dreck dich die Welt bewirft, lass niemals zu, dass dein Spiegelbild getrübt wird. Hast du gehört?«

Ich deutete auf unseren Wohnwagen. »Aber er tut das, und du sagst nichts dazu.«

»Stimmt. Ihm kann ich nicht helfen. Aber du bist nicht kaputt.«

»Warum lässt du ihn überhaupt da wohnen?«

Sie nickte und überlegte schweigend. »Weil ich nur ein paar Stunden am Tag arbeiten kann und …«, sie hielt meinen Inhalator hoch, »er hat auch seine Vorzüge.« Sie hob mein Kinn an. »Verstehst du, Heftpflasterchen?«

»Wieso nennst du mich so?«

Sie drückte ihre Stirn an meine. »Weil du an mir klebst und meine Wunden heilst.«

Ich hatte keine Ahnung vom Leben, aber eins wusste ich genau: Meine Mom war eine gute Frau. Ich deutete mit dem Kopf zur Straße hin. »Kann ich der dicken Fetten sagen, dass sie mich mal gernhaben kann?«

Sie schüttelte den Kopf. »Das wäre nicht gut.«

»Wieso nicht?«

Ein Blitz zeichnete Spinnwebmuster an den Himmel. »Weil das ganze Fett bei ihr auch nur vom Kummer kommt.« Sie strich mir wieder das Haar aus den Augen. »Und nun noch ein Letztes … Hörst du mir zu?«

»Ja, Ma'am.«

Eine Weile verging. Die Luft war schwül, spannungsgeladen und roch stechend nach Regen. »Wie du mit Stift und Pinsel umgehen kannst, das ist was ganz Besonderes.« Sie zog mich an sich. »Das sieht jeder Trottel, der nur einen Funken Verstand im Kopf hat. Von mir hast du das nicht gelernt. Ich hätte dir das gar nicht beibringen können, weil ich nichts davon verstehe – ich kann ja nicht mal die einfachsten Sachen zeichnen. Es ist eine Gabe, die du besitzt, von der wir anderen nicht die geringste Ahnung haben. Das macht dich zu was Besonderem.«

»Ich fühl mich aber nicht wie was Besonderes. Meistens fühl ich mich nur sterbenselend.«

Sie zog ihren Rock über die Knie hoch, damit sie nicht so an den Beinen schwitzte. Das rostige Rasiermesser hatte ihr die raue Haut über der Ferse aufgeschabt. Mit einer ausholenden Geste beschrieb sie die ganze Welt. »Das Leben ist nicht einfach. Meist ist es schwer und nur selten sinnvoll. Es ist kein Geschenk mit einem hübschen Schleifchen drum. Je älter du wirst, umso öfter stellt es dir ein Bein, macht dich fertig und verpasst dir eine blutige Nase.« Sie rang sich ein Lachen ab und schwieg dann eine Weile. »Die Menschen kommen aus ganz unterschiedlichen Gründen an diesen Fluss. Manche verstecken sich, manche sind auf der Flucht, manche sehnen sich nach ein bisschen Ruhe und Frieden und versuchen zu vergessen – alles, um den Kummer zu lindern, den sie mit sich rumschleppen. Aber

wir alle, wir kommen deshalb her, weil wir Durst haben.«
Sie strich mir einmal mehr das Haar aus den Augen. »Du
und der Fluss, ihr habt vieles gemeinsam. Du hast das in den
Fingerspitzen, was die Menschen brauchen. Also halte es
nicht zurück, stau es nicht in dir auf und lass es nicht trüb
werden.« Sie nahm meine Hand und legte ihre Handfläche
an meine. »Lass es herausfließen … und eines Tages wirst
du feststellen, dass von überall her Menschen hineintauchen
und in vollen Zügen trinken.«

Sie legte mir den Skizzenblock auf den Schoß, reichte
mir einen Stift und lenkte meinen Blick flussabwärts.
»Siehst du das?«

»Ja, Ma'am.«

»So, und jetzt mach die Augen zu.« Ich gehorchte. »Hol
so tief Luft, wie du kannst.« Ich hustete, atmete ein und
hielt die Luft an. »Siehst du das Bild hinter deinen Lidern?«
Ich nickte. »So …« Sie schob mir den Stift zwischen die
Finger, da fiel schon der erste Regentropfen. »Such das darauf aus, was du dir noch mal genauer ansehen willst, und
dann aufs Papier damit.«

Ich tat, was sie gesagt hatte.

An diesem Abend betrachtete sie aufmerksam meine
Skizze. Ihre Nase lief und ihre Augen tränten. »Versprich
mir noch eines.«

»Ja, Ma'am?«

Sie blickte aus meinem Schlafzimmer auf den Fluss, der
unter einem Dunstschleier dahinfloss. Sie tippte mir an die
Schläfe und legte dann ihre Hände auf meine Brust. »Was
du in dir hast, ist eine Quelle, die ganz aus der Tiefe herauf-
sprudelt. Ihr Wasser ist frisch und klar. Aber …« Damals
hatte ich keine Ahnung, wovon sie redete. Eine Träne
tropfte von ihrem Gesicht. »Aber manchmal kann eine

Quelle auch versiegen. Wenn du jemals Kummer hast und nur noch Schmerz spürst … wenn du merkst, dass deine Quelle ausgetrocknet ist … alles staubig und trocken … dann komm hierher, tauche tief hinein und trinke in vollen Zügen.«

Und genau das tat ich.

1

Ich stieg die letzte Stufe zu meinem Atelier hinauf, roch den kalten offenen Kamin und fragte mich, wie lange ein verirrter Funken wohl brauchen würde, alles hier drin in Flammen aufgehen zu lassen. *Nur ein paar Minuten, schätze ich mal.* Mit verschränkten Armen lehnte ich mich an die Wand und musterte all die Augen, die mich anstarrten. Abbie hatte sich so bemüht, mir Glauben an mich selbst einzuflößen. Hatte mich sogar um die halbe Welt mitgenommen. Hatte mich mit Rembrandt vertraut gemacht, mir auf die Schulter getippt und gesagt: »Das kannst du auch.« Also hatte ich gemalt. Vor allem Gesichter. Meine Mutter hatte die Saat gelegt, und Abbie hatte die Pflanze später gehegt, gepflegt und zurechtgestutzt. Aber in Wirklichkeit würde mir ein gutes Feuerchen und eine zu spät anrückende Feuerwehr sicher mehr Geld von der Versicherung einbringen, als ich mit verkauften Bildern verdiente. An den vier Wänden um mich herum stapelten sich über dreihundert verstaubte Ölgemälde auf Leinwand – die Arbeit von zehn Jahren. Gesichter, eingefangen in Gefühlsmomenten, die das Herz erkannte, aber nur wenige in Worte fassen konnten. Früher war mir das so einfach von der Hand gegangen. So flüssig. Ich erinnerte mich an Zeiten, in denen ich es kaum erwarten konnte, hierherzukommen, in denen ich mich gar nicht hatte bremsen können und an vier Bildern gleichzeitig gemalt hatte. Durchmalte Nächte, in denen ich den Vesuv in mir entdeckt hatte.

Die vergangenen zehn Jahre meines Lebens starrten mich an. Vielversprechend hatten die Bilder in Galerien in Charleston gehangen und waren dann eins nach dem anderen wieder zurückgekommen. Selbsternannte Kunstkritiker, die sich in Lokalzeitungen unfehlbar gebärdeten, hatten bemängelt, meinem Werk *fehle es an Originalität, an Herz* und, mein Lieblingsverriss, es sei *langweilig und ohne jedes Talent und Kunstverständnis.*

Nicht ohne Grund heißen sie »Kritiker«.

Auf der Staffelei vor mir stand eine weiße Leinwand. Verstaubt, von der Sonne ausgebleicht und rissig. Leer.

Wie ich.

Ich stieg aus dem Fenster, ging am Dach entlang und die Eisentreppe zum »Krähennest« hinauf. Ich schnupperte die salzige Luft und schaute übers Wasser. Irgendwo schrie eine Möwe. Die Luft war drückend schwül und hüllte die Stadt in Stille. Trotz des klaren Himmels roch es nach Regen. Der Vollmond stand hoch und warf Schatten aufs Wasser, das ein Stück entfernt an die Ufermauer plätscherte. Südöstlich funkelten die fernen Lichter von Fort Sumpter. Vor mir flossen Ashley und Cooper zusammen. Die meisten Charlestoner behaupten, an dieser Stelle entspringe aus den beiden Flüssen der Atlantik. Nördlich davon lag Sullivan's Island mit dem Strand, wo wir früher oft schwimmen gegangen waren. Ich schloss die Augen und lauschte dem Widerhall unseres Lachens.

Das war schon eine Weile her.

Hinter mir lag die »heilige Stadt«, deren Spitztürme um die Wette in den Himmel ragten. Unter mir zog sich mein

Schatten auf dem Dach in die Länge. Er zerrte an meinen Hosenbeinen, lockte mich und zog mich hinunter. Das Eisengitter, das mich zurückhielt, hatte die Lokallegende Philip Simmons vor gut fünfzig Jahren angefertigt. Er war mittlerweile in seinen Neunzigern, und seine Arbeiten waren in Charleston inzwischen groß in Mode und sehr gefragt. Das »Krähennest« hatte zum Haus gehört und den Sturm überdauert. In den dreizehn Jahren, die wir hier wohnten, war dieser acht Quadratmeter große Ausguck mir zur nächtlichen Plattform geworden, von der aus ich die Welt betrachtete. Meine einzigartige, einsame Zuflucht.

In meiner Tasche vibrierte mein Handy. Auf dem Display erkannte ich die Vorwahl von Texas. »Hallo?«

»Chris Michaels?«

»Am Apparat.«

»Hier ist Anita Becker, die Assistentin von Dr. Paul Virth.«

»Ja?« Mein Atem ging rascher. Von ihren nächsten Worten hing so viel ab.

Sie stockte. »Wir wollten Ihnen Bescheid geben ...« Ich wusste es, noch bevor sie es aussprach, »... dass der Kontrollausschuss getagt und die Parameter der Studie festgelegt hat. Vorerst nehmen wir nur Primärfälle, keine Sekundärfälle.« Der Wind drehte und ließ den Wetterhahn quietschend umschwenken. Er zeigte nun nach Süden. »Wenn die Studie so verläuft, wie wir hoffen, haben wir vor, sie im nächsten Jahr um Sekundärfälle zu ...« Entweder brach sie ab, oder ich hörte nicht mehr zu. »Wir schicken Abbie ein Empfehlungsschreiben für eine Studie von Doktor Plist und Mackles am Sloan Kettering.«

»Danke ... vielen Dank.« Ich klappte das Handy zu.

Das Problem bei einem »Verzweiflungspass« im American Football ist, dass er so lange in der Luft hängt und die meisten in der Endzone fallen gelassen werden. Deshalb heißt er in Amerika auch Ave-Maria-Pass.

Weil er von Anfang an hoffnungslos ist.

Atemlos kletterte ich hinunter und stieg durch das Fenster. Das Handy meldete sich erneut, aber ich ließ es klingeln. Eine Minute verging, bis es wieder klingelte. Ich schaute aufs Display: »Dr. Ruddy«.

»He, Ruddy.«

»Chris.« Seine Stimme war ruhig. Gedämpft. Ich sah ihn vor mir, wie er sich auf seinen Schreibtisch stützte und den Kopf in die Hand legte. Sein Stuhl knarrte. »Die Untersuchungsergebnisse sind da. Wenn Sie beide den Lautsprecher am Telefon einschalten, könnten wir sie vielleicht besprechen.«

Sein Tonfall sagte mir schon genug. »Ruddy, sie schläft. Endlich. Gestern auch schon fast den ganzen Tag. Vielleicht sagen Sie es einfach mir.« Er las zwischen den Zeilen.

»Einverstanden.« Pause. »Ähm, sie sind, ähm …« Es schnürte ihm die Kehle zu. Ruddy war von Anfang an unser behandelnder Arzt gewesen. »Chris … es tut mir leid.«

Wir lauschten gegenseitig auf unser gespanntes Lauschen. »Wie lange?«

»Eine Woche. Vielleicht zwei. Oder länger, wenn Sie sie dazu bewegen können, liegen zu bleiben und sich ruhig zu verhalten.«

Ich täuschte ein Lachen vor. »Sie wissen genau, dass das aussichtslos ist.«

Ein tiefes Seufzen. »Ja.«

Ich steckte das Handy wieder ein und kratzte meinen Zweitagebart. Meine Augen blickten starr aufs Wasser, aber im Geiste war ich ein paar hundert Meilen weit weg.

Ich schlich die Treppe hinunter und ließ die Finger über die Zierleiste an der Wand gleiten. Die Stufen der schmalen Stiege waren aus dreißig Zentimeter tiefen Kiefernbrettern, die fast zweihundert Jahre alt waren und laut knarrten – sie erzählten vom Alter und von betrunkenen Piraten, die einst auf ihnen nach unten getorkelt waren.

Das Geräusch ließ sie die Augen aufschlagen, aber ich bezweifelte, dass sie geschlafen hatte. Kämpfer schlafen nicht zwischen den Runden. Durch die offenen Fenster drang eine schwache Zugluft in unser Zimmer und machte ihr Gänsehaut an den Waden.

Unten waren Schritte zu hören, also schloss ich die Schlafzimmertür. Ich setzte mich neben sie, zog die Fleecedecke über ihre Beine und lehnte mich an das Betthaupt. Sie flüsterte: »Wie lange habe ich geschlafen?«

Ich zuckte die Achseln.

»Seit gestern?«

»Fast.« Den Schmerz bekamen wir zwar mit Medikamenten in den Griff, nicht aber ihre betäubenden Nebenwirkungen. Stundenlang lag sie still und reglos da und focht einen inneren Kampf aus, dem ich nur hilflos zuschauen konnte. Aus Gründen, die keiner von uns erklären konnte, erlebte sie dann wieder Momente – manchmal sogar Tage – völliger Klarheit, in denen alles wie weggefegt war, der Schmerz nachließ und sie so normal war wie eh und je. Ohne Vorwarnung kehrte er dann zurück, und ihr einsamer Kampf begann von vorn. So lernt man, zwischen Müdigkeit und Erschöpfung zu unterscheiden. Gegen Müdigkeit hilft Schlaf, gegen Erschöpfung richtet er nichts aus.

Sie schnupperte und roch die letzten Reste seines Aftershaves, die noch in der Luft hingen. Ich schob das Fenster weiter auf. Sie hob eine Augenbraue. »Er war hier?«

Ich starrte aufs Wasser. »Ja.«

»Wie war's?«

»Wie üblich.«

»So gut? Worum geht es dieses Mal?«

»Er ...«, ich deutete mit den Fingern Gänsefüßchen an, »verlegt dich.«

Sie richtete sich auf. »Wohin?«

Gänsefüßchen: »Nach Hause.«

Sie schüttelte den Kopf und blies beim Ausatmen die Wangen auf wie ein Kugelfisch. »Für ihn ist es, als ob er das mit meiner Mutter noch mal erleben würde.« Ich zuckte die Achseln. »Wie seid ihr verblieben?«

»Ich gar nicht. Er.«

»Und?«

»Er schickt morgen früh ein paar Leute her, um dich ›abzuholen‹.«

»Das klingt, als ob er den Müll wegschaffen wollte.« Sie deutete auf das Telefon. »Gib her. Mir ist es völlig egal, dass er fast schon als nächster Präsident gilt.«

»Schatz, ich lasse nicht zu, dass er dich wegholt.« Ich schnippte ein Stück abgeblätterte Farbe von der Fensterbank.

Sie horchte auf die Schritte im Stockwerk unter uns. »Schichtwechsel?«

Ich nickte und schaute einer Barke zu, die langsam den Ashley hinauftuckerte.

»Sag bloß nicht, dass er auch mit ihnen geredet hat.«

»O doch. Hat alle wirklich sehr beruhigt. Im Grunde hat er ihnen unter dem Deckmantel eines aufmunternden ›weiter so!‹ ordentlich die Leviten gelesen. Ich finde toll, wie er dir das, was er will, unter dem Vorwand verkauft, es sei zu deinem Besten.« Ich schüttelte den Kopf. »Manipulation mit Taschenspielertricks.«

Sie schlang ihr Bein um meins und schob sich höher, bis ihre Augen auf einer Höhe mit meinen waren. Die ehemals straffen Oberschenkel wichen knochigen Knien, hervortretenden Venen und stockartigen Schienbeinen. Ihr linker Hüftknochen, früher der sinnliche Höhepunkt ihrer weiblichen Rundungen, ragte spitz unter ihrem Nachthemd auf, das viel zu locker auf ihrem Körper lag. Nach vier Jahren war ihre Haut fast durchscheinend – eine von der Sonne verblichene Leinwand. Jetzt hing sie von ihrem Schlüsselbein wie an einer Wäscheleine.

Das Schlurfen im unteren Stockwerk verlagerte sich in die Küche. Sie blickte starr auf den Boden. »Es sind gute Leute. Sie machen das jeden Tag. Wir müssen da nur einmal durch.«

»Ja, und einmal reicht.«

Wir hatten eins jener alten Südstaatenbetten mit Himmel, nach denen Südstaatenfrauen ganz verrückt sind. Es war aus dunklem Mahagoni, hatte die Matratze 1,20 Meter über dem Boden und an beiden Längsseiten Stufen: Wehe, wenn man nachts herausrollte. Dafür hatte es aber zwei Vorzüge: Sie schlief darin, und wenn sie sich auf die Seite legte, konnte sie über die Fensterbank auf den Hafen von Charleston schauen.

Sie blickte starr aus dem Fenster, vor dem die ganze Welt sich wie eine Landkarte entfaltete und die grünen und roten Leuchtfeuer vom Kanal heraufblinkten. Rot markierte die Hafeneinfahrt. Sie schob ihre Hand in meine. »Wie sieht es da oben aus?«

Ich löste ihr Kopftuch und ließ es über ihre Schultern fallen. »Wunderschön.«

Sie drehte sich mir zu, legte den Kopf an meine Brust und schob ihre Finger unter die Knopfleiste meines Hemds an die Stelle, an der meine beiden Brusthaare wuchsen. Kopfschüttelnd sagte sie: »Du sollest mal deinen Geisteszustand überprüfen lassen.«

»Komisch. Genau das hat dein Vater mir eben auch gesagt.« Ich blickte aufs Wasser hinaus und strich, ohne hinzusehen, mit einem Finger über ihr Ohr und ihren Nacken. Ein Krabbenkutter tuckerte aufs offene Meer hinaus. »Eigentlich sagt er dir das schon seit fast vierzehn Jahren.«

»Man sollte meinen, ich würde inzwischen mal auf ihn hören.« Als der Krabbenkutter die höhere Dünung erreichte, glitt sein Scheinwerferlicht langsam wie suchend von Ost nach West über die Meeresoberfläche.

Ihre Augen lagen tief in den Höhlen, waren dunkel und matt, als wäre ihnen der Lidschatten eintätowiert. »Versprich mir eines.«

»Das habe ich doch schon getan.«

»Mir ist es ernst.«

»Gut, aber nicht, wenn es etwas mit deinem Dad zu tun hat.« Sie legte Daumen und Zeigefinger aneinander und zupfte eins meiner Brusthaare aus. »He«, ich rieb mir die Brust, »es ist doch nicht so, als ob ich davon zu viele hätte.«

Ihre Finger waren lang, genau wie ihre Beine. Seit sie knochiger waren, wirkten sie noch länger. Sie richtete den Finger auf mein Gesicht. »Bist du fertig?« Ihr Finger beschrieb einen Kreis um den offenen Spalt meines Hemdes. »Ich sehe nämlich noch eins.«

So ist meine Abbie. Dreißig Pfund leichter, aber immer noch zu Scherzen aufgelegt. Und genau daran hielt ich mich fest. An diesem erhobenen Zeigefinger, der mit Stärke drohte, Humor versprach und sagte: Ich liebe dich mehr als mich selbst.

Sie kratzte leicht an meiner Brust und deutete mit dem

Kopf auf das Foto ihres Vaters. »Glaubst du, dass ihr beiden jemals miteinander reden werdet?« Ich betrachtete das Bild. Wir hatten es Ostern aufgenommen, als er sein neues Schätzchen, die *Reel Estate*, getauft hatte. Er stand mit dem Flaschenhals in der Hand da, Champagner tropfte vom Bug und die Seebrise zerzauste sein weißes Haar. Unter anderen Umständen hätte ich ihn wohl gemocht, und manchmal denke ich, er hätte mich auch gerngehabt.

Ich betrachtete sein Foto auf ihrem Nachttisch. »Ach, ich bin sicher, dass *er* reden wird.«

»Ihr beiden seid euch ähnlicher, als ihr denkt.«

»Bitte …«

»Das meine ich ernst.«

Sie hatte Recht. »Er geht mir einfach gegen den Strich.«

»Na ja, mir schon auch, aber er ist trotzdem mein Daddy.«

Wir lagen im Dunkeln und lauschten auf die Schritte wohlmeinender, unwillkommener Fremder unter uns. Ich starrte auf den Boden, durch den die Geräusche drangen, und sagte: »Eigentlich könnte ihnen doch wirklich ein besserer Name einfallen als ›Hospiz‹.«

Sie verdrehte die Augen. »Wieso?«

»Es klingt einfach so …« Ich verstummte.

Wir saßen ein Weilchen still da. »Hat Ruddy angerufen?« Ich nickte.

»Alle drei?«

Ich nickte wieder.

»Keine Besserung?«

Ich schüttelte den Kopf.

»Was ist mit dem Kerl in Harvard?«

»Wir haben gestern miteinander gesprochen. Es dauert noch ein paar Monate, bis sie mit der Versuchsreihe anfangen.«

»Sloan Kettering?«

Ich schüttelte den Kopf.

»Was ist mit der Internetseite?« Vor zwei Jahren hatten wir eine Internetseite für Leute mit Abbies Krankheit eingerichtet. Mittlerweile hatte sie sich zu einer Informationsbörse entwickelt. Darüber hatten wir viel Neues erfahren und viele Leute kennengelernt, die uns zu einer großen Anzahl echter Experten geführt hatten. Eine tolle Möglichkeit zum Erfahrungsaustausch.

»Nichts.«

»Das ist einfach zum Kotzen.«

»Du nimmst mir das Wort aus dem Mund.«

Schweigend musterte sie einen unlackierten Fingernagel. Schließlich schaute sie mich an. »Oregon?«

Die Oregon Health Science University, kurz OHSU, war führend in der Entwicklung einer neuen systemischen Krebstherapie auf Zellebene. Echtes Neuland. Seit Monaten standen wir mit ihnen in Verbindung und hofften auf eine klinische Versuchsreihe, an der wir teilnehmen könnten. Gestern hatten sie die Bedingungen festgelegt. Weil bei Abbie die Krankheit über das Ursprungsorgan hinausgegangen war, kam sie für die Studie nicht in Frage. Ich schüttelte den Kopf.

»Können sie keine Ausnahme machen?«

Wieder schüttelte ich den Kopf.

»Hast du gefragt?«

Der Krebs hatte uns so viel genommen. Und ich konnte nur dasitzen und zuschauen. Während ich Abbies Hand hielt, ihr Suppe reichte, sie badete oder ihr das Haar kämmte, ließ *er* nicht locker. Ganz egal, womit man *ihn* bombardierte.

Ich wollte zurückschlagen. Wollte *ihn* umbringen. *Ihn* in

tausend schmerzende Stücke schneiden, in den Boden stampfen, zermalmen und seinen Geruch vom Erdball tilgen. Aber *er* hatte es nicht so weit gebracht, weil *er* dumm gewesen wäre. Nie zeigte *er* sein Gesicht, und es ist schwer, einen Gegner zu töten, den man nicht sehen kann.

»Ja.«

»Und Dr. Anderson in Houston?« Ich gab keine Antwort. Sie fragte noch einmal.

Mühsam murmelte ich: »Sie haben angerufen. Bis zu einer Entscheidung dauert es noch zwei oder drei Wochen. Der ähm …«, ich schnippte mit den Fingern, »Kontrollausschuss konnte aus irgendwelchen Gründen nicht zusammentreten. Ein paar Ärzte waren in Urlaub …« Ich schaute weg und schüttelte den Kopf.

Sie verdrehte die Augen. »Wieder eine andere Hinhaltetaktik.«

Ich nickte. Auf dem Nachttisch lag ein gefaltetes Blatt gelbes Briefpapier. Abbies Handschrift, die die ganze Seite füllte, schimmerte durch. Darunter lugte ein unbeschrifteter Briefumschlag hervor. Ein silberner Kugelschreiber lag schräg als Briefbeschwerer obenauf.

Ihr Blick verlor sich über dem Hafen. Nach längerem Schweigen fragte sie: »Wann hast du zuletzt geschlafen?« Ich zuckte die Achseln. Sie zog an mir, bis ich mich zurücklehnte, und legte den Kopf auf meine Brust. Als ich die Augen wieder aufschlug, ging es auf Mitternacht zu.

Ihr Flüstern durchbrach die Stille. »Chris?« Ihr Nachthemd war ihr von einer Schulter gerutscht. Wieder eine Erinnerung an das, was uns geraubt worden war. »Ich habe nachgedacht.« Unter dem Fenster holperte eine Pferdekutsche über das Kopfsteinpflaster.

Ich bin kein rachsüchtiger Mensch. Ich werde nicht

leicht wütend, und die meisten würden bestätigen, dass bei mir nicht so schnell die Sicherung durchbrennt. Geduld ist etwas, was ich reichlich besitze. Wer Asthma hat, versteht das. Vielleicht wollen deshalb so viele mit mir angeln gehen.

Sie starrte auf den Zeitungsartikel, der eingerahmt und vergilbt an der Wand hing.

⁓

Es war sechs Monate her. Die Lokalzeitung von Charleston hatte ein paar Wohlfühlstorys über einheimische Promis und ihre Neujahrsvorsätze gebracht. Dachte wohl, das würde uns anderen auf die Sprünge helfen. Sie riefen an und baten Abbie um ein Interview.

Der Reporter kam ins Haus, wir saßen auf der Veranda und schauten der einsetzenden Ebbe zu. Er saß mit gezücktem Stift da und erwartete, dass sie etwas Fantastisches herunterrasselte. Ihre Antworten überraschten ihn. Er lehnte sich zurück, betrachtete seine Notizen und ging die Liste noch einmal durch. »Aber …?«

Sie beugte sich zu ihm, und er wich vor ihr zurück. »Haben Sie mal den Anfang der Zeichentrickserie *Die Jetsons* gesehen?«

Er schaute sie überrascht an. »Ja, sicher.«

»Erinnern Sie sich, wie George und Astro in die Tretmühle steigen?« Er nickte. »So geht es uns seit vier Jahren.« Sie tippte auf seinen Notizblock. »Diese Liste ist mein bester Versuch, die Leine zu kappen.«

Er zuckte die Achseln. »Aber, es ist nichts …«

»Ausgefallenes dabei?«, beendete sie seinen Satz. »Ich weiß. Es ist völlig normal. Und genau das ist der Punkt. ›Normal‹ ist nur noch eine Erinnerung.« Sie schaute mich an. »Die letzten Jahre haben uns von dem Ausgefallenen kuriert.« Sie setzte ihre Sonnenbrille auf. »Wenn Sie lange genug strampeln, um den Kopf über Wasser zu halten, dann merken Sie, was Ihnen wirklich wichtig ist. Diese Liste ist meine Art, mich zu wehren. Das ist alles. Den Mount Everest zu besteigen, mit den Stieren durch Pamplona zu laufen oder in einem Ballon um die Welt zu fahren kommt darin nicht vor.«

Sie lehnte sich zurück und wischte sich die Tränen weg, die ihr über das Gesicht liefen. »Ich möchte unbedingt ...«, sie nahm meine Hand, »in einer leichten Brise am Strand sitzen, an Drinks nippen, die mit Sonnenschirmchen dekoriert sind, und mir Gedanken über die Farbkombinationen für irgendeine Küche machen.«

Sie überlegte einen Moment. »Obwohl – ich würde gern einen Loopty-Loop in einem alten Flugzeug machen.«

»Was ist das denn?«, fragte der Journalist verständnislos.

Sie beschrieb mit der Hand eine große Schleife in der Luft. »Sie wissen schon ... einen Looping.«

»Darf ich das mit auf die Liste setzen?«

»Ja«, meldete ich mich zu Wort.

Er druckte die Liste so, wie sie sie ihm diktiert hatte. Statt »Vorsätze« nannte sie die Punkte darauf aber ihre »Top-Ten-Wünsche« für das Jahr. Irgendetwas daran sprach die Leser an. Vielleicht war es die Schlichtheit, die ungeschminkte Ehrlichkeit. Ich weiß es nicht genau. Jedenfalls bekam sie in den letzten fünf Monaten viele Briefe und Rückmeldungen auf ihrer Internetseite. Um sie daran zu erinnern, was sie sich einmal erhofft und gewünscht hatte, rahmte ich den Artikel ein und hängte ihn neben das Bett. Aber bei allem, was wir in den ersten Monaten des Jahres durchmachen mussten, kamen wir nicht dazu, auch nur einen Punkt abzuhaken.

Sie deutete auf den Artikel. »Gib ihn mir.«

Mit ihrem Nachthemd wischte sie den Staub vom Glas, aus dem ihr Spiegelbild sie anstarrte, löste die Klammern an der Rückseite, nahm die Pappe heraus und zog den Artikel unter dem Glas hervor. Halb lachend las sie den Artikel durch und schüttelte den Kopf. »Ich wünsche es mir immer noch.«

»Ich auch.«

Sie lehnte sich zurück. »Ich möchte dir dein Geschenk zum Hochzeitstag geben.«

»Fünf Monate zu früh?«

»Ich bin überrascht, dass du dich an das Datum erinnerst.«

»Ich möchte nichts.«

»Das möchtest du bestimmt.«

»Ich brauche nichts.«

»Das glaubst du.«

»Schatz …«

»Chris Michaels.« Sie zog mich an sich. »Ich mache das nicht mit. So nicht.« Sie strich mir das Haar von den Augenbrauen. Sie hatte wieder ihre verspielte Miene aufgesetzt. »Auf keinen Fall.«

Da war es wieder. In den fast fünfzehn Jahren, die ich Abbie kannte, hatte sie einen Charakterzug an den Tag gelegt, den ich nie recht benennen konnte. Kein Ausdruck wird ihm gerecht, auch wenn er mir auf der Zunge liegt. Jede Umschreibung ist unzureichend. Aber auch wenn mir kein Begriff dafür einfällt, kann ich mich seiner Macht nicht entziehen.

»Aber …«, protestierte ich.

»Kein Aber.«

Es hatte keinen Sinn, mit ihr zu streiten, wenn sie so war. Krank oder nicht. Und obwohl sie es bestreiten würde, hatte sie das von ihrem Dad. Die einzig mögliche Antwort war: »Ja, Ma'am.« Seltsam, wie zwei Worte einen für immer verändern konnten. Ich legte den Artikel vor ihr auf die Bettdecke. »Suche einen aus.«

Sie deutete darauf, ohne hinzusehen. »Den ganzen Weg ab Moniac.«

Nummer zehn. Es war der unmöglichste auf der ganzen Liste. Ich hob die Augenbrauen. »Dir ist klar, dass übermorgen der 1. Juni ist?« Sie nickte. »Und dass damit offiziell die Hurrikansaison anfängt?« Sie nickte wieder. »Und dass die urzeitgroßen Moskitos gerade jetzt schlüpfen?« Sie schloss die Augen und nickte ein letztes Mal mit verschmitztem Grinsen.

Ich deutete in Richtung ihres Elternhauses, das ein paar Straßen weiter stand. »Und was ist mit ihm?«

Sie tippte auf das Blatt gelben Briefpapiers auf ihrem Nachttisch.

»Wenn er den bekommt, mobilisiert er die Nationalgarde.«

»Vielleicht auch nicht.« Sie setzte sich jetzt zielstrebiger auf. »Du könntest mit Gary reden. Er kann etwas verschreiben. Etwas, um …« Sie legte ihre Finger an meine Lippen. »He.« Sie wollte meine Augen sehen. Mein Blick verschwamm an den Rändern, und ich wusste, dass es die Bürde, die ohnehin schon auf ihr lastete, nur verschlimmern würde. Ich drehte mich um. »Hast du je ein Versprechen gebrochen, das du mir gegeben hast?«

»Nicht dass ich wüsste.«

Sie faltete den Artikel zusammen und schob ihn in meine Hemdtasche. »Dann fang jetzt nicht damit an.«

Beide Alternativen waren nicht sonderlich verlockend. »Abbie, der Fluss ist kein Ort, um …«

»Da haben wir angefangen …«

»Das weiß ich.«

»Dann bring mich wieder hin.«

»Schatz, da unten gibt's nichts, was nicht wehtäte. Es wird nicht mehr dasselbe sein.«

»Das zu beurteilen überlass mir.« Sie schaute aus dem Fenster nach Süden.

Ich versuchte es ein letztes Mal. »Du weißt, was Gary gesagt hat.«

Sie nickte. »Chris, ich weiß, was ich von dir verlange.« Sie tippte mir auf die Brust. »Sie sagen, wir sind am Ende.« Sie schüttelte den Kopf und presste die Lippen an mein Gesicht. »Also lass uns von vorn anfangen.«

Und das taten wir.

2

Regen prasselte in Schwaden an die Windschutzscheibe. Alle paar Sekunden klatschten golfballgroße Hagelkörner auf Motorhaube und Dach und knallten wie Feuerwerkskörper. Ich beugte mich vor und rieb mit der Hand über die Windschutzscheibe, aber das nützte genauso wenig wie die Scheibenwischer. Vor 150 Kilometern hatte uns ein Sattelschlepper, der eine defekte Hydraulikleitung hinter sich herzog, überholt und unseren Jeep in einen Sprühregen aus Bremsflüssigkeit und Funken gehüllt. Das verschmierte Öl-Wasser-Gemisch verbunden mit dem Scheinwerferlicht und der nächtlichen Dunkelheit tauchte die Welt in eine Coca-Cola-Farbe. In dieser Gegend herrschte Dürre. Der Grundwasserspiegel war abgesunken, und für die Einwohner von Südgeorgia und Nordflorida galten Wassersparverordnungen. Die Auswirkungen bekam vor allem der Fluss zu spüren. Der Wasserstand des St. Mary's lag zweieinhalb bis drei Meter unter dem Normalpegel. Diese Sintflut war dringend nötig, aber das meiste davon würde den Fluss nie erreichen.

Bevor die Federal Interstate Highways als Wunder an sechsspuriger Präzision, Effizienz und Freiheit die USA erschlossen, hatten sich in den 1950er Jahren ihre weniger effizienten zweispurigen Vorläufer durch und um das kleinstädtische Amerika geschlängelt, höflich bedacht, das Gleichgewicht der Pecanobäume, Lebenseichen und alteingesessenen Hühnerfarmen nicht zu stören. Die US1 von Maine nach Miami – eine Art Route 66 der Ostküste – war mit ihren Schuhkarton-Familienmotels aus Beton, Full-Service-Tankstellen und All-u-can-eat-Restaurants die Lebensader für jeden Handelsvertreter und jede Familie, die in Urlaub fuhr. Mit ihren Orangensaftständen, Kramläden, Alligatorfarmen und Andenkenläden, die überquollen vor altbackenen Claxton-Früchtekuchen und Mountain-Dew-Limonade, repräsentierte sie die Americana in ihren besten Zeiten.

Um wach zu bleiben, schaltete ich das Radio ein. Ein Wettermann war mitten in seiner Vorhersage. Starker Regen klatschte auf sein Mikrofon, und er brüllte gegen den Wind an: »Vor vier Wochen zog ein tropisches Tiefdruckgebiet über den Südteil Westafrikas. Sieben Tage lang wanderte das tropische Sturmtief an der Küste Afrikas entlang und über den tropischen Atlantik. Nachdem es durch die Karibik gezogen war, zeigten Satellitenbilder am 20. Mai, dass sich über der südlichen Mitte der Karibik ein Wolkenband bildete. Am 23. Mai verstärkte sich der Tropensturm Annie – so genannt, weil es der erste Sturm des Jahres ist – und zog Richtung Norden. Und heute Morgen um 6 Uhr entwickelte sich Annie zu einem Wirbelsturm.« Ich schaltete das Radio ab und starrte durch die Windschutzscheibe. Flussführer sind zwangsläufig heimliche Wetterexperten. Wir müssen es sein. Das bringt der Job mit sich. Ich wischte wieder innen über die Windschutzscheibe. Zu beiden Seiten der Straße ragten nun hohe Fichten auf. Den Wirbelsturm hakte ich ab. Der Regen, den wir hier erlebten, hatte nichts mit Annie zu tun, und angesichts seiner Route würde er sich bestimmt weit vor Florida austoben.

Von Waycross, Georgia, südlich bis zur Grenze Floridas liegt ein 1800 Quadratkilometer großes Torfmoor wie ein pochiertes Ei in einer schüsselförmigen Senke, die wahrscheinlich früher Teil des Meeresbodens war. Wenn Pflanzen absterben und auf den Boden der Sümpfe sinken, verrotten sie, setzen Methan und Kohlendioxid frei und werden zu Torf. Da dieser Prozess langsam vonstatten geht, wächst die Torfschicht am Grund des Moores nur zweieinhalb Zentimeter in fünfzig Jahren. Unter dem dichten Torfgeflecht ist das austretende Gas gefangen, baut Druck auf und hebt die Torfinseln an, sodass sie wie Korken an die Oberfläche schwimmen. Sobald sie aufsteigen, wird das Gas freigesetzt und glüht auf dem Weg an die Oberfläche wie untergetauchte Nordlichter. Mitte des 20. Jahrhunderts behaupteten Besucher der Moore, es gebe dort UFOs; sie organisierten Exkursionen und verkauften Tickets, bis Wissenschaftler auftauchten und ihre Behauptungen widerlegten. Da die instabilen Torfschichten bebten wie die Platten der Erdoberfläche, nur fließender, nannten die Choctaw-Indianer dieses Gebiet das »Land der bebenden Erde«, was im Englischen klingt wie »Okee-fen-o-kee«.

Die Okefenokee-Sümpfe sind eine unberührte, urzeitliche Landschaft. Für Menschen so gut wie unbewohnbar. Sie dienen praktisch als Entwässerungsgebiet für Südostgeorgia und Nordostflorida.

»Entwässerung« ist der entscheidende Begriff. Wie alle Abflusskanäle kann auch diese Senke nur eine begrenzte Wassermenge innerhalb einer bestimmten Zeit ableiten.

Wenn die Sümpfe sich füllen, fließt das Wasser an zwei Stellen ab. Es ist wie in New Orleans, allerdings gibt es hier nur zwei Löcher im Deich und wesentlich weniger Mord, Glücksspiel und Prostitution. Der größere Abfluss ist der Suwannee, der sich gut 300 Kilometer nach Südwesten durch Florida schlängelt und im Golf von Mexiko mündet. Sein zweihundert Kilometer langer Nebenfluss, der St. Mary's River, windet sich zuerst südlich Richtung Baldwin, beschreibt oberhalb von Mcclenny einen weiten Bogen, fließt dann nördlich Richtung Folkston und wendet sich in einer scharfen Kehre nach Osten, wo er in den Cumberland Sound und den Atlantik mündet.

Wegen seiner teeähnlichen Farbe bezeichnet man den St. Mary's als Schwarzwasserfluss. Vor zweihundert Jahren kamen Seeleute durch den Cumberland Sound gut achtzig Kilometer flussaufwärts bis Trader's Hill, um dort ihre Fässer mit Trinkwasser zu füllen, weil es durch die Gerbsäure lange genießbar blieb, zum Beispiel bei Atlantiküberquerungen.

In Dürreperioden ist der St. Mary's zuweilen nur einige Zentimeter tief und kaum ein bis zwei Meter breit. Im Oberlauf bei Moniac ist er dann kaum mehr als ein Rinnsal. Aber anhaltende Regenfälle, die den Lebenssaft der Sümpfe ausmachen, lassen den Fluss in Mündungsnähe auf eine Breite von über anderthalb Kilometern mit zehn bis zwölf Meter tiefen »Tümpeln« anschwellen. Die normale Fließgeschwindigkeit von knapp einem Kilometer in der Stunde kann sich bei Hochwasser auf zehn bis dreizehn Stundenkilometer erhöhen, bisweilen sogar auf siebzehn.

Hochwasser ist hier heimtückisch. Wenn es zu Überschwemmungen kommt, dringt das Wasser durch den Boden hoch. Da das Regenwasser aus anderen Gebieten stammt, steigt das Grundwasser ohne jede Vorwarnung. Man kann friedlich bei Mondschein und klarem Himmel in seinem Zelt zehn Meter vom Flussufer entfernt einschlafen und wacht sechs Stunden später auf, weil der Schlafsack durchnässt ist und das Wasser im Zelt zehn Zentimeter hoch steht. Überschwemmungen fallen hier nicht als Regen vom Himmel. Sie steigen aus dem Nichts von unten auf.

Bevor Einheimische ein Haus am Fluss bauen, stellen sie meist zwei Fragen: Wo ist die höchste Hochwassermarke der letzten hundert Jahre, und wie kann ich oberhalb davon bauen? Da keine seriöse Versicherungsgesellschaft für das St.-Mary's-Becken eine Hochwasserversicherung abschließt, sind die meisten Häuser auf Pfählen gebaut.

Selbst die Kirchen.

Aber überall am Ufer verstreut gibt es Häuser, Anglercamps, Badeseen, Bootshäfen, Schaukeln, Seilrutschen, Whiskeydestillen, Sümpfe und sogar eine gut versteckte Nudistenkolonie. Es brodelt förmlich von Aktivitäten wie unter der Oberfläche eines Ameisenhügels. Dennoch fließt der St. Mary's vom Oberlauf bis zum Sund durch eine der letzten unberührten Landschaften der Südstaaten.

༄

Da der Regen mich zu Schneckentempo zwang, hielt ich unter einer Überführung und nahm den Gang heraus. Abby lag dösend hinten im Wagen. Alle paar Minuten murmelte sie etwas Unverständliches im Schlaf.

Die Therapien sind das Schlimmste. Sie greifen dich im Kern an, nehmen dir alles und hinterlassen nur vage Erinnerungen. Lange hatte sie sich nach Kräften bemüht, durchzuhalten, aber alles war ihr wie Wasser zwischen den Fingern zerronnen.

Ich kroch hinten in den Jeep und legte mich neben Abbie. Sie drehte sich zu mir. Ich zog die Plastikhülle mit dem vergilbten, zerknitterten Zeitungsartikel aus meiner Hemdtasche. Schon vor Jahren hatte ich gelernt, ihre Hoffnung zu schüren, womit ich nur konnte, und ihr Denken über die Gegenwart hinauszulenken. Denn wenn sie sich auf das Hier und Jetzt konzentrierte, geriet sie schnell in eine Abwärtsspirale. So hatte ich es geschafft, sie von dort nach hier zu bringen.

Sie öffnete die Augen einen Spalt weit, gerade lange genug, um das Blatt Papier zu erkennen. Lächelnd nickte sie, das hieß, dass sie mitspielen würde. »Ich möchte gern …« Das Flüstern klang heiser und wie aus weiter Ferne. Es lag an den Medikamenten. Ihre Schmerztoleranz war hoch. Sie hatte eine Menge Übung. Ihre Miene zeigte mir, dass sie sich wehrte, so gut sie konnte.

Abbie hatte schon immer unter Migräne gelitten. Sie fraß fast alles in sich hinein, und die Spannung musste irgendwohin. Vielleicht hatte es etwas mit ihrem Vater zu tun. Die Anfälle kamen plötzlich und ließen nur langsam nach. Als wir uns kennenlernten, hatte sie bereits ein Dutzend verschiedener Mittel dagegen ausprobiert, Yoga, Akupunktur, Tiefenmassage, aber sie alle hatten ihr kaum Erleichterung gebracht.

Wenn wir allein waren, legte sie meinen Zeigefinger unmittelbar über dem Ohr an ihre Schläfe. Das war ihre Art, mir zu sagen: »Streichle mich.« Von ihrer Schläfe wanderten meine Fingerspitzen an ihrem Ohr entlang, über Hals, Schlüsselbein, Brust, Arme und Finger, über ihre Hüften, den Oberschenkel entlang bis zu dem kleinen Höcker an ihrem Knie und über ihre runde Wade bis zur Wölbung ihres Fußes. Oft schlief sie dabei ein, und wenn sie aufwachte, war die Migräne fort.

Ich tippte auf den Artikel in meiner Tasche und streichelte sie behutsam. »Nummer eins?«

Sie schluckte. »… mit einem altmodischen Karussell fahren.«

»Nummer zwei«, hakte ich nach.

Sie las die Liste von ihren geschlossenen Lidern ab. »Einen Loopty-Loop in einem alten Flugzeug machen.«

Die Wunschliste hatte keine spezielle Reihenfolge. Der Reporter hatte sie so festgehalten, wie Abbie sie spontan aufgezählt hatte. An Punkten, unter denen er sich nichts vorstellen konnte, hatte er nachgefragt, und sie hatte sie ihm erklärt. Um die Schlichtheit ihrer Wünsche zu vermitteln, hatte er sie in Abbies Worten wiedergegeben und die Erläuterung in Klammern gesetzt. »Ich liebe es, wie du ›Loopty-Loop‹ sagst. Sag es noch mal. Noch ein Mal.«

Sie leckte sich die Lippen. Ihre Zunge war baumwollweiß. Das erste L blieb an ihrem Gaumen kleben. »Loopty-Loop.«

»Weiter.«

»Am Strand Wein trinken.«

»Das ist noch nicht mal die Hälfte.« Sie legte den Kopf an meine Brust und atmete tief durch. »Nummer vier.«

Sie stockte. »Habe ich vergessen.«

Es war gut zu wissen, dass sie ihren Sinn für Humor nicht verloren hatte. »Das bezweifle ich stark.« Sie lachte beinah. Ich schüttelte die Klarsichtfolie mit dem Artikel. »Ich warte.«

Sie hob eine Augenbraue. »Nackt baden.«

»Und Nummer fünf?«

Die Vene an ihrer rechten Schläfe trat dick und blau hervor. Das bedeutete, dass sie hämmernde Kopfschmerzen hatte. Sie presste die Hand an die Stirn.

»Auf der Skala von eins bis zehn?«, fragte ich.

»Ja.«

Das hieß »9,8«. Ich öffnete die Schnappverschlüsse der Pelican-Box und kramte den Inhalt durch. Flussführer nennen sie »Otterboxen«. Sie schwimmen, sind wasserdicht und stoßfest. Wenn man das gute Porzellan seiner Mutter hineinpacken, die Box die Niagarafälle hinunterwerfen und sie unten wiederfinden würde, stünden die Chancen gut, dass man von den Tellern noch essen könnte. Ich fand, was ich brauchte, steckte die Nadel in die Spritze, drückte die Luft heraus und spritzte ihr das Dexamethazon in den Arm. Sie zuckte nicht einmal. Nach vier Jahren konnte ich Abbie ihre Spritzen besser verabreichen als manch eine Krankenschwester.

Minuten vergingen. Langsam sagte sie: »Mit Delfinen schwimmen.«

»Weiter. Du kommst in Schwung.«

»Angeln.«

»Nummer sieben.«

»Modell sitzen.« Sie kicherte.

»Nummer acht.«

»Mit meinem Mann tanzen«, sagte sie, ohne abzulesen.

»Noch zwei.«

»Lachen, dass es wehtut.«

»Und? *Last, but not least.*« Ich ahmte mit den Fingern einen Trommelwirbel nach und machte mit der Zunge die passenden Geräusche dazu.

»Ab Moniac den ganzen Fluss hinunterfahren.«

Sie schob meinen Hut nach hinten. Er war aus Filz. Ein so genannter Banjo-Patterson-Hut von Akubra in Australien. Elf Zentimeter hoch mit sieben Zentimeter breiter Krempe. Ich hatte ihn vor acht Jahren gekauft, weil ich dachte, ich sähe darin aus wie Indiana Jones. Inzwischen war er ausgebleicht, die Krempe wellte sich wie eine Achterbahn, und am Kniff hatten meine Daumen Löcher hineingewetzt. Auch wenn ich umwerfend und heroisch aussehen wollte, hatte ich doch mehr Ähnlichkeit mit Jed Clampett aus *Die Beverly Hillbillies sind los!*

»Du willst doch wohl nicht wirklich diesen albernen Hut tragen, oder?«

Ich nickte. »Mein Kopf hat fünf Jahre gebraucht, ihn einzutragen.«

Sie lachte. »Er ist wohl eher ganz schön *ab*getragen.«

Das Problem bei einer Wunschliste ist, dass sie viel über den Wünschenden aussagt. Wenn sie ehrlich ist, legt sie die Tiefen seiner Seele bis auf den Grund bloß.

Dasselbe kann für Hüte gelten.

3

Für die meisten war es eine Ehe, wie im Himmel geschlossen. Wer das nicht fand, war nur neidisch.

William Barclay Coleman hatte von Geburt an »Präsenz« besessen. Er war groß, gutaussehend, redegewandt, Achtung gebietend, und selbst Leute, die ihn beneideten, behandelten ihn wie den Finanzmagnaten E. F. Hutton. Seine vornehme Herkunft war makellos. Militärakademie Citadel, Harvard Law School, Sommeraufenthalte in Europa. Als junger politischer Senkrechtstarter und großer Redner wurde er als jüngster Kandidat aller Zeiten in das Abgeordnetenhaus von South Carolina gewählt. Aber das war nur der Anfang.

Ellen Victoria Shaw war die reinste Werbeikone für Emily Post und Gloria Vanderbilt. Sie stammte in fünfter Generation aus einer alteingesessenen Charlestoner Familie, besuchte die Mädchenschule Ashley Hall und das Randolph Macon Women's College. In ihrem ersten Collegejahr baten nicht weniger als acht Verehrer, sie zum jährlichen Kostümball an der Washington and Lee University zu begleiten.

Bis zu ihrem Abschlussjahr hatte nahezu jedes Burschenschaftsmitglied von Kappa Alpha im Umkreis von 150 Kilometern sie zum Kostümball unter dem Motto »Die konföderierten Südstaaten« eingeladen, wo das Getuschel und neidische Gemurmel der Mädchen von den Colleges Hollins, Sweet Briar und Mary Baldwin sie zur inoffiziellen Ballkönigin kürte.

Nach ihrem Abschluss in Französisch und Kunstgeschichte kehrte sie nach Hause zurück und machte beim Ball der Hibernia Society eine Zufallsbekanntschaft.

Er war 25. Sie knapp 22. Nach einer angemessenen Verlobungszeit von neun Monaten feierten sie eine Hochzeit, die weite Kreise der Gesellschaft von Charleston vor Neid erblassen ließ und endlose Spekulationen und Gerüchte schürte. Zur Hochzeit schenkte er ihr ein Mercedes 450 SL Cabrio.

Nach Flitterwochen in den österreichischen Alpen, einer Safari in Tansania und einem Ausflug an die unteren Hänge des Kilimandscharo kehrten sie in das Haus seiner Familie an der Battery Street in Charleston zurück, wo er sich strategisch auf den Einzug ins Gouverneurspalais vorbereitete. Achtzehn Monate später gebar sie ihm eine Tochter, Abigail Grace Eliot Coleman – die sechste Generation. Während der feierlichen Amtseinführung im folgenden Januar lächelte Abigail Grace aus ihrem Mützchen in jede blitzende Kamera und schlürfte die Aufmerksamkeit wie Schokolade. Schon damals hatte sie Talent.

Aber das Blatt wendete sich.

Als Abigail zwei Jahre wurde, erkrankte Ellen. Blaue Flecken, die nicht wieder weggingen. Untersuchungen ergaben einen Eierstockkrebs, der außer Kontrolle geraten war. Es dauerte nicht lange. Der verwitwete Vater gab Abigail Grace in Miss Olivias Obhut, ließ den Wagen einmotten, verbarg seine Trauer und konzentrierte sich auf seine Vorhaben. Er widmete sich »dem Volk« und kandidierte nach zwei Amtsperioden als Gouverneur für den Senat, dem er bis heute angehört.

Als Abigail zehn war, heiratete der damalige Juniorsenator zum zweiten Mal. Katherine Hampton war wie ihre Vorgängerin durch und durch Charleston. Ihr Stammbaum reichte zurück bis auf einen Gründer von Charleston und Unterzeichner der Unabhängigkeitserklärung. Ihm war bei seiner Suche das Unvorstellbare gelungen: Er hatte eine Frau gefunden, die auf Glas zu tanzen vermochte. Sie war stark genug, aus Ellens Schatten zu treten, ohne das Andenken an sie zu entehren.

～

Abbie wuchs zur Debütantin heran, absolvierte Ashley Hall, war die einzige Tochter des Senators von South Carolina und Aushängeschild der gesellschaftlichen Elite. Sie besaß mehr Klasse im kleinen Finger als ich in der ganzen Hand. Oder im ganzen Leib. Während ich über eine Fuge in den Gehwegplatten stolperte, in Hundehaufen trat oder Senf über mein weißes Hemd kleckerte, tupfte sie sich die Mundwinkel mit einer Spitzenserviette, freundete sich mit streunenden Hunden an und schwebte über Bürgersteige wie Mary Poppins. Wir waren so verschieden, wie Menschen nur sein konnten, und wieso sie sich gerade für mich entschieden hat, ist mir bis heute ein Rätsel, bei dem ich mich am Kopf kratze.

Weihnachtsferien in meinem ersten Jahr am College in Charleston. Ich hatte Spätschicht in der Bar des Charleston Place Hotel, gleich neben der Vom-Winde-verweht-Treppe. Es ging auf Mitternacht zu, als ich gerade einen Tisch bediente und vier Mädchen hereinkamen. Alles an ihnen besagte: »Charleston«. Ihr Gang, ihre Kleidung, ihre Mienen. Das hat nichts mit Snobismus zu tun, es ist Erziehung. Sicher, es könnte snobistisch werden, aber in diesem Moment war es die nahtlose Verschmelzung von Kultur und Klasse.

Sie bestellten Cappuccino, Latte und einen gemischten Dessertteller. Ich vermasselte den Espresso, ließ die Milch anbrennen und sprühte zerlaufende Schlagsahne über die Tassenränder, wobei eine Eruption des Behälters mir die Schürze bespritzte – was mich alles in allem recht treffend charakterisiert.

Sie tuschelten und kicherten bis fast ein Uhr. Wenn ich so eine Mädchengruppe sah, nahm ich sie in der Regel nur als Ganzes wahr. Ich sah die Gruppe, ohne dass mir einzelne Personen auffielen.

Außer ihr.

Sie ähnelte zu einem Teil Julie Andrews und zu zwei Teilen Grace Kelly. Sie war anders als alle, die ich bis dahin gesehen hatte. Bei ihr waren es nicht die hohen Wangenknochen, die Lippen, das Kinn oder die Nase. Es waren ihre Augen – und etwas, was sich dahinter verbarg.

Im Charleston Place bedienten wir viele Prominente, von arabischen Scheichs bis zu Hollywoodstars. Das einzig Ungewöhnliche war das Fehlen von gewöhnlichen Leuten. Ich wusste, dass sie berühmt war, dass ich ihr Gesicht schon gesehen hatte, aber ich war seit vierzehn Stunden auf den Beinen und ein bisschen benommen.

Schließlich winkte das immer am lautesten giggelnde Mädchen der Gruppe mich an den Tisch. Ich versuchte, mich durch und durch oberkellnerhaft zu benehmen, schenkte ihnen Wasser nach und trat mit dem Tuch über dem Unterarm zurück. Ihre Freundin – Elizabeth, wie ich später erfuhr – hob beide Augenbrauen und sagte: »Sie schauen ständig herüber, ich werde jetzt Eintritt verlangen.«

Aufgeflogen.

»Habe ich … haben wir … sind wir uns schon mal begegnet?«, stammelte ich.

»Ich glaube nicht«, sagte sie ruhig, »aber ich werde manchmal verwechselt.«

Ich musste gehen, bevor ich vor Verlegenheit in den Boden versank. Also nickte ich und versuchte vergebens, dabei nicht zu grinsen. Dann ging ich an die Bar, um sie einmal mehr abzuwischen. Sie legten Geld auf den Tisch und gingen in die Hotellobby.

Ich dachte: *Von irgendwoher kenne ich sie.*

Als die vier an der Scarlett-Treppe vorbeikamen, lief sie die Stufen hinauf – mit ihren langen Beinen nahm sie immer zwei Stufen auf einmal –, setzte sich rittlings auf das Geländer wie auf ein Pferd und rutschte auf dem Hintern herunter.

Das war hier so fehl am Platz wie McDonald's in Japan, aber ich sah eine Rarität: eine Frau, die sich von Charleston genommen hatte, was sie wollte, ohne sich vereinnahmen zu lassen.

Unter dem verschmitzten Lächeln des Portiers verschwanden sie durch den Haupteingang. Er tippte sich mit der weiß behandschuhten Hand an die Mütze. »Nacht, Miss Coleman.«

Sie klopfte ihm auf die Schulter. »Nacht, Mr George.«

Ich lehnte mich an die Bar und schenkte mir Mineralwasser ein. Zehn Sekunden später schlenderte George in die Bar, wischte mit der Hand über einen Tisch und sagte, ohne mich anzusehen: »Denk nicht mal dran.«

Ich machte eine fragende Geste. »Wer war …«

Kopfschüttelnd kehrte er mir den Rücken. »Du lebst nicht mal im selben Universum.«

Er hatte Recht. Aber das ist genau der Punkt bei den Sternen, die im Universum leuchten. Sie erreichen einen, wo immer man auch ist.

4

1. Juni, 4 Uhr

Der Regen ließ nach, daher steckte ich den Zeitungs-artikel wieder in meine Tasche, kletterte auf den Fah-rersitz und löste die Handbremse. Um 4 Uhr bogen wir auf den Parkplatz von St. Mary's Sportsman – einer Kombina-tion aus Pfandleihhaus und Sportgeschäft für jeden Padd-ler, Angler, Wasserskifahrer und Jäger im Umkreis von hun-dert Kilometern. Gus würde erst in ein paar Stunden öffnen, aber die Chancen standen gut, dass mein Schlüssel noch zum Tor und Lagerhaus passte. Ich hielt vor dem Tor, stieg aus und rannte durch den Regen. Gus, der Besitzer und mein ehemaliger Boss, hatte mir gesagt, wenn ich mal wie-der in der Stadt sei, solle ich mich ganz wie zu Hause füh-len, und genau das hatte ich nun vor.

Das Tolle an Norman-Rockwell-Kleinstädten in Süd-georgia ist, wie wenig sich von einem Jahrzehnt zum nächs-ten verändert. Gus hatte noch nie viel für Alarmanlagen oder neue Schlösser übrig gehabt, weil die Kriminalität sich in St. George gewöhnlich auf Kids beschränkte, die Kühe piesackten, oder auf Trucker, die sich an landwirt-schaftlichen Einfuhrkontrollen vorbeizuschmuggeln ver-suchten. Als ich meinen Schlüssel in das Loch steckte und umdrehte, sprang das Schloss auf.

Ich war in einem Trailerpark nicht weit von hier aufgewachsen. Von der Mitte der achten Klasse bis zu dem Jahr, als ich aufs College ging, hatte ich für Gus gearbeitet und geführte Bootstouren geleitet. Nach vorsichtigen Schätzungen hatte ich im Kanu oder Kajak knapp 5000 Kilometer auf dem St. Mary's zurückgelegt, mehr als jeder andere, den ich persönlich oder nur vom Hörensagen kannte. Gus inbegriffen.

Ich ließ den Motor laufen und beschloss, es auf dem ehrlichen Weg zu versuchen. Ich klopfte an Gus' Wohnwagen. Kurz darauf ging das Licht an, und Gus öffnete die Tür einen Spalt. Ein Auge war geschlossen, das andere kaum geöffnet. »Hallo, Chris.«

»Hallo.«

»Warte kurz.«

Gus war inzwischen vielleicht fünfzig. Sonnengegerbt und flussmüde, aber fitter als die meisten College-Kids. Er kam heraus und sah noch verwitterter und dörrpflaumiger aus, aber sein Grinsen war unverändert. Gus kannte mich und meine Geschichte und hatte als Erster die Dokumente unterschrieben, die mich durch die Highschool gebracht hatten. Ich reichte ihm die Hand. »Gus, ich muss ein bisschen einkaufen.«

Er warf einen Seitenblick auf den Wagen. »Willst du drüber reden?«

Ich schüttelte den Kopf. »Eigentlich nicht.«

»Bist du sicher?«

»Ja.«

»Nimm, was du brauchst. Fühl dich wie zu Hause.«

Ich setzte rückwärts vor das Tor und ließ den Motor laufen, während Gus aufschloss und das Rolltor hochschob. Ich holte zwei 5-Meter-40-Mad-River-Kanus – ein braunes und ein mangofarbenes – von den Mietständern, nahm drei Paddel und zwei Schwimmwesten herunter, und wir banden sie auf den Dachgepäckträger des Jeeps. Gus bemerkte Abbie im Wagen, sagte aber nichts. Ich ging durch das Lager und packte alles, was ich brauchte, in einen Seesack.

Im Laden warf ich ein paar Lebensmittel und Konserven in eine Kühltasche, packte einen Kocher und ein paar kleine grüne Propangaskartuschen, zwei große blaue Planen, ein Zelt, eine Angelrute, ein paar Spinnköder und was ich sonst noch tragen konnte. Ich öffnete die Glasvitrine und nahm ein kleines wasserfestes GPS-Gerät heraus, das die Position über Satellit bestimmte. Auch wenn es mir meine Position bis auf einen Meter genau angeben würde, brauchte ich es nicht, um zu wissen, wo ich war. Dazu kannte ich den Fluss gut genug. Aber ich konnte es brauchen, um die zurückgelegte Strecke und die Entfernung vor uns liegender Punkte festzustellen. Es würde mir helfen, Pausen, Übernachtungen und Unterschlupfmöglichkeiten zu planen. Selbst jemanden mit meiner Erfahrung stellte der Fluss vor das Problem, dass er sich ständig veränderte. Und dann konnte er ohne Vorwarnung völlig anders aussehen. Ab Trader's Hill machte zudem der Gezeitenwechsel es nahezu unmöglich, die Reisegeschwindigkeit und damit die zurückgelegte Entfernung abzuschätzen. Drei Stundenkilometer mehr oder weniger bedeuteten einen erheblichen Unterschied. Und sobald ich müde würde, was mit Sicherheit eintreten würde, könnte ich Geschwindigkeit und Entfernung ohnehin schlechter schätzen. Dann würde das GPS mir gute Dienste leisten.

Gus nahm meine Einkäufe und legte noch ein paar Dinge auf die Theke, die ich seiner Ansicht nach brauchen konnte. Er kratzte sich am Kinn. »Fährst du bis in den Sund?«

Ich nickte.

»Allein?«

Ich warf einen Blick auf den Wagen und zuckte die Achseln.

Es klopfte an der Vordertür. Gus runzelte die Stirn und brummte vor sich hin: »Es ist mitten in der Nacht.« Er spähte durch die Tür und sah zwei Männer im Dunkeln stehen. Durch das Glas brüllte er: »Wir haben geschlossen.«

Einer der Männer sagte: »Sieht aber gar nicht danach aus.«

Gus grinste: »Kommen Sie doch morgen früh wieder. Wir machen gerade Inventur.«

Der zweite Mann presste das Gesicht an die Glastür. »Wir wollen auf Froschjagd und brauchen noch ein paar Sachen. Dachten, Sie könnten uns vielleicht weiterhelfen.«

Gus warf einen Blick auf den Computermonitor mit dem Radarbild, das den Tropensturm Annie als wachsenden roten Wirbel zeigte. Er schaute mich an. »Wenn sie was davon verstehen würden, wär die Zeit ganz gut, um Frösche zu jagen bei dem wechselnden Luftdruck und allem, aber ich habe das Gefühl, die Burschen haben keine blasse Ahnung vom Speerjagen.«

Achselzuckend winkte Gus ab. »Tut mir leid, Jungs. Ich arbeite hier bloß. Viel Glück.«

Damit drehte er sich um und ging in sein Büro. Einer der Kerle zeigte ihm den Stinkefinger, während der andere zu ihrem Wagen hinkte. Als er die Autotür öffnete und sich auf den Fahrersitz setzte, sah es aus, als ob hinten in dem Chevrolet Tahoe noch zwei Männer säßen. Da die Hurrikansaison gerade anfing, wäre es nichts Ungewöhnliches, wenn vier vom Pech verfolgte Verlierer die Folgen eines Wirbelsturms als ihre große Chance sähen.

Sie verschwanden die Zufahrt hinunter, als Gus aus seinem Büro kam. Er legte zwei Dinge auf die Theke. Gus hatte nie zu den Panikmachern gehört, aber er lebte schon lange hier draußen in den Wäldern. Es war nicht sein erstes Rodeo. Er war Realist, und daher war ich es wohl auch. »Höchstwahrscheinlich begegnen dir da draußen nicht nur Schlangen.« Das erste war eine Smith and Wesson, Modell 22-4. Ein Revolver mit Standvisier und .45-ACP-Patronen. Das zweite war eine Remington 870, eine Repetierflinte, Kaliber 12, mit 46-Zentimeter-Lauf. Weitere Erklärungen waren nicht nötig. Ich nahm beide und ein paar Schachteln Munition.

»Danke.« An der Wand seines Büros hing ein Ölgemälde, das ich vor fast zehn Jahren gemalt hatte. Es war ein Weihnachtsgeschenk und als eine Art Dank gemeint. Ich hatte es aus der Perspektive eines Menschen gemalt, der gerade aus dem Wasser auftaucht und nach oben schaut. Gus saß lächelnd in einem Kajak und stach das Paddel ins Wasser. Da war er zu Hause. Das galt für uns beide. Das Bild war voller Bewegung, und die Falten in seiner Wange zeugten von einer tiefen Zufriedenheit, die sich beim Paddeln einstellte. Ich hatte es *Paddler-High* genannt.

Er deutete auf das Bild. »Ständig fragen Leute danach. Wollen wissen, ob ich es verkaufe.«

»Und was sagst du ihnen?«

»Noch nicht.«

»Was bieten sie denn?«

»Sagen wir mal, davon könnte ich einen neuen Ford Diesel bar bezahlen.«

»Nimm das Geld.«

Er betrachtete das Bild. »Nein. Ich glaube, ich behalte es noch ein Weilchen.«

Mit vollen Armen schob ich das Holster mit dem Revolver auf meinen Rücken, warf alles hinten in den Jeep und ging ein letztes Mal durch den Laden. Auf Gus' Computer war ständig das Radarbild des Wetterkanals eingestellt. Das machte er, um für seine Kunden und Leute, die Ausrüstung leihen wollten, die Bedingungen auf dem Fluss im Auge zu behalten. Es zeigte das Gebiet von den Okefenokee-Sümpfen bis zum Cumberland-Sund. Am unteren Bildschirmrand liefen wie bei den Börsennachrichten zweistellige Zahlen für die Wasserstände durch, die Sensoren auf dem gesamten zweihundert Kilometer langen Flusslauf automatisch sendeten. Beides zusammen vermittelte mir einen recht guten Überblick über die Bedingungen auf dem Fluss. Er deutete auf den Ticker. »Wenn der Sturm kommt, dürfte sich einiges ändern.«

»Ich erinnere mich.«

An der Kasse hingen wasserfeste Kartenhüllen in verschiedenen Größen. Wir Führer benutzten sie, um unsere Karten trocken zu halten, bis wir den Fluss besser kannten als die Landkarten – was nach mehreren Saisons der Fall war. Ich brauchte die Karte weniger als die Hülle, aber da es schon einige Zeit her war, nahm ich beides. Die Karte würde das GPS bestätigen und umgekehrt. Ich zog den Zeitungsartikel aus meiner Hemdtasche, schob ihn in die Kartenhülle und verschloss sie.

Als der Wagen beladen war, drehte ich mich zu Gus um. Ich schuldete ihm eine Erklärung. »Wie ist es bei dir so gelaufen?«

»Na ja, ich wäre lieber mit einem 18-Fuß-Hewes-Boot irgendwo in einer Gegend, wo es keinen Handyempfang gibt, aber …«, er deutete auf das Geschäft, »so ein Laden läuft nicht von allein.«

»Verkauf das Gemälde. Kauf das Boot. Mach Urlaub.«

Er nickte. »Eines Tages vielleicht.« Er schüttelte ein Kieselsteinchen aus seiner Teva-Sandale. »Willst du wirklich nicht drüber reden?«

»Die Ärzte haben uns nach Hause geschickt.« Ich zog eine Paddelsicherung von einem Haken an der Wand und spielte mit der Schlaufe. »Egal, was du in der kommenden Woche hörst, wahrscheinlich stimmt nur die Hälfte davon.«

Ich riss ein Blatt Papier von einem Block, den ich immer im Wagen hatte, schrieb alles auf, was ich gerade in den Jeep geladen hatte, und notierte meine Kreditkartennummer darunter. »Es wäre besser … für mich, wenn du noch eine Woche warten würdest, bevor du meine Karte belastest.«

»Brauchst du Geld?«

»Nein, es ist nur so, dass ein paar Leute die Augen aufhalten, und ich will nicht, dass sie sofort wissen, wo ich bin. Sie werden es noch früh genug rausfinden.«

»Hast du Ärger?«

»Nicht so, wie du denkst. Jedenfalls noch nicht.«

Er faltete die Rechnung zusammen und steckte sie in seine Hemdtasche. »Nächsten Monat.«

»Danke, Gus.«

Ich stieg in den Jeep und schnallte mich an. Gus blieb an der Tür stehen und starrte auf den Highway. »Neulich musste ich an deine Mutter denken.«

»Ach ja?«

»Das war eine prima Frau. Habe ich dir je erzählt, dass ich ihr einen Heiratsantrag gemacht habe?«

Lachend schüttelte ich den Kopf. »Nein.«

»Sagte, sie wär verheiratet gewesen, und es hätte nicht funktioniert. Außerdem hätte sie mich viel zu gern. Sagte, wenn ich sie erst kennengelernt hätte, würde ich sowieso abhauen.« Er schwieg eine Weile. »Ich glaube, mit dir hat sie alles richtig gemacht.«

»Sie hat's versucht.«

Gus nutzte den Parkplatz als Ablegestelle für alle, die bei ihm Boote mieteten. Nachdem wir jeden mit Schwimmwesten, Paddel und Kajak oder Kanu ausgerüstet hatten, setzten wir die Boote neben dem Parkplatz in den Fluss. Ein kurzes Stück bergab konnte man am Strand stehen und einsteigen. Es war tief genug für die Boote, aber nicht so tief, dass man nicht mehr stehen konnte, falls jemand stolperte oder kenterte. Gus schaute auf das Wasser hinunter. »Sie liebte den Fluss. Fand ihn was Besonderes.«

»Ja, das tat sie.«

Er legte mir die Hand auf die Schulter. »Er ist was Besonderes, weißt du.«

»Manche würden sagen, es ist nur eine Senke in der Erdkruste, wo der ganze Mist abfließt.«

Er schob die Hände in seine Taschen. »Das ist eine Sichtweise.«

»Hast du eine andere?«

Er nickte. »Ja, aber das wird dir noch früh genug wieder einfallen. Daran kann der Fluss dich viel besser erinnern als ich.« Er schüttelte den Kopf. »Der Fluss ändert sich nie. Er verlegt vielleicht sein Bett ein bisschen, aber er ändert sich nie. Wir sind es, die sich ändern. Wir kommen hierher zurück und sind anders. Nicht er.«

»Als ich noch ein Kind war, sagte Mom mir, dass Gott im Fluss wohnt. Damals legte ich mich oft ganz still ans Ufer und wartete, dass er mal auftauchte.«

»Und wenn er es gemacht hätte?«

Ich lachte. »Wäre ich ihm auf den Rücken gesprungen

und hätte ihn gewürgt, bis er mir ein paar Fragen beant-wortet hätte.«

»Sei vorsichtig mit dem, was du dir wünschst.«

Eine Brise raschelte durch die Baumwipfel und brachte kühle Luft mit. »Gus, es tut mir leid, dass ich dich so über-fallen habe.«

Er schüttelte den Kopf und stocherte mit seinem Zahn-stocher zwischen seinen Zähnen. »Der Fluss hat mir eine Menge beigebracht. Wahrscheinlich gehe ich deshalb nicht hier weg. Er krümmt sich, windet sich und schlängelt sich. Nur selten nimmt er zwei Mal denselben Weg. Aber … letztlich endet er immer an derselben Stelle, und seine Gabe ist nie dieselbe.«

»Und was heißt das?«

»Die Reise ist das, was zählt.«

5

Am Ende der Welt aufzuwachsen hatte ein Gutes: eine gewisse Ahnungslosigkeit. Leute vom Land sind nicht blöd und schon gar nicht dumm. Wir sind stolz auf unseren gesunden Menschenverstand, und mehr als einer hat bei den zentralen Schulprüfungen als Ass abgeschnitten, aber es gibt gewisse Dinge, über die wir sehr wenig wissen, und das kommt zugegebenermaßen von einer stolzen Abneigung, manches zu fragen oder überhaupt wissen zu wollen. Das ist aber keineswegs eine regionale Schwäche. Ich bin ihr auch in New York begegnet. Da nennt man es nur anders.

In meiner Schulzeit war Kunst so eine Sache. Für die meisten meiner Freunde war Kunst nur ein Unterrichtsfach oder das, was jemand machte, wenn er den Namen seiner Freundin mit Farbe an einen Wasserturm sprühte. Das hatte nichts damit zu tun, dass wir menschliche Leistungen nicht zu würdigen gewusst hätten. Das taten wir durchaus. Es lag mehr an dem hochgestochenen Gerede drum herum. Für so einen Quatsch hatten wir keine Zeit. Wir sahen Schönheit einfach an anderen Orten und in anderen Dingen und umgaben sie mit einer anderen Sprache.

Als die anderen sahen, was ich mit Stift und Pinsel anstellen konnte, hielten sie mich daher sofort für Picasso – obwohl sie keine Ahnung hatten, wer er war oder warum sie mich mit ihm verglichen. Ihnen gefiel einfach sein Name, der sie wichtig klingen ließ. Ich wusste es besser und wollte nichts mit Picasso zu tun haben. Vielleicht »sah« ich einfach anders. Ich weiß es nicht. Ich vermute, Fischen geht es ähnlich mit dem Schwimmen und Atmen im Wasser. Sie halten sich nicht für etwas Besonderes, bis man sie an Land wirft.

Als meine Mom noch lebte, ging sie immer mit mir in die Bibliothek. Das taten wir zwei bis drei Mal in der Woche. In den klimatisierten Räumen war Rauchen verboten, der Eintritt war frei, und sie hatte lange geöffnet. Stundenlang schauten wir uns Kunstbücher an und redeten darüber, was uns gefiel und was nicht. Es waren keine gebildeten Gespräche. Wir sagten etwa: *Sein Lächeln gefällt mir; Ich mag die Farben; Das bringt mich zum Lachen* oder *Das sieht aus, als ob es wehtut.*

Wie ich später erfuhr, drückten wir damit eigentlich aus: *Das spricht mich an.* Denn genau das tut Kunst. Sie spricht uns an, und wenn wir dieselbe Sprache sprechen – und gelernt haben zuzuhören –, hören wir es oder auch nicht.

Wir »studierten« die griechische und römische Klassik und fragten uns, was um alle Welt im Mittelalter passiert war. Viel Ahnung hatte ich nicht, aber zumindest wusste ich, dass die Welt, nach der Kunst zu urteilen, einen Schritt zurück gemacht hatte. Mom legte oft ein aufgeschlagenes Buch vor mich, gab mir ein leeres Blatt Papier und ließ mich zeichnen, was ich sah.

Ich versuchte nie, die ganze Welt der Kunst zu verstehen. Ich nahm nur das, was ich wollte. Nur das, was ich brauchte. Meine Ausrichtung war ziemlich eingleisig. Anders als bei manchen Künstlern, die mühelos zwischen verschiedenen Formen, Themen und Stilen wechseln konnten. Das konnte ich nicht. Kann ich noch immer nicht. Also konzentrierte ich mich auf das, was ich meiner Ansicht nach gut konnte –

und was ich brauchte. Und das waren Gesichter. Speziell Emotionen. Die Bibliotheksbesuche lehrten mich, dass Schulterwinkel, Kinnhöhe, Verflechtung der Finger und Schwellung der Brust ebenso zu den Emotionen gehörten wie gekreuzte, angewinkelte oder gestreckte Beine, ein hochgereckter oder eingezogener Zeh und das Licht, das sich in den Augen spiegelte.

Während mein Mund Mühe hatte, zu äußern, was in mir vorging, wussten meine Finger instinktiv Bescheid; wenn ich nah herankam und sah, wie die Meister es machten, begriff ich es auf Anhieb. Ich wusste es einfach, ohne es erklären zu können.

Die meisten waren völlig verrückt. Wenn überhaupt, dann hatten nur wenige alle fünf Sinne beisammen. Sie malten, weil sie gebrochen, verzweifelt und oft auch arm waren. Hungerkünstler.

Aber ich lernte etwas. Etwas, was ich später brauchen sollte. Gefallene, gebrochene Menschen können großartige Kunst schaffen.

Als ich älter wurde, lernte ich, dass ich mich zum Realismus hingezogen fühlte, nicht zum Idealismus. Mit Expressionismus, der durch Entstellung oder übertriebene Vereinfachung eine stärkere Wirkung der Bilder auf den Betrachter anstrebte, konnte ich nichts anfangen. Für moderne Kunst, Kubismus oder Surrealismus hatte ich nichts übrig. Picasso gab mir nichts. Das heißt nicht, dass es nicht eines Tages anders sein konnte, aber damals wie heute sagt er mir nichts.

Ich möchte den Betrachter berühren. Zutiefst. Ohne Tricks. Mit Realem, nicht mit etwas, das es gar nicht gibt. Taschenspielertricks sind nichts für mich.

Durch die Highschool schaffte ich es ohne sonderlichen

»Konkurrenzdruck«. Mein Studienberater brachte einige meiner Bilder in einer regionalen Kunstausstellung unter, wo zufällig ein Kunstlehrer auf mich aufmerksam wurde; so bekam ich ein College-Stipendium in Charleston. Damals öffnete das Leben mir die Augen. Ich entschied mich für die Fächer Kunst und Kunstgeschichte. Mir war klar, dass ich an meiner Technik arbeiten musste, aber ich wollte auch das Leben derer verstehen, die Kunst schufen. Nicht nur das Wie, sondern auch das Warum. Das Handwerkliche ohne die Gründe bedeutete nicht viel. Die Gründe stellten das Talent in einen Zusammenhang. Keiner von uns schuf etwas aus dem Nichts.

Ich las Künstlerbiografien und studierte ihr Leben ebenso wie ihr Werk. Die meisten führten ein gequältes, kaputtes Leben. Viele hatten es sich selbst zuzuschreiben. Ich konnte nie begreifen, wieso unter den verrücktesten Menschen einige der besten Künstler zu finden waren. Immer wieder erwuchs große Kunst aus einem Hexenkessel der Qualen, geschürt von Exzentrikern, die am Rand der Gesellschaft lebten und sich wenig um das scherten, worauf diese Gesellschaft Wert legte, und umgekehrt. Natürlich gab es Ausnahmen, aber das waren eben nur Ausnahmen.

Die meisten standen an der Peripherie. Mit einem Fuß in ihrer Welt, mit dem anderen in unserer. Reiche Adelige suchten ihr Talent und holten sie aus ihrer Welt in die ihre.

Zum Glück waren meine reichen Adeligen die Gönner am College von Charleston, was bedeutete, dass sie die Hälfte meiner Studiengebühren bezahlten. Die andere Hälfte kratzte ich aus Trinkgeldern oder Krediten zusammen.

Meine Wohnung in Charleston bestand im Grunde aus einem Atelier mit einer Empore, auf der ich schlief. Das Duschwasser war meist kalt, auf dem Speicher stöberten gern Ratten herum, und an der Badezimmerwand führte ich eine Liste der größten Kakerlaken, die ich in einem durchsichtigen Plastikbecher gefangen hatte. Wie Wirbelstürme benannte ich sie in alphabetischer Reihenfolge und hatte das Alphabet schon zwei Mal durch. Das bis dahin größte Exemplar war Merlin. Nachdem ich ihn gefangen hatte, dauerte es 27 Tage, bis er hinüber war. Aber ansonsten war die Wohnung gemütlich, sauber und der ideale Ort zu arbeiten, wenn ich nicht jobbte.

Sie lag in einer zweigeschossigen Ladenzeile an der King Street in dem Keil zwischen Beaufain und Market Street. Mein Schaufenster war drei Meter breit und nahm die gesamte Schmalseite meines Ateliers ein. Vor fünfzig Jahren hatte jemand das Stück Brachland zwischen zwei Gebäuden zugemauert und das Häuschen an einen Zahnarzt verkauft. Er hatte seinen Behandlungsstuhl vorn ans Fenster gestellt, wo jeder ihm bei der Arbeit zusehen konnte. Das Problem war, dass es seinen Patienten nicht gefiel, für die ganze King Street auf dem Präsentierteller zu sitzen, deshalb hatte er an einen Drucker verkauft, der dreißig Jahre lang hier seine Druckerei betrieb, bis er seine Kunden ans Internet verlor und an mich vermietete. Von der Lage hatte ich mir Chancen erhofft, etwas zu verkaufen. Irgendetwas. Daher lehnte ich drei Bilder, die ich für meine besten hielt, an das Schaufenster. Nicht sonderlich aufregend, aber ich hatte seit drei Wochen nur Fertignudeln gegessen und konnte mir Staffeleien nicht leisten. Ich hatte ernsthaft überlegt, einige aus dem Atelier im College zu klauen, hatte aber das Gefühl, dass die Präsentation nicht mein Hauptproblem war. Selbst das Weihnachtsgeschäft brachte mir keinen Verkauf ein.

Eine Ausnahme gab es. Einmal im Monat, manchmal

auch öfter, stand meist abends eine Frau vor meinem Fenster und schaute hinein. Sie war groß, trug ein Kopftuch oder eine Baseballkappe, Jeans und etwas Langärmeliges sowie eine große runde Sonnenbrille, die ihr halbes Gesicht verdeckte. Einmal blieb sie eine ganze Stunde stehen, lehnte sich an die Scheibe, betrachtete eingehend die drei ausgestellten Bilder und versuchte, an ihnen vorbei meine anderen Werke zu sehen, die an der Wand standen. Mehrmals winkte ich sie herein, öffnete sogar die Tür und bat sie herein, aber sie drehte sich nur um und verschwand wortlos. Von da an winkte ich ihr nur noch zu, wenn sie auftauchte. Einmal winkte sie zurück. Da ich mir dachte, dass sie nur schauen wollte, ließ ich sie.

꒰

Wie ein Idiot hatte ich Kurse am frühen Morgen belegt, weil ich dachte, so hätte ich den ganzen Tag und abends Zeit zu arbeiten oder zu malen. Vor allem zu malen. Wenn ich nicht in der Bar kellnerte, war ich meistens voller Farbe und Kohle oder rannte in Laufschuhen auf der Battery Road herum.

Nachdem ich vor zwanzig Jahren die Höchstdosierung meiner Asthmamedikamente erreicht hatte, tat ich etwas, was mir nach Ansicht der Ärzte unmöglich war. Ich sorgte für das Wachstum meiner Lungen. Vielleicht ist »dehnen« das bessere Wort. Das war mein Ausweg, der mir half, relativ ausgeglichen zu bleiben. Die Tage des Hustens, Röchelns und Umkippens waren vorbei. Irgendwann in den letzten fünfzehn Jahren hatte die Sache Gestalt angenommen. Ich leide an einem so genannten Belastungsasthma. Wenn ich meine Lungen ohne entsprechende Aufwärmphase belaste, verkrampfen sie sich, was sie noch stärker belastet; das wiederum verstärkt die Verkrampfung und so weiter. Eine Abwärtsspirale. Kommt dann noch trockene, kalte Luft hinzu, bin ich völlig am Ende. Wenn ich mich aber aufwärme und an den Gedanken gewöhne, dass ich massenweise Sauerstoff brauchen könnte, öffnen sich meine Lungen wunderbar. Warme, feuchte Luft wirkt außerdem wie ein Gleitmittel. Ich liebe es, im Sommerregen zu laufen. Zeitweise habe ich sogar schon relativ gute Geschwindigkeiten erreicht und lange laufen können. Stunden. Langstreckenrekorde breche ich zwar nicht, habe aber schon meinen Laufrausch erlebt.

Nach der Arbeit in der Bar nahm ich gewöhnlich einen oder zwei Teebeutel mit, entweder Constant Comment oder Earl Grey – etwa so, wie man aus dem Hotel Seife und Shampoo mitnimmt. Man hat Hunderte zu Hause, aber aus irgendeinem Grund nimmt man zwei mit, weil man nie weiß, wann man sie brauchen könnte. In meinem Fall half das Koffein gegen den Hunger. Im Restaurant drückten sie beide Augen zu, wenn Angestellte Reste aufaßen, nachdem die Küche geschlossen hatte. Sobald ich meine Stempelkarte abgestempelt hatte, verputzte ich einen Teller französische Zwiebelsuppe, Muschelsuppe, ein paar Hähnchenbruststreifen und ein ganzes französisches Brot.

Zum ersten Mal seit Tagen war ich satt. Ich schlenderte auf die King Street und bog aus bis heute für mich unerfindlichen Gründen scharf links in die Market Street ein, um zum Waterfront Park zu gehen. Die Nacht oder der Morgen war klar, und ich wollte das Wasser riechen und nach Fort Sumpter hinüberschauen.

Unterwegs ärgerte ich mich über meine Trinkgelder, über meine Unfähigkeit, etwas zu verkaufen, was nur annähernd Ähnlichkeit mit Kunst hatte, und über die ewigen chinesischen Nudeln, die ich gründlich satt hatte. In Wahrheit schwelgte ich in Selbstmitleid, und das tat man am besten allein. Mir fehlte nur noch eine Flasche, aber die konnte ich mir nicht leisten.

Im Park schlenderte ich um den Brunnen zu einer der vier Granitplattformen am Ufer. Man hatte sie gebaut, um später Statuen darauf aufzustellen. Im Augenblick wirkten sie eher wie Miniatur-Hubschrauberlandeplätze, einen Meter über dem Boden, die zur Hälfte von einer halbrunden Granitmauer umgeben waren. Die Einheimischen nannten sie Echokammern, denn wenn man sich in die Mitte stellte und genau in Richtung zwölf Uhr sprach, vernahm man sein Echo. Sogar ziemlich laut.

Als ich auf den Sockel sprang und flüsterte, hörte ich etwas gegen Metall stoßen, dann einen erstickten Schrei, gefolgt von einem Schmerzenslaut. Ich schaute auf, sah nichts und schaute noch einmal genauer hin. Auf dem Gehweg waren die Umrisse eines Männerrückens auszumachen. Er beugte sich über etwas oder jemanden und hob die Hand, um erneut zuzuschlagen. Ich bin kein Held und auf meiner Brust steht kein »S«, aber eh ich michs versah, spurtete ich schon über den Rasen. Ich sprang von der Granitmauer und erwischte den Mann an der Brust. Er war riesig. Breitschultrig, so dick wie breit, bärtig und stank wie der Müllcontainer hinter dem Hotel mit einer ordentlichen Portion Alkohol vermischt. Als meine Brust gegen seine Schulter prallte, hatte ich das Gefühl, mit einem Mack Truck zusammenzustoßen. Die Person unter ihm huschte zur Seite, als er seine Aufmerksamkeit auf mich lenkte. Ich trat zurück zwischen ihn und sein Opfer. Das Parfüm sagte mir, dass es entweder ein Mädchen war oder ein Junge, der gern eins sein wollte. Ich hob beide Hände. »Warten Sie, Sir …«

Er lachte, machte einen Satz nach vorn wie eine Katze, packte mich an der Kehle, schnürte mir die Luft ab und schleuderte mich nach hinten wie eine Stoffpuppe. Er sah aus wie der Kerl aus *The Green Mile*, nur gemeiner. Mit zittrigen Händen sprang ich auf, hörte jemanden hinter mir schreien, spürte eine zitternde Hand, die sich an meinen Rücken presste, und roch wieder diesen Gestank.

Ich schob meine Hand in die Tasche und zog 67 Dollar in Ein-Dollar-Scheinen heraus. Seine Zähne blitzten weiß, als seine Hand sich um das Geld schloss. Die andere Hand legte sich fest um meine Kehle. Ich griff in meine hintere Hosentasche und reichte ihm meine Brieftasche, in der mein Führerschein, mein Studentenausweis und zwei überzogene Kreditkarten steckten. Was er nicht wusste, würde ihn nicht heiß machen. Er nahm die Brieftasche und steckte sie ein. Leider hatte beides keinerlei Auswirkung auf seinen Klammergriff um meinen Hals und auf seinen Vormarsch auf das Mädchen. Er stieß mich, und damit uns beide, zurück in einen der Granithalbkreise und schlug mir mit dem Handrücken fest auf den Mund. Die Welt drehte sich, die Straßenlaternen verschwammen im Nebel und tauchten wieder auf. Als ich wieder klar sehen konnte, lag er auf ihr, eine Hand an ihrem Hals, die andere unter ihrem Shirt. Wir waren vom Regen in die Traufe gekommen, also probierte ich es mit dem Einzigen, was ich noch hatte. Ich zog die Taschenuhr heraus, die ich immer trug, seit mein Onkel sie mir bei der Beerdigung meiner Mutter geschenkt hatte, und hielt sie ihm hin. Er musterte das goldene Ding, das vor ihm baumelte, und hielt es an sein Ohr. Ich versuchte es ein letztes Mal. »Behalten Sie sie. Sie gehört Ihnen, aber bitte, tun Sie dem Mädchen nichts.«

Sie wehrte sich verzweifelt, aber er war fast drei Mal so

kräftig wie sie. »Sir, bitte, Sie tun dem Mädchen weh.« Er steckte die Uhr ein, schlug mir mit dem Handrücken ins Gesicht und zerrte an ihrer Jeans.

Mittlerweile hatte er sie fest auf den Boden gedrückt. Seine Poritze kam zum Vorschein. Er ließ die Hose herunter und zog an ihrem langen Haar, dass ihr Hals wie ein Zweig zu brechen drohte. Ihr Husten zeigte mir, dass sie kaum atmen konnte. Ich sprang auf seinen Rücken, grub meine Hacken hinein und rammte ihm beide Zeigefinger knöcheltief in die Augenhöhlen. Er griff an sein Gesicht, gab ein paar kehlige Laute von sich, die mir zeigten, dass ich ihm wehgetan hatte, und machte sich über mich her.

Das Gute war, dass er sie losließ und sie aufstehen und weglaufen konnte. Das Schlechte war, dass ihm nur noch ich blieb, nachdem sie weg war, und er das auch wusste. Seine Miene veränderte sich wie bei Hulk, seine Mundwinkel schäumten, und ich war mir ziemlich sicher, dass ich etwas brüllte, was ich in Anwesenheit meiner Mutter nicht wiederholt hätte.

Es gibt Videos von College-Streichen, bei denen Studentenverbindungen Anwärter auf die Mitgliedschaft in die großen Trockner im Waschsalon stecken, um ihnen Kameradschaftssinn einzutrichtern, und schallend lachen, wenn ihre Hintern sich im Kreis drehen. So etwa fühlte ich mich in den nächsten sechzig Sekunden – nur ohne Weichspüler. Nachdem er mich in den Beton gerieben, mir zwei blaue Augen verpasst, meine Lippe blutig geschlagen und meine Nase gebrochen hatte, hob er mich über seinen Kopf und warf mich wie beim Wrestling über das Geländer. Ich segelte durch die Luft und landete im Schlamm, wo eine Blaukrabbe am Kopf einer Meeräsche kaute.

Der Wrestler schaute mit schmalen Augen zu, wie ich bis

zu den Hüften in einem Bett aus Riedgras, Morast und etwas versank, das nach Abwasser stank. Stöhnend zog er seine Hose hoch, drehte sich um und ging davon – vermutlich konnte er nicht schwimmen. Die nächsten zwanzig Minuten suhlte ich mich im Schlamm und konzentrierte mich auf den nächsten Atemzug. Von ihm war nichts mehr zu sehen, also schlug ich mich durch bis ans Geländer, zog mich heraus und humpelte nach Hause. Zwanzig Minuten später schloss ich meine Tür ab, setzte mich in die Dusche und überschlug, wie teuer ein Gang in die Notfallambulanz würde. Da ich keine Krankenversicherung hatte, waren mir die Kosten ein bisschen zu hoch. Mit hämmernden Kopfschmerzen schluckte ich vier Aspirin und schaute in den Spiegel. Meine Nase war seitwärts zum Gesicht verdreht und gezackt wie ein Blitz. Ich packte sie mit Daumen und Zeigefinger, zog sie mit einem Ruck nach unten und wachte am nächsten Morgen splitternackt, mit ausgebreiteten Armen wie ein Schneeengel auf dem Fußboden meines Ateliers auf.

Als ich durch die Schlitze meiner geschwollenen Augen und an der dicken Knolle meiner Nase vorbeischaute, starrte ich durch die – knapp 1,20 Meter entfernte – Glasscheibe in dreißig ziemlich weit aufgerissene Augenpaare, die nicht auf meine Kunstwerke gerichtet waren. Dank der drei 60-Watt-Glühbirnen, die an einem Verlängerungskabel über den Gemälden baumelten, war ich ziemlich gut beleuchtet.

Ich kroch die Treppe hinauf, fiel ins Bett und wachte nachmittags mit blutverkrustetem Gesicht und hämmernder Migräne auf. An meiner Tür klebte ein Zettel: »Wenn Sie an einem diskreten, aber künstlerischen Schwarz-Weiß-Foto-Shooting interessiert sind, rufen Sie mich unter der unten angegebenen Nummer an. Ich habe eine eigene Dunkelkammer und ein Studio. Philip.«

Ich warf den Zettel in den Müll, schluckte noch mehr Aspirin und rief einen meiner Kommilitonen an, um zu hören, was ich verpasst hatte. James Pettigrew war ein mit allen Wassern gewaschenes Straßen-Kid aus Detroit und schrieb Gedichte, wenn er nicht gerade mit Ton modellierte. Als er abhob, las er gerade im Internet die Nachrichten und hatte eigentlich keine Lust, mit mir zu reden. Er kaute schmatzend Kaugummi und fiel mir ins Wort: »Hast du von gestern Nacht gehört?«

»Nein.«

»Jemand hat sich Senator Colemans Tochter auf der Uferpromenade ausgeguckt, als sie auf dem Heimweg war. Irgendein Besoffener ist über sie hergefallen und hat sie zu seiner Frau machen wollen, als ein noch unbekannter Fremder Einwände gegen die Hochzeit erhoben und ihm einen Strich durch die Rechnung gemacht hat. Vor einer Weile haben die Bullen einen Kerl erwischt, auf den die Beschreibung passt, die sie von dem Angreifer gemacht hat. Er hatte Bargeld und eine Taschenuhr bei sich, was sich beides mit ihrer Darstellung deckt. Wer der Superman war, ist noch nicht bekannt. Der Senator hat heute Morgen auf den Stufen des Kapitols eine Pressekonferenz gegeben und ist dann nach Hause geflogen. Ist gerade vor einer Weile in Charleston gelandet.«

»Ist sie okay?«

»Was glaubst du wohl, wenn ein Zwei-Meter-Mann der Repräsentantin einer der größten Kosmetikfirmen des Landes mehrmals ins Gesicht schlägt, ein Gesicht, das die *New York Times* zufällig auch noch zu einem der 100 schönsten der Vereinigten Staaten gewählt hat und das übrigens

schon auf dem Titelblatt von drei der meistgelesenen Zeitschriften des Landes stand?« Szenen der vergangenen Nacht
blitzten hinter meinen Augenlidern auf, aber die Details
waren verschwommen.

»Chris. Wo hast du gesteckt? Unter welchem Stein hast
du gelebt? Abbie Coleman arbeitet unter dem Künstlerna-
men Abbie Eliot.«

Ich wusste doch, dass ich sie schon mal gesehen hatte.

Ich legte auf, meldete mich telefonisch krank und hängte
das Schild »GESCHLOSSEN« an meine Tür. Die Uhr und
die Brieftasche wollte ich mir abholen, sobald die Schmerzen nachließen.

Von den Geldproblemen einmal ganz abgesehen,
brauchte ich ein eigenes Modell. Meine Abschlussarbeit
war in zwei Monaten fällig, und ich hatte noch kein Modell gefunden. Die meisten Studenten arbeiteten schon seit
Wochen daran. Außerdem war stadtbekannt, dass Kunststu-
denten die Modelle für ihre Abschlussarbeit stundenweise
bezahlten. Auch das war ein Problem für mich.

Erschwerend kam hinzu, dass ein Akt gefordert war. Um
seinen Abschluss zu bekommen, musste jeder Student eine
Mappe mit zwölf seiner besten Arbeiten vorlegen – und
eine davon musste ein Akt sein. Einige meiner Kommilitonen hatten nur aus diesem Grund Kunst studiert. Sie
hängten eine Notiz ans Schwarze Brett, auf der etwa stand:
»Brauche Aktmodell für meine Abschlussmappe.« Um der
Sache einen »offizielleren« und »solideren« Anstrich zu
verleihen, mieteten sie ein schickes Atelier, drapierten als
Hintergrund ein Laken über eine Leine, installierten einen
Scheinwerfer, legten New-Age-Musik auf und kauften
eine Flasche Wein mit Schraubverschluss. Dann setzten sie
mehrere »Sitzungen« an, die ein paar Stunden dauerten und

mit ernsten Blicken und zwanglosem Smalltalk vergingen. Manche meiner Kommilitonen nutzten die Gelegenheit weidlich aus, weil es der einzige Weg war, je ein Mädchen zu bewegen, sich für sie auszuziehen. Auf solche Anzeigen meldeten sich zwei Sorten von Mädchen: Die einen waren abenteuerlustige Studienanfängerinnen – manchmal auch Studentinnen im zweiten Semester –, die flügge werden und etwas Neues ausprobieren wollten und meistens wütend auf ihren Dad waren. In der Regel kamen sie mit einer Freundin, waren ein bisschen albern und hatten eine leichte Fahne. Die zweite Sorte waren erfahrene Studentinnen im letzten College- oder im ersten Graduiertenjahr, die allein kamen, wütend auf ihren Exfreund und fest entschlossen waren, sich selbst zu finden. Nette Mädchen und Covergirls klopften nicht an die Tür.

Das eigentliche Problem bestand also nicht darin, irgendeine zu finden, sondern die Richtige zu finden. Und dann war da noch etwas. Ich hatte einfach Schwierigkeiten damit, dass jemand hereinspazierte und sich auszog. Ich meine, wer macht so was? Welche Frau geht in einen Raum voller Fremder, zieht sich bis auf die Haut aus und steht ruhig da, während jemand den Blick von oben bis unten über ihren Körper wandern lässt. Mir ist klar, dass wir uns auf unser »Sujet« konzentrieren und die »Form« studieren sollen, aber genau da liegt das Problem: Ich habe noch nie eine Frau getroffen, die ein »Sujet« ist und sich auf eine »Form« reduzieren lässt. »Form« lässt sich nicht vom Wesen trennen wie ein Fleischextrakt.

In der Geschichte der Menschheit hat noch kein Mensch schwimmen gelernt, indem man ihm nur die Bewegungen erklärt hätte. Irgendwann springen alle ins Wasser. In der Kunst hat dieser Sprung ins Wasser nichts damit zu tun, einen Pinsel, Stift oder Meißel zu halten. Das Herz muss ins Wasser springen, nur dann folgt ihm die Hand. Kein Künstler kann die Schönheit, die Frauen ausmacht, einfach nehmen und auf ein Medium übertragen, sei es Leinwand oder Stein und schon gar nicht Film. Aber meine Kunstlehrer hatten leider keine Ahnung, worüber ich eigentlich redete. Sie glaubten, die Kunst beginne in der Hand und wandere über den Arm ins Herz. Sie sahen den Prozess völlig verkehrt. Kunst fließt von innen nach außen, nicht von außen nach innen. Obwohl ich einräume, dass nicht viel nach außen fließt, wenn jemand leer ist. Vielleicht ist das ihr eigentliches Problem.

In meinem Studium durchlief jede Aufgabe einen kartesischen Filter, bei dem wir uns hinsetzten, unsere Bartstoppeln kratzten und über das Kunstwerk vor uns »nachdachten«. Wir benutzten diesen Filter, um das Werk auf eine Reihe von Strichen, Schattierungen und Farbtönen zu reduzieren. Was ist das für ein Unsinn? Was ist aus dem »Wow! Ist das schön!« geworden? Ich habe gar nichts dagegen, eine Technik zu perfektionieren, aber ich habe etwas gegen die Vorstellung, die handwerklichen Fertigkeiten allein durch Technikstudien zu perfektionieren. Das ist eine Krankheit, die ich zu vermeiden versuche, seit ich zum ersten Mal Pinsel und Stift in die Hand genommen habe.

Mit diesen philosophischen Erörterungen kam ich bei meinen Professoren natürlich nicht weiter. Vor allem nicht, wenn es um den Akt ging. Daran ging kein Weg vorbei. Sie schauten mich nur mit erhobenen Augenbrauen an. *Mal das Ding!* Sie glaubten, meine Einwände entsprängen einer Abneigung gegen harte Arbeit. Also lud ich sie zu mir ein, und sie machten große Augen. Meine Arbeitsmoral war in Ordnung. Mit achtzehn Jahren hatte ich mehr geschaffen als die meisten von ihnen in ihrem ganzen Leben, was bewies, dass meine Mutter die zweitbeste Lehrerin war, die ich je hatte. Als ich auf die Kunsthochschule kam, hatte ich das meiste, was sie mir beibringen wollten, schon gelernt. Handwerkszeug. Ich war in der Hoffnung gekommen, zu lernen, wie man Schönheit und das, was gut ist, studiert und auf ein Medium überträgt. Die meisten von ihnen hatten keine Ahnung, wovon ich eigentlich redete. War ich ein Idealist? Absolut. Aber nachdem sie das umfangreiche Werk gesehen hatten, das ich produziert hatte und immer noch schuf, konnten sie nichts mehr gegen meine Arbeit oder meine Technik sagen. Mir ging es nicht um das Handwerkliche. Mir ging es um das Eigentliche. Und das begriffen die meisten einfach nicht. Sie waren von einer Krankheit infiziert, ohne zu ahnen, dass sie darunter litten. Und schlimmer noch: Sie wussten nicht, dass sie sie weitergaben.

Trotz meiner glühenden Tiraden und selbstgerechten Wut musste ich meinen Abschluss machen, und sie standen zwischen mir und diesem Gang über die Bühne. Ohne die allmählich verblassende Erinnerung an meine Mutter hätte ich ihnen gesagt, sie könnten ihren Wisch behalten. Und das bringt mich wieder zum Akt zurück.

Zur Verteidigung meines Eigensinns hatte ich nach zwei Dingen gesucht: nach dem richtigen Gesicht und der richtigen Figur. Mehr wollte ich nicht. Ein Gesicht. Eine Figur. Am liebsten beides zusammen. Ich hatte immer den Eindruck, dass Gott ein paar vollkommene Frauen geschaffen hatte, und so wartete ich darauf, sie zu finden und dazu zu bringen, das Gesicht lange genug still zu halten, damit ich mich durch meine Unzulänglichkeiten haspeln, es einfangen und auf Leinwand bannen konnte.

Okay, in Wahrheit hatte ich Angst. Angst, die Frau, die

mir Modell säße, könnte mich durchschauen und erkennen, dass ich keine Ahnung hatte, was ich eigentlich tat, dass ich eingeschüchtert war, und dass sie am Ende aufstehen, herüberkommen, mein Werk – sich selbst – ansehen und über meinen Versuch lachen würde. Die Psychologiebücher nennen das Versagensangst, und was meine Kunst – speziell den Akt – betraf, lähmte sie mich.

Völlig.

6

Wir bogen von Gus' Parkplatz und fuhren auf dem Weg nach Moniac durch St. George. Der Ort besteht aus einer Eisenbahnlinie, einer Grundschule, einer Tankstelle, einem Restaurant, einer Kreuzung und einem Postamt. Ich stand an der Kreuzung, kratzte mich am Kopf und versuchte mich zu erinnern, wo die Post war, als ich so etwas wie ein Propellerflugzeug niedrig über mich hinwegfliegen hörte. Es brummte über meinem Kopf, und ich dachte: *Welcher Verrückte fliegt denn bei diesem Wetter?* Ich hätte schwören können, dass ich jemanden singen hörte. Die Lichter an den Tragflächen schossen gerade nach oben, drehten, wirbelten herum und trudelten erdwärts. Etwa dreißig Meter vor dem Highway fing sich die Maschine, richtete sich aus und landete. Ich bin kein Flugzeugexperte, aber es war ein Doppeldecker mit offenem Cockpit und erinnerte mich an den Roten Baron. Der Rumpf war glänzend himmelblau, die Tragflächen gelb. Er überquerte die Straße wie ein Auto und hielt an der Kreuzung. Der Pilot winkte, schob seine Brille hoch und rollte an die Tankstelle vor die Zapfsäule, die rund um die Uhr für Selbstbedienung freigeschaltet war. Er stellte den Motor ab, zog seine Kreditkarte durch den Automaten und tankte. Als er fertig war, warf er ein Hagelkorn aus dem Cockpit, deutete nach

71

oben und brüllte: »Da oben ist der Teufel los. Ich fliege besser einen Umweg nach Hause. Könnten Sie mir vielleicht helfen?« Ich überquerte die Straße. »Einfach schieben«, sagte er. Also stemmte ich mich gegen die Tragfläche, und tatsächlich rollte das Flugzeug erstaunlich gut. »Sie ist ziemlich leicht«, nickte er und zog seine Brille herunter. »Danke.« Er warf einen langen Blick auf den Wagen, in dem Abbie lag und schlief, und unterhielt sich mit jemandem, den ich nicht sehen konnte. Er ließ den Motor an und rollte östlich den Highway entlang, als ob er an einem Sonntagnachmittag eine Spazierfahrt in einem Cadillac machte. Nach gut anderthalb Kilometern schoss er himmelwärts, wo die beiden blauen Positionslichter im Morgengrauen verschwanden.

⏅

Abbie wollte ihren Dad wissen lassen, wo wir waren, hatte aber nicht vor, ihn anzurufen. Ein Brief sollte ihm mitteilen, was er wissen musste, ohne ihm Gelegenheit zu geben, den weiteren Verlauf zu bestimmen. Sie leckte an der Gummierung, schob den Brief in den Umschlag, klebte ihn zu und reichte ihn mir – es war der gelbe Briefbogen, der auf ihrem Nachttisch gelegen hatte. Ich hielt vor der Post und klebte gerade die Briefmarke auf, als mir eine Idee kam. Wir brauchten Zeit. Das Problem bei der Post war, dass sie effizient arbeitete und ihm den Brief in ein, zwei Tagen zustellen würde. Für mich war es aber wichtig, dass er ihn erst in der nächsten Woche bekam. Am liebsten erst Ende der nächsten Woche. Ich drehte mich zu Abbie um. »Hast du was dagegen, wenn ich uns ein paar Tage Zeit verschaffe?«

Sie schüttelte den Kopf und rang sich ein Lächeln ab. »Nicht solange er überhaupt ankommt.«

Ich ging um das Gebäude an den Briefkasten und vertauschte die Adressen: Unsere gab ich als Anschrift an, seine als Absender. Anschließend knibbelte ich die Briefmarke ab und warf den Umschlag in den Briefkasten. Ohne die erforderliche Marke würde er ein paar Tage im Postuniversum herumgondeln, während sie sich Zeit ließen, ihn hin und her zu schieben, sich über die fehlende Briefmarke zu ärgern und Gerechtigkeit – oder Rache – am Absender zu üben. Was seine unvermeidliche Rücksendung noch weiter verzögern würde. Schließlich würden sie ihn mit einem leuchtend roten Stempel UNTERFRANKIERT versehen und aus schierem Erbarmen mit dem armen Übeltäter, der ihn versehentlich eingeworfen hatte, an die Adresse in der linken oberen Umschlagecke zurücksenden – und genau das wollte ich. Sobald er das sähe, wäre ihm völlig klar, dass ich Zeit schinden wollte, denn dumm ist er nicht. Und da ihm klar war, dass ich das von ihm wusste, würde er fluchen, ich sei zu geizig, eine Briefmarke zu kaufen. Aber auf seiner ständigen Liste meiner Fehler würde dieser Fehltritt es nicht einmal unter die ersten fünfzig schaffen.

Zwanzig Minuten später bogen wir auf die Country Road 94 nach Westen Richtung Moniac – ein Fleck, der auf den meisten Landkarten fehlt.

Moniac nennt sich »Gemeinde«, weil es einfach lächerlich wäre, den Ort als Stadt zu bezeichnen. Er liegt südlich der Okefenokee-Sümpfe, 45 Kilometer östlich von Fargo und 20 Kilometer westlich von St. George, also praktisch am Ende der Welt, und besteht fast nur aus der Kreuzung der Highways 94 und 121, Lacy's Country Store, einer Brücke und einer Wiese mit abgestorbenen Pecanobäumen. Mit ein bisschen Rückenwind könnte Tiger Woods mit einem Driver seinen Golfball vermutlich von einem Ende zum anderen befördern. In dieser Gegend unterhalten sich die Leute über CB-Funk, weil es keinen Handy-Empfang gibt.

Die meisten fahren durch den Ort, ohne es überhaupt zu merken. Aber das Wichtige ist die Brücke.

Sie führt über den Oberlauf des St. Mary's und unter ihr befand sich die erste Anlegestelle nach den Okefenokee-Sümpfen. Die meisten Paddler behaupten, der Fluss sei auf den nächsten 50 Kilometern nicht befahrbar, bis er bei Stokes Bridge einen großen Bogen macht und geradewegs nach Norden fließt, aber wer sich diese Strecke entgehen lässt, verpasst etwas Wunderbares. Fast so, als würde man einen Teenager zur Welt bringen. Man mag froh sein, das Windelstadium und die erste Trotzphase der Zweijährigen auszulassen, würde aber eine Menge versäumen.

Wir überquerten die Brücke, bogen im spitzen Winkel ab und rollten gemütlich den Weg entlang bis unter die Brücke. Am Ufer lagen Reste eines alten Lagerfeuers, verkohlte Holzscheite, Zigarettenkippen und braune Flaschenscherben.

Unter der Brücke sah es aus wie in einem *Mad-Max*-Film. Nachdem die Überführung fertig war, hatte die Baufirma Betonschutt und Armierungen in den Fluss gekippt. Weggeworfene Bierdosen und Sprite-Flaschen schwammen zwischen den zerklüfteten Kanten rissiger, straßenkreuzergroßer Betonklötze und den Zedernstämmen, die sich in den Spalten verfangen hatten.

Und dann war da noch der Fluss.

Er hatte etwas von einer 70er-Jahre-Bar in Austin-Powers-Filmen, wo an jeder Tür lange Perlenvorhänge baumeln. Um hereinzukommen, muss man die Hände zwischen die Perlschnüre stecken, sie mit den Unterarmen auseinanderhalten und durchschlüpfen, ohne sich mit den

Schultern in den Perlen zu verheddern. In den Fluss zu kommen ist ganz ähnlich. Sechs Meter hohe Zwergeichen sind mit Dorngestrüpp und Greisenbart, in dem es von roten Milben nur so wimmelt, zu einem fast undurchdringlichen Blätterdach verwoben. Luft- und Lichtlöcher sind die Ausnahme. Die knorrigen Bäume reihen sich an der Uferböschung aneinander wie ein Zaun, lassen ihre Äste herunterhängen und verflechten sich mit den dornigen Zwergpalmenbüschen.

Der St. Mary's schützt sich – und alle, die in oder auf ihm sind.

Von Moniac aus plätschert der Fluss mehr oder weniger südwärts über abgestorbene Äste, durch Biberdämme und um Zypressenstämme. In Moniac ist er nur gut einen halben Meter tief, und man kann über ihn hinwegspringen.

Unter der Brücke wendete ich, stellte den Wagen – außer Sichtweite suchender Hubschrauber – ab und lud aus. Der Regen ließ nach, die Sonne brach durch die Wolken und brannte den Nebel vom Wasser. Aber das war nur von kurzer Dauer, denn als ich Abbie über das Gras zum Kanu trug, fing es wieder an zu tröpfeln.

Ich stieg in den Fluss, rutschte auf einem glitschigen Stein aus – und schüttelte Abbie durch wie eine Schlenkerpuppe. Eigentlich hätte ich es besser wissen müssen, nachdem ich schon so oft in diesen Fluss gestiegen war. Ich legte sie auf einen Schlafsack am Boden des Kanus. Dann spannte ich mit Zeltstangen, einer blauen Plane und Nylonschnur ein provisorisches Zeltdach vom Bug bis zur Kanumitte über sie. So wurden ihre Füße vielleicht nass, aber durch den Neigungswinkel des Bootes im Wasser würde ihr Kopf erhöht liegen. Außerdem lief der Regen nach hinten von der Plane ab, und durch die Öffnung konnte ich sie im

Auge behalten. Ich wechselte ihr Fentanyl-Pflaster, das sie für die nächsten 72 Stunden mit Schmerzmittel versorgte. Es war anders als die Nikotinpflaster, die Leute tragen, wenn sie das Rauchen aufgeben wollen. Da es wasserfest war, konnte sie damit duschen, baden und sogar schwimmen, und in Abbies Fall enthielt es das Schmerzmittel Duragee-sic, das zur Linderung beitrug. Ich nannte es eine »Grund-medikation«, denn wenn der Schmerz schlimmer wurde, brauchten wir zusätzlich andere Mittel. Ich schloss den Jeep ab und stand neben der Überführung. Ein Kanker spazierte über meinen Fuß und starrte in den Regen. Kaum jemand weiß, dass es eine der giftigsten bekannten Spinnen der Welt ist, aber ihr Mund ist zu klein, um Menschen zu beißen.

Ich packte alles, was ich hinten in den Jeep geladen hatte, in das Schleppkanu und deckte es mit der zweiten Plane ab. Ein letztes Mal lief ich zum Jeep und holte die leuchtend gelbe Pelican-Box. Außer Abbie war es die wichtigste Fracht im Boot.

༠

Ich glaube, Gary war nicht sonderlich begeistert, mich zu sehen, als ich mitten in der Nacht an seiner Tür klopfte. Er tauchte verschlafen im Bademantel auf. »Ist mit Abbie alles okay?«

Ich erklärte ihm, was wir vorhatten, während er Kaffee machte. Er pustete den Dampf von seiner Tasse. »Du weißt, dass du verrückt bist.«

Er kritzelte drei Rezepte und reichte sie mir. Ich schüt-telte den Kopf. »Gary, damit kann ich nichts anfangen.«

»Wieso nicht?«

»Weil die Leute bei Walgreens sich drei Stunden lang ans Telefon hängen, um sich zu vergewissern, dass du das, was du verschrieben hast, auch wirklich meinst, und bis dahin hat der Senator Lunte gerochen und weiß, dass was im Busch ist. So kommen wir nie aus Charleston weg. Hast du das Zeug nicht in der Praxis?«

»Doch, aber Narkotika in dieser Menge kann ich dir nicht geben, ohne dass jemand dabei ist. Warte ein paar Stunden.«

»So viel Zeit habe ich nicht.«

»Chris, das Gesetz verlangt nicht ohne Grund von uns, dass wir dieses Zeug unter Verschluss halten. Das hat was mit gegenseitiger Kontrolle zu tun.« Er ließ seine Schlüssel baumeln. »Ich habe den Schlüssel. Mein Praxisleiter hat die Kombination.«

»Komm schon, Gary. Das weiß ich besser.«

»Ich mache es nicht. Wenn wir überprüft werden, verliere ich meine Zulassung.«

»Dann sag sie mir.«

»Was?«

»Die Kombination. Ich bin doch kein Blödmann.«

Er atmete tief durch. »Ich gehe wieder ins Bett.« Er legte die Schlüssel neben sich auf die Arbeitsplatte und blieb in der Küchentür stehen. »Erste Schublade links neben dem Schrank. Linke Seite. Mit Bleistift geschrieben. Rückwärts, also von rechts nach links. Und guck nicht in die Kameras über deiner linken Schulter. Unsere Videoüberwachung läuft 24 Stunden. Noch besser: Zieh dir einen Nylonstrumpf über den Kopf.«

Sobald er aus dem Zimmer war, schnappte ich mir seine Schlüssel und fuhr zu seiner Praxis. Ich fand die Kombination, schrieb sie mir in umgekehrter Reihenfolge auf, schloss den Medikamentenschrank auf, und beim zweiten Versuch klickte die Safetür auf.

Ich stöberte den Inhalt durch, fand, was ich brauchte, stopfte es in eine Plastiktüte und wollte gerade wieder gehen, als ich eine ungeöffnete Schachtel Actiq sah – Lutscher mit Erdbeergeschmack und Schmerzmitteln in Dosierungen von 200 bis 1600 Mikrogramm. Man verschreibt sie Kindern und älteren Menschen, die schnell wirkende Schmerzmittel brauchen. In den letzten Monaten waren sie Abbies Lieblingsbonbons. Sie aß sie nach Bedarf. Ich packte die ganze Schachtel ein. Kein einziges Mal schaute ich über meine linke Schulter in die Kamera, aber da ich das Licht eingeschaltet hatte und keinen Nylonstrumpf über dem Kopf trug, war es wohl ziemlich offensichtlich, wer ich war. Für den Medikamentenmix, den ich bei mir hatte, hätte man glatt einen Waffenschein gebraucht – und die Menge reichte garantiert aus, mich ins Gefängnis zu bringen, falls man mich erwischte.

Ich fuhr wieder zu Gary und gab ihm die Schlüssel. Er kramte meine Plastiktüte durch, reichte sie mir und sagte in seinem Onkel-Doktor-Ton: »Hör zu. Das ist wichtig. Du hast sechs Spritzen Dexamethazon, zwei Spritzen Dopamin und ausreichend Fentanyl-Pflaster für einen Monat. Die Dexamethazon-Injektionen reduzieren die Schwellung ihres Gehirns, geben ihr ein paar Stunden Klarheit und bringen sie wieder in eine annähernd normale Verfassung. Wenn der Druck steigt und auf ihr Stammhirn drückt, können zwei Dinge passieren. Wenn ihr Blutdruck steigt, kannst du nichts machen. Wahrscheinlich stört es sie auch nicht sonderlich. Wenn er fällt, behindert es den natürlichen Drang des Körpers zu atmen und versetzt sie vermutlich in einen Schockzustand. Dagegen wirkt das Dopamin, indem es Puls und Blutdruck erhöht. Praktisch ist das Dexamethazon eine Atombombe für ihre Adrenalinproduktion. Jede

Injektion wirkt, als ob man Düsenjettreibstoff in einem Automotor verbrennt. Er läuft prima, solange der Treibstoff hält, aber es kann auch sein, dass er ihn zerfetzt. Bergsteiger, die den Everest oder K2 besteigen, packen das Zeug als letzte Rettung ein, wenn sie in der Todeszone die Auswirkungen von Ödemen bekämpfen müssen, die die Hirnstrukturen komprimieren. Wenn du je einen solchen Schnupfen hattest, dass du gar nicht mehr durch die Nase atmen konntest, und Nasenspray genommen hast, kannst du dir die Wirkung ungefähr vorstellen.«

Er hob einen Finger. »Ach, und … Dopamin und Dexamethazon sind hochwirksam, wenn man sie allein verabreicht, beide zusammen können aber problematisch werden. Sie heben sich in ihrer Wirkung auf. Beide zusammen zu geben ist ein Balanceakt.«

Er hatte Recht. Abbie hatte diese und andere Medikamente in diversen Formen schon so lange bekommen, dass sie an ihre Wirkung gewöhnt war. Sie brauchte also höhere Dosierungen, um den gleichen Effekt zu erzielen. Was kein Problem dargestellt hätte, wenn der Schmerz gleich geblieben wäre. Aber er wurde stärker, während unsere Möglichkeiten, ihn zu bekämpfen, auf einer Spirale nach unten raste.

Er verschränkte die Arme. »Als ihr Arzt bin ich verpflichtet, es dir zu sagen: Langfristig kann es Magengeschwüre, Organblutungen, Euphorie, Wasserretention, Herzinsuffizienz, Sehstörungen und ein Weitwinkelglaukom verursachen. Ansonsten ist es klasse.«

Ich zuckte die Achseln. »Ich denke, das Gute ist, dass wir uns über die langfristigen Folgen keine allzu großen Sorgen machen brauchen.«

Er schob die Hände in die Taschen und schaute auf die Straße. »Und …«

»Ja?«

»Du wirst es nicht kommen sehen, und es wird nicht schön sein. Eigentlich wirst du es hören, bevor du es siehst. Sobald das der Fall ist, ist es eine tickende Zeitbombe. Das Problem ist, dass du den Zünder nicht siehst.«

Er deutete auf die Tüte mit den Schätzen. »Das Dexamethazon … Eine lindert den Schmerz, zwei hauen sie fast den ganzen Tag um, drei … na ja …«

Ich wusste, was er mir zu sagen versuchte. »Danke, Gary.«

»Wenn du mir noch etwas zu sagen hast, dann tu es jetzt.«

Ich ging die Stufen hinauf. »Mach die Augen zu.«

»Was?«

»Mach einfach die Augen zu. Ich habe ein Geschenk für dich.« Als er gehorchte, schlug ich ihm so fest, wie ich konnte, auf das linke Auge.

Er ging zu Boden. »Was soll das?!«

Ich half ihm auf. »Du brauchst eine passende Geschichte zu der Lüge, die du deinem Praxisleiter in ein paar Stunden erzählen wirst.« Ich deutete auf sein schwellendes Auge. »Jetzt hast du eine.«

»Du hättest mich warnen können.«

»Tut mir leid.« Ich reichte ihm ein Actiq. »Hier, das hilft gegen die Schmerzen.«

»Sehr komisch.« Ich drehte mich um und ging die Treppe hinunter. »Chris, du weißt, was du tust?«

Ich zuckte die Achseln. »Nicht wirklich. Ich weiß nur, dass ich nicht hierbleiben kann. Wir sehen uns, Gary. Das mit deinem Auge tut mir leid.«

»Noch eins.«

»Ja?«

»Eine Debatte innerhalb der Ärzteschaft dreht sich um die Frage, wie viele Narkotika zu viel sind. Bei dem ganzen

Gerede über Sterbehilfe fragen wir uns ständig laut oder auch nur im stillen Kämmerlein, wann wir als Ärzte die Grenze überschritten haben und von der Schmerzbekämpfung dazu übergegangen sind, jemandem zu helfen, dass er ruhig in die lange Nacht hinüberdämmert. Kannst du mir folgen?« Ich nickte. »In Anbetracht ihrer Desensibilisierung für die Medikamente braucht Abbie eine ganze Menge davon. Wenn … Wenn du ihr gibst, was sie braucht … könnte man dir letzten Endes vorwerfen, also … mit dem, was da in der Tüte ist und in ihrem Blut sein wird, könnten sie dich glatt ins Gefängnis bringen.«

»Danke, Gary.«

Ich band die Box an meinen Sitz und schob sie hinter mich. Alles andere durfte ich verlieren, aber sie nicht. Und vielleicht den Revolver. Ich stieg ins Boot, stieß ab und tauchte das Paddel ins Wasser. Mein Handy vibrierte in meiner Tasche. Auf dem Display stand: »SIR«. Das kam nicht unerwartet. Ich schob das Handy wieder in die Tasche und ließ es vibrieren. Als wir geheiratet hatten, war es mir gelungen, unter seinem Radar durchzufliegen. Jetzt nicht mehr. Nach einigen Minuten vibrierte es wieder. Und immer wieder. Abbie flüsterte unter der Plane: »Du gehst besser ran. Du weißt doch, dass er es hasst, wenn man ihn warten lässt.« Bei seinem vierten Anruf klappte ich das Handy auf. Sein Ton erinnerte mich an seine Reden im Plenarsaal, wenn er die Abgeordneten des anderen Flügels ansprach. Es war das Donnern, das man auf Fernsehkanälen wie C-Span, FOX und CNN hörte. »Wo ist Abigail Grace?«

⸙

Doppelnamen sind in Charleston eine Lebensweise. Die meisten Blaublütigen haben mindestens zwei Vornamen. Sie lassen Scarletts gute alte Zeiten wiedererstehen und verweisen als Wink mit dem Zaunpfahl auf die Abstammung vom Südstaatenadel. Als Gouverneur Coleman Abbie in Ashley Hall anmeldete, bestand er auf ihrem Doppelnamen, um sie über die Masse zu erheben und Distanz zu ihren Konkurrentinnen zu schaffen. Als einer der jüngsten je gewählten Gouverneure in der Geschichte der Union erwartete er, dass die Leute sprangen, wenn er pfiff, und umgab sich mit Menschen, die nur fragten: »Wie hoch?« Sie mit ihren Zöpfen und Perlen hatte für so etwas nichts übrig. Sie arbeitete nicht für ihn, wollte nichts anderes als seine Tochter sein und scherte sich keinen Deut um seinen Titel.

So begann das Tauziehen.

Seitdem lebten sie mit diesen privaten Spannungen. In der Öffentlichkeit hielten sie die nötige Waffenruhe ein. Das gestand sie ihm zu. Auch das war Charleston. Der Schein musste gewahrt werden. Aber wenn man hörte, wie sie »Daddy« sagte, war es da.

Schon als ich Abbie kennenlernte, war sie völlig anders, als ich es je erwartet hätte. Äußerlich war sie eine Senatorentochter, die in Spitzen geboren, von einer »Hilfe« aufgezogen wurde und vom Kindergarten bis zum Highschool-Abschluss die Privatschule Ashley Hall besucht hatte, wo das Lied der kreolischen Kindermädchen nachhallte: *I'm Charleston born and Charleston bred and when I die, I'm Charleston dead*. Durchdrungen von der feinen Gesellschaft und von Kultur veredelt hatte sie als erstes Wort *Deb* wie Debütantin gesagt. Aber unter der Oberfläche, wo wir schwammen, fühlte sie sich am Strand in Bikinitop und Jeans mit abgeschnittenen, ausgefransten Beinen wohler als in Perlen und schulterlangen Handschuhen auf dem Ball der Hibernia Society. Irgendwie bewegte sie sich bruchlos und mühelos zwischen diesen beiden Welten.

Miss Olivia, die ihre Windeln gewechselt und sie mehr oder weniger aufgezogen hatte, während er sich um seine Wiederwahl bemühte, erzählte, dass Abigail Grace Eliot Coleman irgendwann in der ersten Klasse die Hände in die Hüften stemmte und mit dem Fuß aufstampfte: »Was gibt's an Abbie auszusetzen?« Im Laufe der Jahre beschnitt sie ihren Namen im selben Maß, wie ihre Kämpfe zunahmen. Von der dritten bis zur sechsten Klasse verkürzte sie »Abigail Grace« zu »Abbie Grace«. Niedlich, aber noch respektabel. Es passte außerdem zu der Hauptrolle, die sie im Dock Street Theater in dem Musical *Annie* spielte. Als sie in der Junior High School ihre Karriere als Model begann und Jobs für landesweite Versandhauskataloge und lokale Werbeagenturen bekam, stutzte sie ihren Namen weiter zurecht auf »Abbie G.«. Eine Verstümmelung, die ihm schmale Augen machte, aber praktisch blieben es immer noch zwei Vornamen und sie wurden nur im zwanglosen Rahmen benutzt – also nie in seiner Gegenwart. Das würde sich bei ihr schon noch auswachsen. In ihrer Highschool-Zeit riefen mehrere Möchtegernverehrer mit hochfliegenden Promihoffnungen an und fragten nach »Abbie«. Er legte auf. Mit sechzehn ging Abbie fort und nahm zu allem Übel Jobs von zwei der größten Bademodenhersteller des Landes an. Diese »Zweiteiler-Fotos« brachten ihr schon bald ein Ticket nach New York ein, wo sie und ihr Agent – ein Anwalt, den ihr Vater ihr geschickt hatte – mit Kosmetik-, Shampoo- und Parfümfirmen, einer Sportnachrichtenagentur mit recht namhafter Bademodenkollektion und einem bekannten Dessous-Monopol verhandelten. Mitten in ihrem letzten Highschool-Jahr stellte er fest, dass ihre Lehrer sie »Abbie« nannten. Das war schlimm, aber es sollte noch schlimmer kommen. Viel schlimmer. Eines Sonntagmorgens, nachdem zwei Tassen Kaffee und ein Vollkornmuffin seine Tagesform hergestellt hatten, blätterte er in einer Zeitschrift die Bademoden durch und stolperte über ihr Bild. Die Zeitschrift landete im Müll – und sein Abonnement ebenfalls. Als Abbie ihren Highschool-Abschluss machte, handelte er mit einem Geschenk einen Frieden aus. Er holte den Mercedes aus der Mottenkiste und gab ihr die Schlüssel. Aber die Waffenruhe war nur von kurzer Dauer. Bei ihrer Abschlussfeier feuerte Senator Coleman ihr, wie er glaubte, einen letzten Schuss vor den Bug, indem er ihren vollen Namen in einem Ton aussprach, der sie auf den rechten Weg zurückbringen und ihre Abstammung klarmachen sollte. Pferdebesitzer sprachen ganz ähnlich. Aber das gerissene Grinsen war verfrüht. Ein Jahr später besiegelte »Abbie Eliot« ihre Rebellion, indem sie die Universität Georgetown verließ und einen Exklusivvertrag in New York unterschrieb. Innerhalb weniger Wochen standen Reisen nach Europa und in den Nahen Osten auf ihrem Terminkalender. Mit neunzehn Jahren war sie regelmäßig in New York und London, und ihr Hochglanzbild starrte ihn vom Glastisch im Wartezimmer seines Zahnarztes an. Sich beruflich und öffentlich einen Namen zu machen, der sie nicht mit ihm in Verbindung brachte, war ein Schlag, dem er nichts entgegensetzen konnte.

Sie hatte sich einen eigenen Namen gemacht. Und das war ihr gerade recht.

Ein tiefer Atemzug. »Sie ist hier.«

»Wo ist ›hier‹?« Wenn er wollte, konnte er sehr direkt sein.

»Sir, das kann ich nicht sagen.«

»Kannst du nicht oder willst du nicht?« Genau das meinte ich.

Pause. »Ich will nicht.«

»Mein Junge …« Er lachte verlegen. NICHT die Kontrolle zu haben gefiel Senator Coleman ganz und gar nicht. Erst recht nicht, seit man ihn zum Vorsitzenden des mächtigen Steuerausschusses ernannt hatte. »Ein Fingerzeig von mir genügt, dass sämtliche Polizisten der Staaten Georgia, North Carolina und South Carolina nach meiner Tochter suchen. Und glaube ja nicht, ich würde die Nationalgarde nicht einsetzen.«

»Sie hat so was erwähnt.«

»Zweifelst du etwa an meiner Entschlossenheit, mein Junge?«

»Sir, ich bezweifle nicht, dass du deine Tochter liebst, wenn deine Frage darauf zielen sollte. Aber … ich muss das einfach tun.«

»Junge, du bist verrückt. Bring sie sofort zurück!«

»Sir, ein Teil von mir würde das wirklich gern tun, aber bei allem Respekt, du weißt nicht …«

»Sag mir nicht, was ich weiß oder nicht weiß«, brüllte er.

Sein öffentliches Erscheinungsbild war immer geprägt von Haltung, Schliff, Manschettenknöpfen und Hermes-Krawatten, aber im Hinterzimmer sahen seine Manieren mehr nach Schlagring, Hemdsärmeln und Blaumann aus. Wenn er wütend wurde, sammelte sich Spucke in seinen Mundwinkeln und spritzte wie Gift, je lauter er sprach. »Du kannst gar nicht weit genug weglaufen. Versteck dich ruhig, ich finde dich. Ich lass dich unterm Gefängnis begraben!«

Es ist vermutlich nicht zu übersehen, dass unsere Beziehung nicht gerade glatt lief. Trotz seiner Verachtung für mich hatte ich ihn immer bewundert. Ich hatte ihn sogar gewählt. Er hatte klein angefangen und viel erreicht. Gewählt zu werden ist eine Sache, wiedergewählt zu werden eine andere. Ihm war beides gelungen. Vom Gouverneursamt bis zu seiner inzwischen vierten Legislaturperiode als Senator hatte er keine einzige Wahl verloren. Er hatte weitreichende Beziehungen in Washington. Ein Segen und ein Fluch – denn was man über die Macht sagt, ist wahr. Ich glaube, in seinem früheren Leben als anständiger Jungbauer aus South Carolina mit Grashalm im Mund hätten wir uns ganz gut verstanden.

Ich schluckte und starrte auf das Wasser und auf Abbies bleiche Gestalt unter der Plane. Senator Coleman hasste die Vorstellung, dass jemand starb, nur aus einem einzigen Grund. Es entzog sich seiner Kontrolle. Der Tod anderer erinnerte ihn an seine eigene Sterblichkeit. Die Tatsache, dass seine Tochter keinerlei Angst davor erkennen ließ, war vielleicht seine einzige Schwachstelle. Mir war es immer seltsam vorgekommen, dass ein so mächtiger, kultivierter Mann sich so leicht von etwas aus der Bahn werfen ließ, was kein Mensch außer einem einzigen je besiegt hatte. Deshalb hatten wir ihn in den letzten Jahren selten gesehen. Ich sage, wir hatten ihn selten gesehen, nicht, dass er uns nicht sehr geholfen hätte. Das hat er. Es ist kompliziert. Er hat uns Zugang zu Orten verschafft, an die wir allein nie gekommen wären, und mehr als einmal hat er uns in die vorderste Reihe befördert. Wenn wir nicht erster Klasse flogen, schickte er einen Jet. Er half aus der Ferne, weil zu viel

Nähe zu sehr wehgetan hätte. Bis auf ein Mal. Daher wusste ich, dass er sie liebte. Sie wusste es auch, aber das trug kaum dazu bei, es einfacher zu machen.

Ich musste das Gespräch beenden, bevor er unseren Standort über irgendeinen NASA-Satelliten feststellen konnte. Als hochrangiges Mitglied und Vorsitzender mehrerer Ausschüsse, unter denen der für die Streitkräfte noch der geringste war, ließ er mich wahrscheinlich gerade orten. »Sir, es tut mir leid. Vieles tut mir ehrlich leid, aber ich …« Leise sagte ich: »Es ist für Abbie.«

»Sie sollte hier sein. Bei uns.«

»Bei allem Respekt, Sir. Du hattest vier Jahre Zeit. Eine aufmerksamere Zuhörerin hättest du dir gar nicht wünschen können. Wenn du bei ihr hättest sein wollen, hättest du Gelegenheit dazu gehabt.«

»Was soll das denn heißen?« Seine Wut war deutlich spürbar. Er war Gespräche nicht gewohnt, die nicht auf völlige Zustimmung eingestellt waren, und duldete sie auch nicht. Da ich mich darauf nie eingelassen hatte, waren unsere Gespräche immer kurz und wurden meist von ihm begonnen und beendet. Das ging auf den Augenblick zurück, als ich ihn um die Hand seiner Tochter gebeten hatte. Ebenfalls ein kurzes Gespräch.

»Sir, ich erwarte nicht, dass du das verstehst.«

Er brüllte: »Du bist ein Fantast, ein Träumer, der es nie zu was gebracht hätte, wenn Abbie nicht gewesen wäre!«

»Da stimme ich dir zu, Sir, aber …«

»Aber was?«

Ich blickte Abbie an. »Bitte, versteh das doch …« Er wollte noch etwas sagen, aber ich klappte das Handy zu und warf es in den Fluss, der es verschluckte. Winzige Bläschen stiegen an den Rändern auf, und das Licht auf dem Display erlosch.

Ich kletterte wieder auf meinen Sitz. Meine Hände erinnerten sich an das Gefühl, ein Paddel zu halten, während ich nach einem Wort suchte, das meine Frau treffend beschrieb. Man sollte meinen, nach vierzehn Jahren sollte mir etwas anderes als »Schatz« eingefallen sein. Ein schwaches Bild, das gebe ich zu.

Ich tippte auf den Zeitungsartikel in der Kartenmappe. »Klar, dass du dir ausgerechnet das Schwierigste aussuchen musstest.«

»Ich bin nicht hier, um nur *eins* abzuhaken.«

»Das dachte ich mir. Dann legen wir mal besser los.«

»Mm-mmm.«

»Du ruhst dich aus. Ich paddele.«

Sie strahlte. »Genau so soll es ja auch sein.«

Ich tauchte das Paddel ins Wasser, zog kräftig, damit meine Muskeln sich erinnerten, und glitt unter die mit Wasserpflanzen und Moosen überwucherten Arme des Flusses. Das Meer lag gut 200 Kilometer entfernt – mit dem Auto ein paar Stunden, auf dem Fluss eine Woche.

Äußerlich war Abbie alles genommen. Ihr Beruf, ihre Schönheit, die einladende Weichheit ihres Busens, die Rundungen, das zuversichtliche Lächeln. Aber das waren nur Äußerlichkeiten. Darauf konnten wir verzichten. Was war mit dem, was man nicht sah? Mit ihrer ungezügelten Leidenschaft für das Leben, ihrem intimen Verlangen nach mir, ihrer kindlichen Hoffnung, die sie in fast alles setzte, ihren unvergleichlichen Träumen. Abbie war nur noch ein Schatten ihrer selbst. Ein Skelett in Gespensterkleidung. Das Einzige, was blieb, war Zeit.

Ich bin kein Weiser. Ich gebe nicht vor, alles zu wissen,

aber eines weiß ich: Manche leben richtig, manche sterben richtig, aber nur wenige lieben richtig. Warum? Ich weiß nicht, ob ich das beantworten kann. Wir alle leben, wir alle sterben – da gibt es keine Vorzugsbehandlung –, aber das Wichtige ist der Teil dazwischen. Richtig zu lieben … das ist etwas anderes. Es ist eine Entscheidung – die man immer wieder und wieder und wieder trifft. Komme, was wolle. Und wer sich dafür entscheidet, sollte meiner Erfahrung nach bereit sein, durch die Hölle zu gehen.

Ich schaute nicht zurück und wollte nicht nach vorn sehen. Also schaute ich Abbie an, tauchte das Paddel ins Wasser und zog.

7

Am späten Nachmittag wachte ich mit wundem Gesicht und einem zugeschwollenen Auge auf. Meine Lippe war aufgeplatzt und wirkte im Verhältnis zu meinem übrigen Gesicht zu dick. Ein stechender Schmerz im rechten Brustkorb sagte mir, dass ich entweder eine Rippe gebrochen oder eine schwere Prellung abbekommen hatte.

Ich setzte Wasser auf, um mir ein paar Rahmannudeln zu kochen, als ich es an der Tür klopfen hörte. Ich zog eine Jeans über meine Boxershorts und öffnete.

Sie war es.

Ich stand da wie ein Hirsch im Scheinwerferlicht.

Sie schaute sich auf der Straße nach beiden Seiten um und kam unaufgefordert an mir vorbei in mein Atelier. Sie trug eine Baseballkappe, Sweatshirt, Jeans und sah ein bisschen aus wie ein Hollywoodstar, der versucht, unerkannt einen Einkaufsbummel zu machen. Ich steckte den Kopf aus der Tür, schaute nach rechts und links auf die Straße und dann wieder auf sie. Sie deutete auf die Tür, ich schloss sie und ging in den hinteren Teil des Raumes in die Nähe des kochenden Wassers, weg vom Licht der Straßenlaternen.

Mit den Händen in den Taschen schaute sie sich um und musterte das wenige, was es zu sehen gab. Als sie aufsah, waren Tränen in ihren Augen. »Ich bin gar nicht dazu gekommen, dir zu danken. Ich bin nur weggelaufen, und …« Sie wischte sich das Gesicht mit dem Ärmel ihres Shirts.

»Möchtest du Tee?«

Sie lächelte. »Ja.«

Ich besaß zwar nicht viel, aber Tee hatte ich. Als ich in eine Schublade griff, die vollgestopft war mit Teebeuteln, fing sie an zu lachen. »Trinkst du gern Tee?«

Ich zuckte die Achseln. »Ich … ähm … ich klaue ihn auf der Arbeit. Jeden Abend einen oder zwei Beutel. Manchmal drei. Das ist einfacher, als Kaffee zu klauen.«

Wieder lachte sie. Ich brühte zwei Becher Tee auf und deutete auf einen Sessel in der Ecke. Da ich keinen Tisch hatte, aß ich oft abends in diesem Sessel mit einem Teller auf dem Schoß. Sie setzte sich, und ich lehnte mich an die Wand und wickelte das Bändchen des Teebeutels um meinen Finger. Sie trank und musterte meine unzähligen Werke, die in meinem Atelier an der Wand lehnten oder hingen. Sie schaute nach oben Richtung Empore. »Du bist fleißig.«

Ich hob ein schmutziges T-Shirt vom Boden auf, drehte es auf rechts und zog es mir über Kopf und Arme. Sofort merkte ich, dass ich einen Fehler gemacht hatte. Im Laufe der Woche war mir das Deo ausgegangen, und offenbar hatte ich das T-Shirt seitdem getragen. Ich hob bremsend eine Hand. »Bin gleich wieder da.« Damit humpelte ich die Treppe hinauf, zog ein sauberes T-Shirt an, wusch mich mit einem Lappen unter den Armen, sprühte ein billiges Aftershave unter meine Achseln, ging wieder hinunter und tunkte weiter den Teebeutel in den Tee. Sie deutete mit der Hand auf mich. »Du hast etwas vergessen.«

Ich sah an mir herunter und stellte fest, dass meine Hose aufklaffte. Während ich an meinem Reißverschluss fummelte, stellte sie ihren Tee ab und schaute sich eingehend meine Kunstwerke an. Bedächtig betrachtete sie jedes einzelne Stück. Ließ sie auf sich wirken. Ich stand reglos da.

Nach dem dritten oder vierten Bild blieb sie stehen und sah sich um. »Wo ist das Bild von der Kreolin?«

Sie deutete auf eine Wand. »Früher lehnte es da drüben. Sie arbeitete auf dem Sklavenmarkt, flocht einen Graskorb.«

In meiner ersten Woche an der Hochschule war ich über den Markt gegangen, um mich einzuleben, und war auf diese Frau gestoßen. Sie sah aus wie Mitte siebzig, lehnte auf dem Sklavenmarkt an der Backsteinmauer, Hunderte von Körben zu ihren Füßen, hatte einen einzelnen Grashalm im Mund, keine Zähne, kein Gebiss, knotige Hände, schmutziges Kleid, zerbeulten Hut und bronzefarbene Haut, aber ihre Augen hatten etwas Besonderes. Mit Erlaubnis der Frau kam ich eine Woche lang jeden Nachmittag, wenn das Licht weich hinter den Bäumen hervorstrahlte, und malte sie. Sie sagte: »Jeder malt die Kreolen.« Sie zuckte die Achseln. »Sie bieten sich als Motiv an.« Sie tippte an die Seite, wo ich die Leinwand an den Rahmen getackert hatte. »Aber du hast etwas geschafft, was man sonst nicht sieht. Nicht mal in New York. Du hast die Augen eingefangen. Und Miss Rachel …«, sie tippte mitten auf die Frauengestalt auf der Leinwand, »hat die freundlichsten und schönsten Augen, die Gott je geschaffen hat.«

»Du kennst sie?«

Sie schaute über die Schulter. »Ich bin hier aufgewachsen.«

Verdutzt kratzte ich mich am Kopf. Ich hatte das Bild nie ins Fenster gestellt. »Wo hast du es gesehen?«

Sie verschränkte die Arme und deutete aufs Fenster. »Wir beide kennen uns zwar eigentlich nicht, aber hin und wieder schaue ich hier durchs Fenster. Sehe, was es Neues gibt. Woran du gerade arbeitest.« Sie zog ihre Sonnenbrille über die Augen, und da sah ich sie zum ersten Mal wieder.

»Das warst du, die mir meine Scheibe vernebelt hat?«
Sie nickte.

»Wieso bist du nicht hereingekommen? Ich beiße nicht.«

Sie zuckte die Achseln. »Manchmal ist es schön, nicht erkannt zu werden.«

Zwanzig Minuten sah sie sich an meinen Wänden um. Je länger sie schaute, umso mehr fühlte ich mich wie ein Aktmodell im Scheinwerferlicht.

Schließlich drehte sie sich zu mir um. »Wann bist du mit dem Studium fertig?«

»Theoretisch diesen Sommer.«

Mit einer ausholenden Handbewegung deutete sie auf den Raum. »Probleme?«

»Na ja … nein, eigentlich nicht.«

Sie bemerkte mein Zögern und trat näher. »Wir geben eine Weihnachtsparty. Jedes Jahr. Ich fände es schön, wenn … wenn du kämst.«

»Ja? Ich meine …« Ich bemühte mich, so zu klingen, als ob ich ständig auf solchen Festen wäre. »Ja. Klar.«

»Samstag in einer Woche? Gegen sieben. Ich schicke einen Fahrer.«

Fahrer? »Ja, klar.« Ich deutete auf die Straße. »Mein Wagen steht ein Stück weiter rechts auf der Straße. Ich hab's nicht gern, wenn er mir die Sicht versperrt.«

Als sie sich ein letztes Mal in meinem Atelier umsah, fiel ihr Blick auf das einzige Foto, das ich besaß.

Am 13. Juni 1948 wurde Nat Fein ins Yankee-Stadion geschickt. Der Fotograf, der es sonst übernahm, hatte sich krankgemeldet. Nat war 33 Jahre alt, stammte aus Manhattans East Side und schoss normalerweise menschlich anrührende Fotos für die *New York Herald Tribune*, das heißt, er hatte einmal ein Bild von einem Friedhof mit einem Einbahnstraßenschild im Vordergrund gemacht. Aber am 13. Juni war es anders. Das berühmte Stadion in der Bronx feierte sein 25-jähriges Bestehen, und bei den Feierlichkeiten sollte die Nr. 3, Babe Ruth, verabschiedet werden. Es war sein Stadion, und alle waren gekommen, um ihn zu sehen. Mit 53 Jahren war er immer noch der größte Spieler der Baseballgeschichte, hatte aber in den beiden letzten Jahre immer wieder ins Krankenhaus müssen. In stillschweigendem Einvernehmen hatte kein Sportjournalist je das Wort »Krebs« benutzt, aber als Nat ihn in der Umkleidekabine sah, war er zu schwach, sich die Schuhe zuzubinden. Ein Pfleger tat es für ihn. Traurig schaute Nat ihm zu. Babe war so hager, dass ihm das Trikot schlaff von den gebeugten Schultern hing, als er einen Mantel überzog und zum Besucherunterstand schlurfte. Sobald sein Name aufgerufen wurde, brach das Stadion in Jubel aus. Babe zog seinen Mantel aus, nahm einen Baseballschläger und ging, auf den Schläger gestützt, zum Home Plate. Als er das Mal erreicht hatte, nahm er mit der linken Hand die Kappe ab, stand da und schaute in das Stadion, das er gebaut hatte. Alle Fotografen hatten sich an der ersten und dritten Base Line aufgestellt – vor Babe. Um eine Aufnahme von einem der meistfotografierten Gesichter der Geschichte zu machen. Aber nicht Nat.

Nat hatte sein Gesicht gesehen, und es war nicht das, was er in Erinnerung behalten wollte. Außerdem war der einzige Platz, von dem aus die »3« zu sehen war, hinter dem Home Plate. Und genau dort stand er. Während die meisten anderen Fotografen mit Blitzlicht arbeiteten, begnügte Nat sich mit Tageslicht. Er fotografierte von unten, dicht über dem Boden, über Babes Schultern hinweg in die Zuschauertribüne.

Das Resultat war eines der berühmtesten Bilder der Sportgeschichte.

Am nächsten Tag erschien es auf dem Titelblatt der *Herald Tribune*, American Press griff es auf, und zahlreiche Zeitungen im ganzen Land druckten es ab. Zwei Monate später starb Babe Ruth. Nat Fein bekam 1949 den Pulitzer-Preis für das Foto.

Sie deutete auf das Bild. »Wirkt ein bisschen fehl am Platz.«

Ich schüttelte den Kopf. »Eigentlich nicht.«

Sie schien fasziniert. »Wieso?«

»Schau es dir gut an.« Sie tat es. »Und jetzt schließe die Augen.« Sie sah mich an. »Mach einfach die Augen zu.« Sie verschränkte die Arme und schloss die Augen. »So, und jetzt sag mir, was du siehst.«

Sie schlug die Augen auf. »Sein Gesicht.«

»Genau. Aber es ist auf dem Foto gar nicht zu sehen.« Ich ging an die Wand und holte eine große Leinwand hinter einer anderen hervor. Den größten Teil des Bildes nahm Babes Gesicht ein, das ich gemalt hatte.

»Wow.« Sie betrachtete es eine Weile. »Hast du das deinen Professoren gezeigt?« Ich schüttelte den Kopf. »Das solltest du aber.«

Ich schob das Bild wieder an seinen Platz. »Ich bin … Na ja, ich male Gesichter. Zumindest versuche ich es.«

Sie starrte mich an. Sie wollte nicht gehen. »Wieso?«

Ich verschränkte die Arme und zuckte die Achseln. »Weil sie etwas sagen, ohne auch nur ein Wort zu reden.«

Sie nickte. »Ich gehe jetzt besser nach Hause. Wahrscheinlich macht er sich schon Sorgen. Ist den ganzen Weg hergeflogen, und ich bin nicht mal zu Hause.«

»Wer ist *er*?«

»Daddy.« Sie schaute auf ihre Armbanduhr. »Also dann, gegen sieben?«

Ich warf einen Blick auf meinen uhrlosen Arm. »Klar. Wenn der Zeiger an meinem Handgelenk auf die Sommersprosse zeigt.«

Sie lachte. »Danke für den Tee.«

»Ja … davon gibt's immer welchen. Und wenn nicht, weiß ich, wo ich ihn klauen kann.«

Sie zog ihre Baseballkappe tief über die Augen und sagte sanft und leise: »Und … für gestern Abend.«

Ich stellte meine Teetasse ab. »Das hätte doch jeder gemacht.«

»Ja?« Kopfschüttelnd deutete sie über ihre Schulter. »Ein Mann mit Fernglas hat uns von einem Fenster aus beobachtet. Ein anderer, ein Jogger, ist durch den Park gelaufen und hat so getan, als ob er nichts sähe.«

»Wieso hast du sie sehen können?«

»Das war kaum zu vermeiden. Ich lag auf dem Rücken.«

Ich steckte die Hände in die Hosentaschen und versuchte, wie James Dean auszusehen. »Na ja … das nächste Mal suchst du dir einen Größeren aus. Damit es eine echte Herausforderung ist.«

»Machst du immer Witze, wenn jemand versucht, ernst zu sein?«

Lange Pause. »Ich habe den Laden hier vor acht Monaten in der Hoffnung gemietet, dass das Schaufenster mir helfen würde, meine Werke zu verkaufen.« Mit einer ausholenden Geste deutete ich auf das Atelier. »Bis jetzt habe ich noch kein einziges Bild verkauft. Witze zu machen hilft mir … In Wahrheit ist es der Vorhang, hinter dem ich mich verstecke, damit Leute wie du nicht sehen, dass der Vorkoster des Kaisers keine Kleider hat.«

Sie biss sich auf die Lippe. »Nach allem, was die Leute sagen, trägst du ohnehin nicht viel.«

»Ja, das ist eine neue Marketingkampagne, um Leute ans Fenster zu locken.«

»Schade, dass du sie dort nicht halten kannst.«

»Au, das saß.«

Sie ging durch den Raum, nahm Miss Rachel und stellte sie ins Fenster. »Jedes Bild braucht einen Titel. Es hilft den Menschen, sich damit zu identifizieren. Den Käufern.« Sie überlegte eine Weile und deutete auf Miss Rachel. »*Zufrie-denheit.*« Sie schaute mich an. »Sie ist nämlich zufrieden.«

Sie nahm das verstaubte Preisschild »300 $« von einem anderen Bild und hängte es Miss Rachel über die Leinwand-ecke. Dann malte sie sorgfältig eine »1« vor die »3«, trat zurück und knabberte an einem Fingernagel. Eine Weile dachte sie mit zur Seite geneigtem Kopf nach, bevor sie aus der »3« eine »8« machte. Wieder trat sie einen Schritt zurück. »Die Leute hier in der Gegend haben gern das Ge-fühl, etwas von Wert zu kaufen. Wie sollen sie dein Werk für wertvoll halten, wenn du es nicht tust? In New York wäre das ein Schnäppchen und …«, sie deutete auf die Pas-santen auf der Straße, »da kaufen die meisten von diesen Leuten ein, wenn sie nicht gerade …«, sie schirmte ihre Au-gen mit der Hand ab, »dein Fenster vernebeln.«

Damit zog sie sich die Baseballkappe ins Gesicht und ver-schwand um die Ecke. Sie hatte mir noch gar nicht ihren Namen gesagt.

8

Ich richtete das Boot aus und wollte gerade weiterpaddeln, als eine gedämpfte Stimme unter der Plane hervordrang: »He, du gutaussehender Typ.« Ich beugte mich vor. »Das hast du früher schon mal gemacht, stimmt's?«

»Ein oder zwei Mal.«

Sie drehte sich auf die Seite. »Das klingt, als ob es ganz gut gelaufen wäre.«

Der Adrenalinstoß, den die Kombination von Fentanyl und Actiq bewirkt hatte, ließ sie lächeln. Ich kniete mich hin, Schweiß tropfte mir von Stirn und Nase. »Ja … na ja, eigentlich hat Charleston mir nie so richtig gefallen.« Sie verdrehte die Augen, schloss sie und schlug sie wieder auf. »Wir können immer noch umkehren.«

Sie schüttelte den Kopf. Ihre Zunge war dick. »Ich bin bei dir.«

Ich spürte, dass ihre Füße kalt und klamm waren, obwohl es fast 25 Grad warm war. »Wie geht es dir?«

Sie rutschte unruhig hin und her. »Besser denn je.«

»Kopfschmerzen?«

Sie nickte und versuchte zu lächeln. Als sie angefangen hatten, war es, wie sie sagte, als ob sie auf einer Achterbahn, die immer weiter fuhr, neben jemandem säße, der ihr ständig den Ellbogen in den Kopf rammte.

Das zweite Kanu glitt an einer Heck-zu-Bug-Schlepp-leine in Schlangenlinien hinter uns her durchs Wasser. Zu beiden Seiten standen alte Virginiaeichen, knorrig und ge-wunden, reckten ihre Äste über das Wasser und bildeten ein Blätterdach, das von Pat Smiths vergessenem Land erzählte und vielleicht vom Geist des Seminolenführers Osceola. Zypressenstümpfe ragten wie Stacheln aus dem Wasser, ab-gestorbene Bäume waren quer über den Fluss gefallen und bildeten Waschbärbrücken und Fallen für Angelschnüre. So weit im Oberlauf war der Fluss kaum viereinhalb Meter breit, und es ließ sich nicht vermeiden, das Boot über Hin-dernisse zu ziehen. An der tiefsten Stelle war das Wasser 30 Zentimeter tief, an der flachsten nur einige wenige, daher stieg ich alle paar Minuten aus, zerrte beide Kanus über ei-nen Baumstamm oder eine Sandbank, stieg wieder ein und stieß ab, nur um gleich wieder auszusteigen und von vorn anzufangen. Volle drei Stunden lang watete ich mit einem improvisierten Zuggeschirr knöcheltief am Ufer entlang und schleppte die Boote.

Anders als bei Flüssen im Westen, die Schluchten in Fels-wände schnitten, änderten sich die Ufer des St. Mary's je nach den Regenfällen – was es schwierig machte, die Ufer-linie auf den nächsten Metern auszumachen. An einem Tag war der Fluss an einer bestimmten Stelle vielleicht drei Me-ter breit, kam aber Regen hinzu, konnte er auch mal eine Breite von zehn bis zwölf Metern erreichen und am Tag darauf wieder auf drei Meter schrumpfen oder auf fünfzehn Meter anwachsen. In den letzten zwanzig Jahren hatten Im-mobilienkäufer und Hausbauer immer darauf geachtet, dass die Häuser oberhalb der Hochwassermarke der letzten hundert Jahre standen.

Laut Karte fließt der Fluss von den Sümpfen aus am

Highway 94 durch Moniac und von dort gut 20 Kilometer bis zur State Road 121, aber das stimmt nicht. Wer diese Karte gemacht hat, war sicher bekifft. Wahrscheinlich sind es eher 40 Kilometer. Die Strecke ist brutal, mühsam und trotzdem schön und geheimnisvoll und hat etwas von einem prähistorischen Übergangsritus. Sie auszulassen bedeutet, etwas vom eigentlichen Wesen des Flusses zu verpassen. Abbie wusste das. Deshalb hatte sie gesagt: »Den ganzen Weg ab Moniac.« Vom Hubschrauber aus betrachtet, macht der Fluss nördlich von Glen St. Mary eine scharfe Biegung nach links oder Osten und fließt am Nordende von Macclenny vorbei. Hier biegt er nach Norden ab und schlängelt sich nach Folkston – für jeden Kilometer Luftlinie braucht er zwei. In Folkston macht er eine scharfe Rechtskurve und fließt im Zickzack nach Ost-Südost zur Küste. Die Entfernung von den Sümpfen bis zum Meer beträgt knapp 100 Kilometer Luftlinie. Der Fluss schlängelt sich mehr oder weniger über 200 Kilometer. Meist mehr als weniger.

Wenn man dem Fluss folgt, sieht die Sache anders aus. Der Oberlauf plätschert zwar nur 100 Kilometer vom Ozean entfernt, hat es aber nicht eilig, dorthin zu kommen. Er heißt zwar überall St. Mary's, besteht aber eigentlich aus vier völlig verschiedenen Abschnitten. Der erste fließt von Moniac unter dem Highway 121 durch bis nach Stokes Bridge – vielleicht 50 Kilometer lang. Man stelle sich einen Entwässerungsgraben in einem Brückentunnel vor. Er ist schmal, überwuchert von überhängenden Ästen, die sich verflechten wie Finger, kreuz und quer von Eisenbahnbrücken überspannt, wimmelnd von Fröschen, von Greisenbart verhangen, zuckend vor Schlangen, und ein fast undurchdringliches Gewirr angestauter Äste, die ins Wasser gefallen sind. Das alles macht es nahezu unmöglich, längere Zeit ungehindert zu paddeln. Man kann schwimmen, das Kanu ziehen, schieben, Hindernisse umgehen oder sich durchschlagen, aber immer bestimmt der Fluss das Tempo, und das ist nicht schnell. Der St. Mary's hat seinen eigenen Rhythmus. Für alle, die nicht schon lange hier leben, ist er wahrscheinlich wesentlich langsamer, als sie es gewohnt sind – körperlich wie emotional. In seinem unregulierten Flussbett fließt er an manchen Stellen schnell, an anderen, je nach Gelände, langsamer. Mal staut sich sein Wasser, mal weitet sich das Flussbett, mal frisst er sich bis auf den Kalkstein durch und wird schneller, mal macht er eine scharfe Kehre und reißt das Boot herum wie einen Wasserskifahrer. Aber wie dem auch sei, kaum etwas bleibt sich gleich, bis auf die Tatsache, dass der Fluss dem Meer zustrebt. Leben oder Tod spielen keine Rolle, aber auf keinen Fall sollte man den Fluss für gleichgültig halten und an ihm zweifeln. Er ist mehr im Einklang mit dir als du selbst. Wenn er sich durch den Kalkstein frisst, ragen seine Ufer teils bis zu zwölf Meter hoch schroff auf, an anderen Stellen erheben sich von Wurzeln durchflochtene Sanddünen, an wieder anderen erstrecken sich Kuhweiden, die mit ihrem Gras und Morast sanft ins Wasser übergehen. Dabei entstehen Tümpel, in denen es von Großmaulen, Flussbarschen, Schwarzbarschen und Mokassinschlangen wimmelt. Wo die Sonne es durch das Blätterdach schafft, finden sich am Ufer straßenkreuzergroße Sandstrände, schiefe, überrankte Scheunen mit Blechdach und Baumhäuser mit Fliegengittern, aber in der Mitte plätschert immer das blanke, kupferfarbene Wasser, das an den meisten Stellen kühl ist.

Der zweite Flussabschnitt reicht von Stokes Bridge bis Traders Ferry – 70 Kilometer. Hier wird der St. Mary's breiter, bietet Strecken, auf denen es sich gut paddeln lässt, und hat fast auf der ganzen Länge ausgebleichte weiße Strände. Da er ständig Ufer und Grund abträgt, fallen die alten Bäume, die ihn säumen, unweigerlich um. Zuerst neigen sie sich, fast als machten sie eine Verbeugung vor ihm, dann kreuzen sie sich wie Schwerter in einer Militärparade, und schließlich kippen sie um, wenn er ihre Wurzeln auf seinem Weg zur Kalksteinschicht unterspült. Er ist 30 Zentimeter bis zu stellenweise drei Meter tief. Unter der Oberfläche spinnt sich ein dichtes, unsichtbares Geflecht aus Ranken, die wie Arme an Booten und an allem ziehen, was sich auf ihm treiben lässt. Im Schatten der Bäume wohnen Weißwedelhirsche, Schwarzbären, Wildschweine, Wachteln, Truthähne und hartnäckige Bremsen. Ab hier bevölkern auch Menschen sein Ufer, sie haben Häuser auf Pfählen gebaut, schwimmen in seinem Schatten, schwelgen in seiner Kühle, schaukeln an Seilen über ihn hinweg, verschandeln ihn mit Bierdosen, Fischködern und Badesachen. Seine Farbe verdunkelt sich von blankem Kupfer zu Eistee. Je nach Sonnenlicht vielleicht auch zu dünnem Kaffee. Aber von der Farbe sollte man sich nicht täuschen lassen. Schwarz bedeutet nicht schlecht. Oder böse. Sein sandiger Grund filtert das Wasser immer wieder durch. Der Schein kann trügen wie alles andere am Fluss.

Der dritte Abschnitt reicht von Traders Ferry bis zum Coastal Highway oder Highway 17 – eine Strecke von knapp 60 Kilometern. Von der Eisenbahnbrücke am Highway 17 bis zum Meer sind es nur noch knapp 30 Kilometer, daher wirken sich hier schon die Gezeiten aus. Die Strömung des St. Mary's kehrt sich alle sechs Stunden um. Wie eine Klospülung fließt er schnell ab und füllt sich nur langsam wieder. Sein Bett verbreitert sich auf 200 bis 400

Meter. Es wimmelt nur so von Ottern, Bibern, Mokassinschlangen und Alligatoren. Gut drei Meter lang mit einem
fast einen Meter langen Kopf. Die Sandstrände weichen
Bootsrampen, Anglercamps und längst verrotteten Anlege-
stellen. Seine Ufer fallen nun sanft zum Wasser hin ab und
sind von einer nahezu undurchdringlichen Mauer aus Nadelbäumen und Zwergpalmen bedeckt. Sich dem Ufer zu
nähern ist, als streichle man ein Stachelschwein – man muss
sich behutsam einen Weg bahnen. Nicht zu schnell. Anwohner haben Pfähle in den Boden gerammt, armierte Be-
tonmauern gegossen und sich Rückzugsorte gebaut, wo sie
auf der Veranda sitzen, Mint Julep trinken und auf den vor-
beifließenden Fluss lauschen. Weiter flussabwärts öffnet der
St. Mary's sich Freizeitaktivitäten: Motorboote ziehen Wasserskifahrer, befördern Angler, Wilderer und Forstbeamte,
und Jetskis brummen wie Hornissen. Noch weiter flussabwärts nimmt er wieder eine andere Gestalt an. Hier verbirgt
er seine Geheimnisse unter Starbucks-schwarzem Wasser.

Im letzten Abschnitt fließt er ab der Brücke über den
Highway 17 am Städtchen St. Marys vorbei in den Cumberland Sound, wo er in den Atlantik mündet. Hier erreicht
er eine Breite von anderthalb Kilometern und mehr und
eine Tiefe von gut 12 Metern – tief genug für die U-Boote
in King's Bay. Sein Brackwasser ist nun wolkig braun, klebrig vor Salz und voller Delfine, Haie, Trommelfische und
Forellen. In seinem Marschschlamm krabbeln Winkerkrabben, messerscharfe Austern, und gelegentlich finden sich
darin auch Haufen englischer Pflastersteine, die früher in
den Schiffen als Ballast mitgeführt wurden. Hier fließt er
schneller und hat an manchen Stellen eine strudelnde
Unterströmung, einen Sog unterhalb der Wasseroberfläche,
der Enten in die Tiefe ziehen kann. Von seinen gewunde-

nen Mäandern sollte sich niemand täuschen lassen: Seine Strömung ist tückisch.

So wie sich mit jedem Kilometer die Landschaft ändert, verändert sich auch sein Rhythmus. Seine Kadenz. Eile lässt er nicht zu. Anfangs bremst er dich und erlaubt dir kaum mehr als ein Kriechen. Nachdem er dich aufgepäppelt hat, öffnet er sich und lässt ein Schritttempo zu. Wenn er findet, dass du dazu bereit bist, lässt er dir freien Lauf in offenem Wasser. Und wenn er dich für würdig befunden hat, weil du das Schlimmste, was er für dich bereithält, durchgestanden hast, öffnet er seine Arme, nimmt dich an seine Brust und tröstet dich. Aber er ist dabei wie eine eifersüchtige Mutter: Wer zögert, an ihr zweifelt, auch nur mit der Wimper zuckt und den Blick von ihr abwendet, den speit sie aus, schleudert ihn ins Meer und versenkt ihn in den Tiefen.

Sobald das Wasser den Ozean erreicht, lässt die Sonne es zu den Wolken aufsteigen, nur um es erneut über den Kontinent auszugießen. In diesem Kreislauf haben manche Moleküle die Reise von den Sümpfen durch den Fluss bis zum Ozean schon Tausende Male zurückgelegt.

∽

Umgefallene Baumstämme, Baumstümpfe und Biberdämme machten die ersten fünf Stunden weitgehend zur Quälerei, was das Paddeln anging. Das Zuggeschirr schnitt mir in die Schultern, weil ich ebenso viel Zeit außerhalb des Kanus mit Ziehen und Tragen verbrachte wie mit Paddeln. Abbie lag da und lachte. Kurz nach Mittag ließ der Regen nach und hörte schließlich auf. Die Sonne brach ein Loch in die Wolkendecke. Dunst stieg vom Wasser auf, das allmählich ein bisschen schneller floss, und die Temperatur stieg sprunghaft an. Der Luftdruckwechsel hatte seltsame

Auswirkungen auf die Tiere – einschließlich der Schlangen. Sie suchten nach höherem Grund und kamen folglich aus ihren Löchern.

In einer scharfen Rechtsbiegung hatte sich eine Sandbank gebildet. Ich nutzte die Gelegenheit und die Sonne, schob das Kanu auf den Strand und trug Abbie an eine Stelle, an der sie sich sonnen und ihre Zehen im Fluss baden konnte. Da sie sich einigermaßen wohl fühlte, setzte sie sich auf, nachdem ich sie abgesetzt hatte.

Unter der Ausrüstung, die ich bei Gus gekauft hatte, befand sich ein so genannter Jetboil, ein von Extrembergsteigern entwickelter kompakter, selbstzündender Propangaskocher von der Größe einer Kaffeedose, der zwei Becher Wasser in weniger als 90 Sekunden zum Kochen brachte. Ich betätigte den Zünder, pellte ein hart gekochtes Ei und schenkte den Tee ein, während Abbie die Schokolade von einem Snickers-Riegel leckte und den Rest an die Elritzen verfütterte, die an ihren Zehen knabberten.

Sie musterte die Unterseite des Blätterdachs. Ihre Haut hob sich bleich gegen die Sonne ab, darunter schimmerten ihre Venen blau durch. »Ich glaube, an diese Stelle erinnere ich mich noch.«

Ich nickte. »Dieses Blätterdach haben wir noch ein paar Kilometer weit, danach wird der Fluss breiter, die Bäume stehen weiter auseinander und lassen die Sonne durch, dann wird das Wasser wärmer.«

Sie schnupperte in die Luft und deutete mit ihrem halben Snickers in die Luft: »Und hier irgendwo gibt es eine Weide, die bis ans Wasser reicht. Ich meine, ich habe etwas mit Kühen in Erinnerung.«

»Richtig.« Ich schnippte ein Stück Eierschale von meinem Oberschenkel. »Und nicht viel weiter ist eine Hühnerfarm. Je nach Windrichtung kriegen wir entweder die Kühe oder die Hühner ab. Reine Glückssache.«

Sie kaute bedächtig. »Wie lange wird es dauern, bis du wieder heiratest?«

Abbie kam mit dem Gedanken, nicht mehr da zu sein, wesentlich besser zurecht als ich. »Was ist das denn für eine Frage?«

»Komm schon, das ist doch nichts Neues. Du hattest vier Jahre Zeit, dich an den Gedanken zu gewöhnen.«

»Das heißt noch lange nicht, dass ich mich daran gewöhnt hätte.«

»Also?«

»Also was?«

»Hast du?«

»Habe ich was?«

»Dich an den Gedanken gewöhnt.«

»Ja, Schatz. Einfach toll.«

»Im Ernst. Du kannst noch fünfzig oder sechzig Jahre leben.«

»Und?«

»Was wirst du tun?«

»Ich dachte, fürs Erste fange ich an zu rauchen und zu saufen wie ein Loch, um die Zeit zu halbieren.«

Sie merkte, dass sie so nicht weiterkam. Es verging eine Weile. »Du solltest es wirklich tun, weißt du.« Es war eine Feststellung, keine Frage.

Ich reichte ihr den Becher. »Das nächste Mal kannst du dir deinen blöden Tee selbst machen.«

Sie hielt den Kopf über den Dampf. »Im Ernst. Wir müssen darüber reden. Jetzt.« Sie zwinkerte mit den Augen. »Ich nenne dir die Namen von fünf Frauen, die du in Betracht ziehen solltest.«

»Darüber rede ich nicht mit dir.«

»Mary Provencal. Hübsch, klug, sorgt wahrscheinlich dafür, dass du nicht in Schwierigkeiten gerätst. Allerdings müsstest du lernen, einen besseren Martini zu mixen.«

»Ich glaub's einfach nicht.«

»Karen Whistman.«

»Schatz, sie ist verheiratet.«

»Ja, aber nicht mehr lange. Sie ist groß, ein Outdoortyp, versteht ein bisschen was von Kunst und hat mehr Geld als Gott.«

»Würdest du bitte damit aufhören?«

»Nummer drei: Stacy Portis. Ein bisschen klein, bringt aber jede Party in Schwung und ist, nach allem, was ich gehört habe, toll im Bett. Was …«, sie lachte, »dringend nötig ist, nachdem du mit mir verheiratet warst.«

»Du bringst mich um.«

»Nummer vier: Weit hergeholt, aber … Grace McKiver.«

»Hast du den Verstand verloren?«

Sie schnippte den Rest ihres Snickers in den Fluss. »Wahrscheinlich, zusammen mit allem anderen. Also, Grace mag anfangs ein bisschen kalt wirken, aber wenn man sie erst mal richtig kennt, ist sie ehrlich, loyal bis zum Gehtnichtmehr und dank eines hervorragenden Schönheitschirurgen ohne Kleider eine wahre Göttin.«

Ich sah den Snickers-Rest im Wasser treiben wie ein Stückchen Kot. »Das erklärt eine Menge.«

»Und als Letzte: Jeanne Alexander.«

»Ich höre gar nicht zu.«

»Sie ist mir wahrscheinlich am ähnlichsten, du bräuchtest bei ihr also nur ganz wenige deiner schlechten Angewohnheiten abzulegen.«

»Welche schlechten Angewohnheiten?«

»Na ja, wo du schon davon anfängst …«

»Ich nicht. Du.«

»Du lässt deine Unterwäsche im Badezimmer auf dem Boden herumliegen. Lässt zu oft den Klodeckel offen. Du drückst die Zahnpastatube in der Mitte zusammen. Machst nie das Bett. Hasst Gartenarbeit. Hast dein Atelier seit zehn Jahren nicht mehr sauber gemacht.«

»Nur weil ich seit drei Jahren keinen Fuß mehr reingesetzt habe.«

Sie legte den Kopf schief, eine gewohnte Geste. »Und das bringt mich wieder auf das Eigentliche.«

»Da bricht dein Vater in dir durch.«

»Du solltest heiraten. Ich meine, nicht sofort. Spiel den trauernden Witwer und warte ein Jahr. Vielleicht anderthalb. Das belebt außerdem die Konkurrenz.«

»Abigail.«

Sie sah mich nicht an, sondern blickte in die Bäume. »Du solltest es wirklich tun. Ich finde es eine schreckliche Vorstellung, dass du allein lebst.« Sie leckte sich die Schokolade von den Schneidezähnen. »Aber da ist noch mehr. Du musst mir versprechen, dass du dich an deine Staffelei setzt.«

»Abbie.«

»Ich meine es ernst. Versprich es.«

»Nein.«

»Warum nicht?«

»Weil …«

Sie tippte mir an die Brust. »Ich kenne dich. Du kannst das nicht alles in dich hineinfressen. Früher oder später musst du es rauslassen.«

»Du hörst dich an wie meine Mom.«

»Und du versuchst, das Thema zu wechseln.«

Ich packte unsere Sachen in das Kanu und hob sie hoch. Sie schlang die Arme um meinen Hals. »Versprichst du es?«

Ich schaute ihr in die Augen und kreuzte die Finger. »Versprochen.«

»Sag es noch mal ohne gekreuzte Finger.«

»Ich verspreche … ich werde nie vergessen, wie du deinen ersten Rinderbraten hast anbrennen lassen.«

»Bist du fertig?«

»Okay … ich verspreche, ich werde mir immer wünschen, ich könnte Kunstwerke schaffen, wie du sie mir immer zugetraut hast.«

Sie nickte. »Das genügt.«

Ich band mir das Zuggeschirr um und fing an zu ziehen wie ein Schlittenhund. Sie lag im Boot und musterte mich. »Du kannst es, weißt du? Es steckt in dir.«

»Was kann ich? Was steckt in mir?«

Sie zeigte mit ihrem 800-Mikrogramm-Lutscher auf mich. »Komm mir nicht mit dem Mist.«

Ich brauchte mich nicht erst umzudrehen, um ihren Scheibenwischerfinger in der Luft wedeln zu sehen. »Schatz …« Ich hörte auf zu ziehen und ließ die Leinen durchhängen. »Mach dir nichts vor. Ich kann besser angeln als malen. Sogar deinem Dad habe ich geholfen, Fische zu fangen, und er ist grottenschlecht. Aber was Kunst angeht, bin ich absolutes Mittelmaß, abgesehen von einem Porträt hier und da. Ich gebe zu, dafür habe ich anscheinend ein gewisses Talent. Sieh dir nur unser Haus an. Von der Garage bis zum Speicher voll mit Zeug, das wir nicht verkaufen können.«

»Für mich bist du kein Versager.«

»Na, damit stehst du aber allein da.«

Diese Wirkung hatte Actiq häufig bei ihr. Es machte sie

redselig und eigensinnig. Nicht dass sie für den Eigensinn erst Unterstützung gebraucht hätte.

»Mein Heftpflasterchen.«

Ein tiefer Atemzug. Mein Spitzname, den sie übernommen hatte. »Ja.«

»Komm her.«

Ich befreite mich aus dem Seilgewirr, planschte zurück und kniete mich neben die Bordwand. Sie stützte den Kopf in ihre Hand. »Ich habe Kunstwerke in Rom, London, New York … und sogar Asien gesehen.« Sie tippte mir auf die Nase. »Niemand spricht mich so an wie du.«

Trotz meiner zerschlagenen Hoffnungen und ihrer ständigen Bestürzung war genau das der einzige Grund, dass ich meine sämtlichen Werke nicht verbrannt und mein Atelier behalten hatte. Weil sie an mich glaubte, nachdem ich es schon lange nicht mehr tat.

»Ich liebe dich, Abigail Coleman Michaels.«

»Gut. Schön, dass wir das geklärt haben. Und jetzt, hü! Ohne Fahrtwind ist es heiß hier drin.« Ich drehte mich um, streifte die Gurte über meine Schultern und zog. Als die Seile sich unter dem Gewicht spannten, sagte sie: »Weißt du, Wendy Maxwell käme auch noch in Frage, ihre Familie hat dieses Haus …«

»Würdest du bitte den Mund halten und schlafen?«

Sie stockte und sagte dann in verändertem Ton: »Erst wenn du mich an Cedar Point absetzt.«

In ihrer Stimme lag etwas Endgültiges. Ich stemmte mich in die Seile und grub meine Füße in den Sand, und die Gurte schnitten mir in die Schultern.

9

Der Fahrer trug eine schwarze Kappe und weiße Handschuhe. Ich ging in verwaschener Jeans – mit Riss über dem rechten Knie –, schwarzem T-Shirt und meinem einzigen Sportsakko hinaus; es war blau und am rechten Ärmel fehlte ein Knopf. »Glauben Sie, dass sie das merkt?«, fragte ich. Der Fahrer musterte meinen Ärmel und schüttelte wortlos den Kopf. »Prima«, sagte ich und setzte mich auf den Rücksitz, »ich fänd's nämlich furchtbar, zu aufgedonnert zu sein.«

Während er die Wagentür schloss, sagte er: »Ich glaube kaum, dass das ein Problem wird.«

Er fuhr mich über die King Street auf die South Battery und hielt vor einem imposanten dreistöckigen Haus, in dem es von Menschen wimmelte. Klassisches Charleston. Alle Frauen trugen Pumps und Perlen, alle Männer dieselbe Marke Lederhalbschuhe, Khakihosen im selben Farbton, die gleichen blauen Hemden mit Button-down-Kragen und leicht variierte Versionen gestreifter Krawatten.

Als ich aus dem Wagen stieg, hatte ich einen dicken Kloß im Hals. Der Bürgersteig auf der anderen Straßenseite sah dunkel und leer und höchst verlockend aus. Ich starrte auf den erhöhten Hauseingang mit den vier riesigen Säulen. Sie stand unter dem Sternenbanner, unterhielt sich und sah mich an.

Als ich mein Jackett glatt strich, flüsterte der Fahrer mir

zu: »Keine Sorge, Sir. Die meisten von denen müssen sich nur was beweisen. Wenn das stimmt, was man sich über Sie erzählt und über das, was Sie für Miss Coleman getan haben, kommen Sie schon klar.«

»Und wenn es nicht stimmt?«

Er musterte die schorfige Risswunde auf dem Mittelknöchel meiner rechten Hand und das Veilchen an meinem linken Auge. »Ich denke, es stimmt.«

»Danke.«

Ich ging die Treppe hinauf, durch Duftwolken von Designerparfüms und Bermuda-Aftershave. Noch nie im Leben hatte ich so viele Diamanten gesehen. An Ohren, Hälsen, Fingern. Wenn diese Leute sich etwas beweisen mussten, hatten sie dafür einiges Geld ausgegeben. Nerz, Kaschmir, Kamelhaar und gestärkter Oxford-Broadcloth lieferten den stofflichen Hintergrund für hohes Lachen und leises Gesprächsgemurmel.

Sie glitt durch die Menge wie durch Wasser. »Danke, dass du gekommen bist.«

»Kennst du all diese Leute?«

»Die meisten.« Sie hakte sich bei mir unter. »Komm, ich möchte dich vorstellen.«

Wir gingen durch die Haustür in eine grandiose Eingangshalle. Fünf abgestufte Zierleisten betonten die vier Meter hohe Decke, an der ein tonnenschwerer Lüster hing. An einer Wand tauchte ein großer Mann in weißem Jackett eine Schöpfkelle in eine silberne Punschbowle und füllte etwas, das nach Apfelwein, Zimt, Nelken und Zitrone roch, in Teetassen. Er bot mir eine Tasse an. »Sir?«

»Nein danke.« Sie nahm ihm die Tasse aus der Hand und sagte: »Danke, George.« Dann reichte sie mir die Tasse. »Das ist Weihnachtspunsch. Ich habe ihn gemacht.«

Ich nippte daran. »Interessant, aber … aber gut.«

Sie stellte die Tasse ab, wandte sich nach rechts und ging in ein Zimmer, in dem ein Kaminfeuer gerötete Gesichter und dunkles Mahagoni erglühen ließ. Ein weißhaariger, distinguierter, gutaussehender Mann im Nadelstreifenanzug war von vierzig bis fünfzig Personen umringt. Einige schwenkten Cognacgläser, andere tranken Weißwein, alle hielten ein Glas in der Hand. Er stand im Zentrum der Aufmerksamkeit und Unterhaltung. Als die Menge sich teilte, um sie, also uns, durchzulassen, erkannte ich ihn. Er war breiter, als ich erwartet hatte, und hatte im Fernsehen größer geklungen.

Sie führte mich zu ihm und hakte sich mit dem anderen Arm bei ihm unter. Rückblickend war das der Augenblick, in dem ich in das Tauziehen einstieg. Und das spürte er. »Daddy, ich möchte dir Chris Michaels vorstellen.«

Ich reichte ihm die Hand. »Senator, Sir.«

Sein Händedruck war fest, geübt und kalt, und sein Manschettenknopf war scharf und spitz. Er hatte mich taxiert, bevor unsere Hände sich trafen. »So, dann muss ich mich also bei Ihnen bedanken, dass Sie meine Tochter gerettet haben.«

»Nein, Sir. Ein paar Minuten später wäre sie, glaube ich, selbst mit ihm fertig geworden.«

Er lächelte. »Gut gesprochen. Gut gesprochen.« Die Menge lachte und wurde wieder still. Er wandte sich an alle. »Alle mal herhören, ich möchte Ihnen Chris Michaels vorstellen. Ein Mann, den ich gerade erst kennengelernt habe, dem ich aber nach den Vorfällen der vergangenen Woche ewig zu Dank verpflichtet bin.« Sie applaudierten und weckten in mir den Wunsch, durch eine Falltür im Boden zu versinken. Sie schob ihre linke Hand in meine, schlang unsere Finger umeinander, schwenkte ihren Zeigefinger in der Luft wie einen Scheibenwischer und sagte zu den Frauen, die sich um uns gesammelt hatten: »Noch nicht, Ladys. Er gehört mir, Sie müssen warten, bis Sie an der Reihe sind.«

Noch nie hatte ich einen Menschen erlebt, der sich in Gesellschaft so sicher bewegte und jeden völlig im Griff hatte. Sie besaß diese Gabe. Sie führte mich hinaus auf die Veranda, vorbei an einem weiteren Tisch, an dem eine Frau Okrasuppe ausschenkte. Unterhalb von uns standen zwei Männer an einem Feuer auf dem Rasen und brieten Austern. Hinter dem Haus war alles hell erleuchtet. Die Anlage wirkte wie ein englischer Garten. Rundherum wuchs eine 2,50 Meter hohe Hecke, die perfekt im Neunzig-Grad-Winkel geschnitten war. Sie schenkte mir eine Limonade ein und sagte: »Hier, trink. Das ist gut gegen Nervosität.« Während ich trank, streckte sie die Hand nach oben und rieb an einer Pflanze, die über ihr hing. Sie schnupperte an ihren Fingern und hielt sie mir unter die Nase. Der Geruch erinnerte mich an Rosen.

»Das ist ja eine merkwürdige Rose.«

Sie lachte. »Weil es gar keine ist. Es ist eine Geranie mit Rosenduft.«

»Gehörst du zu den Leuten, die wirklich was von Pflanzen verstehen? Mit grünem Daumen und so?«

Sie deutete hinter sich. »Möchtest du meinen Garten sehen?«

»Wenn es mich von all diesen Leuten wegbringt, helfe ich dir sogar, ihn umzugraben.«

Sie führte mich durch das Labyrinth ihres Gartens und zeigte, erklärte und benannte mir alles Mögliche. »Das ist Klebsamen … das ist mein Rosengarten … 27 verschiedene Sorten … das ist mein Zitrusgarten. Achtzehn verschiedene Bäume von Dancy-Mandarinen über Satsumas bis hin zu Duncan-Grapefruits.« Wir bogen um eine weitere Ecke. »Das ist ein Loquatbaum.«

»Was für ein Quat?«

Ihr Lachen ließ mich dahinschmelzen. »Loquat.«

Die Frucht sah seltsam aus, rund und vielleicht halb so groß wie ein Ei. Ich pflückte eine und roch daran. »Sie erinnert mich an diese kleinen Dinger, mit denen wir als Kinder immer Autos beworfen haben.«

»Bist du sicher, dass das keine Cumquats waren?«

»Na ja, es war jedenfalls irgendein Quat.«

Sie rollte die Frucht in ihrer Handfläche. »Man nennt sie auch Japanische Pflaumen. Im Laden kann man sie nicht kaufen, weil sie sich nicht halten, aber sie sind süß. Du hast sie probiert, als du hereinkamst.«

»Wann?«

»Loquatlikör. Er ist im Weihnachtspunsch.«

»Wo bekommt man den?«

»Gar nicht. Man macht ihn selbst.«

Mein Misstrauen wuchs. »So eine bist du also?«

»Ich weiß es nicht«, grinste sie. »Was für eine?«

»Eine Mischung aus Martha Stuart und Paula Dean. Wahrscheinlich schläfst du jede Nacht nur zwei Stunden und machst Weihnachten dein eigenes Geschenkpapier.«

Grinsend wandte sie sich ab. »Was ist dagegen einzuwenden, wenn man sein eigenes Papier macht?«

Ich betrachtete das Haus und die wachsende Menschenmenge. »Du kannst das gut.«

Sie pflückte eine dunkelrote Rose und steckte sie mir ans Jackett. »Ich hatte viel Übung.« Sie winkte einer eleganten, älteren Frau zu. »Hineingeboren. Und dann hineingewachsen.« Sie strich meinen Jackettkragen glatt und trat näher, in meinen Privatbereich. »Übrigens, ich heiße Abbie. Aber ...« Sie machte eine ausholende Geste über die Menge hinweg. »Die meisten Leute nennen mich Abbie Eliot.«

Ich trank, schluckte und ließ mir von der Limonade die Kehle wärmen. »Ich habe dich diese Woche bei Google nachgeschlagen. Du ...« Ihr Bild war überall im Internet, und jede erdenkliche Zeitschrift und Zeitung hatte über sie geschrieben.

»Glaub nicht alles, was du liest.«

»Und was davon soll ich glauben?«

Sie grinste, zog an meiner Hand und führte mich durch den Garten zurück. »Das musst du mich dann schon fragen.«

Ich folgte ihr. An einer Hand sie, in der anderen die Limonade. »Okay.«

Den ganzen Abend trottete ich hinter ihr her und wurde geradezu süchtig nach ihrem Parfüm und dem sanften Sog ihrer Berührung. Von Minute zu Minute fühlte ich mich stärker berauscht, sei es von ihrem Duft oder von der Limonade.

Nachdem sie mich mit 25 Leuten bekannt gemacht hatte, an deren Namen ich mich weder erinnern kann noch will, führte sie mich in den anderen Teil des Gartens, wo es mehr Rasen gab, Zelte aufgestellt waren und Gäste Häppchen knabberten. Sie musterte das Büfett. »Möchtest du etwas essen?«

Ich hob das nahezu leere Glas. »Ja, meine Lippen fühlen sich ganz dick an. Ich brauche etwas, was die Limonade aufsaugt.«

Wir füllten zusammen einen Teller und setzten uns auf eine Bank in einer dunkleren Ecke des Gartens, wo wir die

Party im Blick hatten. Da kein Besteck zu sehen war, fragte ich: »Und womit essen wir?«

Sie nahm einen Hähnchenschenkel, biss hinein und sagte mit halb vollem Mund: »Mit den Fingern.«

Ich nahm ebenfalls einen Hähnchenschenkel, und die Barbecuesauce rann mir über die Finger. »Ziemlich sinnlos, Frauen mit Diamanten zu behängen und weiße Tischtücher auf die Tische zu legen, aber die feinste Gesellschaft von Charleston sich die Finger ablecken zu lassen.«

»Willkommen in Charleston.«

»Übrigens«, ich kaute mit vollem Mund und Soße in den Mundwinkeln, »ich verdanke dir ein Geschäft.«

Nächster Bissen. »Mmm?«

»Diese Woche kam eine Frau und kaufte tatsächlich Miss Rachel. Fragte mich, ob ich es für 1700 hergeben würde.«

»Und was hast du gesagt?«

»Ich habe sie gefragt, ob ich es ihr in Geschenkpapier einwickeln soll.«

Sie lachte. »So, dann hast du also diesen Monat deine Miete bezahlt?« Ich nickte und verschmierte mir das Gesicht mit braunem Bratensaft. »Schön, es ist gut zu wissen, wo ich dich finde, damit ich nicht wieder die Dumme spielen und in der Kunsthochschule herumschnüffeln muss.«

»Hast du mich so gefunden?«

Sie winkte jemand über den Garten hinweg zu und musterte die Menge. »Die Leute sagen einem fast alles, wenn man richtig zu fragen weiß.«

»In deinem Fall würde ich sagen, dass es weniger daran liegt, wie du fragst, sondern eher daran, dass du überhaupt fragst.«

Sie schaute mich an und fragte leise: »Chris Michaels, flirtest du etwa mit mir?«

»So schlecht?«

Sie zuckte die Achseln. »Ich weiß nicht. Eigentlich erfrischend.«

»Ich fand, es klang ein bisschen einstudiert. Als ob ich's übers Knie brechen wollte.«

Sie stellte mein Glas außer Reichweite ins Gras. »Ich drehe dir den Hahn ab. Keine Limonade mehr für dich.«

Meine Zunge fühlte sich dick an und meine Lippen prickelten. »Gute Idee.« In der Ecke des Gartens war ein Eisentor, das mir einen Ausweg bot. »Hast du Lust, ein Stück spazieren zu gehen?«

»Hast du genug Kultur für einen Abend?«

»Ich steh nicht sonderlich auf Partys. Weiß nie, wie ich mich benehmen soll.«

Sie hakte sich bei mir ein und führte mich durch das Tor. »Kannst du ein Geheimnis für dich behalten?«

»Wahrscheinlich nicht.«

»Genau deshalb macht man diese Limonade.«

Wir gingen über die South Battery, durch White Point Gardens zum Hochufer über dem Zusammenfluss von Cooper und Ashley. Die beiden Flüsse waren nach Lord Anthony Ashley Cooper benannt und dienten früher als Haupttransportweg für Baumwolle aus dem konföderierten Süden. Die Plantagen brachten ihr weißes Gold auf Frachtern flussabwärts und parkten es auf dem Colonial Lake – nur ein paar Blocks entfernt –, wo es auf einen Käufer und den Export in den Rest der Welt wartete. Das erklärt, warum die meisten das Gefühl hatten, der Atlantik fange direkt vor ihrer Haustür an.

Die Brise war so kühl, dass ich ihr mein Jackett über die Schultern hängte. Eine hell erleuchtete Yacht fuhr landeinwärts zurück zum Yachthafen. Ich deutete mit einer Handbewegung auf das Kielwasser und machte Smalltalk. »Durch diese Gewässer ist viel Geschichte gegangen.«

Sie überlegte ein Weilchen. »Erzähl mir von dir.«

Ihr Ton berührte mich. Die verspielte Frau auf der Party war einem ernsthaften, ehrlichen, neugierigen Mädchen gewichen. Ich ließ meine Füße von der Betonmauer baumeln. »So viel zum Smalltalk, was?« Sie zuckte die Achseln. »Aufgewachsen bin ich an einem … einem Fluss südlich von hier. In einer Hand ein Paddel, in der anderen einen Pinsel oder Stift.« Ich zeigte mit dem Finger wie mit einem Zauberstab auf die Landschaft um uns. »Das ist schön, aber für mich kann Charleston dem St. Mary's nicht das Wasser reichen. Er ist … einfach …« Da ich mir dumm vorkam, verstummte ich.

»Was hat dich hierher geführt?«

»Ein Kunststipendium.«

»Wie läuft's?«

»Weiß nicht. Ich bin mir nicht sicher, ob ich lerne, bessere Kunst zu machen, oder vergesse, dass ich es früher mal konnte.« Sie hob eine Augenbraue. »Früher dachte ich, es wäre ganz einfach. Seit ich hier bin, andere Lehrer habe, andere Motive, ist es komplizierter geworden. Verwirrend. Ich bin mir nicht sicher, ob ich ein Bild noch so sehe wie früher.«

»Aber deine Sachen verkaufen sich.«

»Na ja, seien wir mal ehrlich. Ein Bild ist verkauft. Dank dir, aber … ich male nicht nur, um zu verkaufen.«

Sie sah mich forschend an. »Aber du verkaufst sie doch.«

»Klar hoffe ich, dass die Bilder weggehen wie warme Semmeln, aber daran denke ich nicht, wenn ich sie male.«

»Dann bist du also ein Idealist?« Während sie sich vorbeugte, rückte ich etwas zurück und ließ die Füße baumeln.

So hatte ich sie ein kleines Stück vor mir. Die Lichter des Yachthafens beleuchteten die rechte Seite ihres Gesichts und hoben die Rundung ihrer Wange und die kurzen Haarsträhnen über ihrem Ohr hervor. Mein Blick folgte den Umrissen ihres Ohres, ihrem weich fallenden Haar, glitt über den Grat ihres Wangenknochens und zwischen dem Schatten ihrer Wimpern und ihrer Wange entlang. Die Kräuselwellen auf dem Wasser reflektierten das Mondlicht und ließen es nahtlos mit der Silhouette ihres Gesichts verschmelzen. In der Ferne blinkte Fort Sumpter zwischen ihren Lippen und dem Profil ihrer Nase.

»Ich war vierzehn, als der Wagen meiner Mom von der Straße abkam und gegen eine Betonabsperrung raste. Sie war bei leichtem Regen mit abgefahrenen Reifen auf dem Heimweg vom Laden. Auf dem Beifahrersitz fanden die Rettungssanitäter neue Farben und eine Rolle Leinwand. Nach der Beerdigung ging ich nach Hause, reihte meine sämtlichen Inhalatoren auf dem Zaun auf und schoss sie mit einem gestohlenen Gewehr ab. Dann ging ich auf dem Fluss in Deckung und verschwand. Ich hatte viele Fragen, auf die ich keine Antwort fand, und war es leid, in einer Plastiktüte zu leben. Einen ganzen Sommer lang paddelte ich von den Sümpfen bis zum Meer. Ohne Medikamente. Wenn ich keine Luft bekäme, wäre es ebenso. Ich stahl genug zu essen und lernte, Leuten auszuweichen, die zu viele Fragen stellten. Manchmal lag ich frühmorgens oder spätabends, wenn die Mücken schlüpften und der Nebel vom Fluss aufstieg, auf dem Bauch mit der Nase knapp über dem Wasser auf der Lauer und versuchte angestrengt, einen Blick auf Moms Gott im Fluss zu erwischen.«

Sie unterbrach mich mit einem Lächeln. »Und wenn du ihn gefunden hättest?«

»Hätte ich ihn an der Gurgel gepackt und so lange zugedrückt, bis er mir geantwortet hätte.«

»Hat er geantwortet?«

»Falls ja, habe ich ihn nie gehört. Aber Schmerz macht es natürlich schwer, zu hören.« Ich zuckte die Achseln. »Als ich fünfzehn wurde, tauchte ich wieder auf und überredete genug Leute im Trailerpark, die nötigen Papiere zu fälschen, damit ich die Schule fertig machen konnte. Das hätte Mom so gewollt. Zumindest redete ich mir das ein. Außerdem konnte die Schule nicht bestreiten, dass ich mit dem Pinsel umgehen konnte. Ich erinnere mich, dass ich da irgendwann zum ersten Mal den Begriff ›Realist‹ gehört habe. Ich wusste nicht mal genau, was das war. Ich sagte ihnen immer: ›Klar ist das real. Ich habe es doch gemalt.‹

Meine Bilder waren von der Maltechnik her zwar gut, aber ohne Emotionen. Hohl. Das sah selbst ich. Dieser Sommer auf dem Fluss hatte mich verändert. Ich hatte gelernt, meinen Atem anzuhalten. Nur halb zu leben, weil es den Schmerz abhielt.«

»Welchen Schmerz?«

»Die Gegenwart. Jenseits dieses ganzen Hustens, Röchelns und Hechelns und zwischen all den Momenten, wenn sich das Licht meines Blickfelds verengte und der Tunnel sich um mich schloss, hielt ich mich an der Vorstellung fest, dass ich dazu gemacht war, zu atmen. Dass meine Lungen eigentlich einem anderen Zweck dienten, als mich zu ersticken. Sie brauchten nur einen Grund.

Meine Mom half mir, Schönheit zu sehen, als ich dachte, es gäbe keine. Sie ging mit mir an den Fluss und stellte mich ins Sonnenlicht, das durch eine Trauerweide leuchtete. Dann setzte sie mich vor die Leinwand, nahm meine Hände, befahl mir, die Augen zu schließen, und rieb meine

Fingerspitzen über die Leinwand. ›Chris, Gott steckt in den Details.‹ Ich sagte ihr: ›Mom, das kann schon sein, aber ...‹ Ich strich über ihre Schläfe oder deutete auf die blauen Flecke an ihrem Hals. ›... sonst ist er nirgendwo.‹«

»Ich hätte sie gern kennengelernt.«

»Ich kann dich mal mit an ihr Grab nehmen.«

»Es tut mir leid.«

»Mir auch.« Eine Weile verging.

»Und dein Dad?«

Ich zuckte die Achseln. »Auf dem Trailerpark ging das Gerücht, dass meine Mutter ein ›leichtes Mädchen‹ war, deshalb bin ich nicht sicher, ob der Mann, der mit uns zusammenlebte, mein Dad war. Seit kurz vor der Beerdigung habe ich ihn nicht mehr gesehen.«

Sie schaute mich an und ließ das Kielwasser der Yacht über den Fluss rollen und gegen die Steine prallen. »Wenn du malst, tust du es also für deine Mutter?«

Die Macht ihres Vaters und ihr eigener Erfolg bewirkten, dass jeder etwas von Abbie wollte. Daher war sie auf der Hut. Nicht unfreundlich, nicht unaufrichtig, aber vorsichtig. Es bedurfte keines Genies, um zu merken, dass hinter ihrer Frage mehr steckte.

Ich schüttelte den Kopf. »Ich wuchs ... zerrissen auf. Mom sah das, und es tat ihr weh. Öl und Leinwand waren ihr Geschenk an mich. Und manchmal, und sei es auch nur für einen ganz kurzen Moment, waren sie der Kitt, der mich wieder zusammenfügte. Ich kann das nicht erklären. Es war einfach so.«

»Ein Mittel gegen deine Wut.« Noch eine Frage.

»Wut?«

»Ich habe dich gegen einen Mann kämpfen sehen, der doppelt so groß war wie du.«

Ich nickte. »Ja, manchmal werde ich wütend. Aber dann gibt es wieder Momente, da verliere ich jedes Zeitgefühl, und wenn ich aufschaue, starrt mich die Leinwand an.«

Mein Ton wurde sanfter. »Es brodelt einfach hoch. Ich KANN gar nicht anders.« Ich tippte mir an den Kopf. »Als Gott meinen Mund mit meinem Hirn verkabelt hat, hat er, glaube ich, einen Draht vertauscht. Was eigentlich an meine Zunge gehen sollte, fließt aus meinen Fingern. Ich denke, und meine Finger bewegen sich. Also male ich.« Ich betrachtete meine Hände und versuchte es mit Selbstironie. »Wenn du wissen willst, was ich denke, rede mit meinen Händen.« Sie verdrehte die Augen. »Als ich hier an die Kunsthochschule kam, dachte ich, sie wüssten mehr als ich. Sie könnten mir mehr beibringen als eine geprügelte Frau am Fluss.« Ich schüttelte den Kopf. »Aber sie malen nur nach Zahlen, wie bei diesen Zeichenvorlagen.« Sie sagte nichts. »Aber ich bin auch Realist und möchte meinen Abschluss machen, deshalb halte ich den Mund.« Ich legte ihr die Hand auf die Schulter, zog sie aber sofort wieder weg, als ich es merkte. »Es war ein gutes Gefühl, der Dame heute das Bild zu verkaufen. Die Vorstellung, dass sie es vielleicht irgendwo aufhängt, wo man es sehen kann, stillt mein Verlangen.« Ich nahm einen Kieselstein von der Mauer und versuchte, ihn über das Wasser hüpfen zu lassen.

Nach einer Weile fragte sie: »Was ist das für ein Verlangen?«

Ich zuckte die Achseln. »Tief Atem zu holen.«

Sie runzelte die Stirn.

»Versuche es. Hole so tief Luft, wie deine Lungen es zulassen.«

Sie atmete tief ein.

»So, und jetzt halte den Atem an.«

Dreißig Sekunden vergingen.

»Weiter.«

Ihr Gesicht lief rot an. Nach einer Minute atmete sie aus und sog die Luft tief ein.

Ich nickte. »Das ist das Verlangen.«

10

In der Dämmerung glitten wir mit unseren Kanus auf den Strand. Ich schaute auf das GPS-Gerät. Unter »zurückgelegte Entfernung« stand 15,4 Kilometer. Nicht gut. Ich musste mir etwas einfallen lassen, wie wir die Sache angehen sollten. Mit nur einem Kanu würde ich um die Hälfte schneller vorankommen. Das Problem war, dass wir das zweite Boot brauchten, um es bis ans Meer zu schaffen. Ich musste einfach schneller gehen und paddeln, was schwierig war, da ich aus der Übung und Form war.

Am Strand richtete ich Abbie ein Lager her, setzte sie darauf und machte mich auf die Suche nach Feuerholz. Ich schichtete ein kleines Lagerfeuer auf, das uns warm halten und die Mücken abwehren sollte. Die Nächte am Fluss können tückisch sein. Den Tag über herrscht tropische Hitze, aber unter den Bäumen wird es nachts kalt wie in den Bergen.

Die Kanufahrt hatte sie ausgelaugt. Völlig. Sie schloss die Augen und lag reglos da. Gegen neun Uhr sagte sie: »Du musst etwas essen.« Ihr Mund war staubtrocken und ihr Atem roch seltsam metallisch.

Der Gedanke war mir noch gar nicht gekommen. »Ich habe keinen sonderlichen Hunger.« Ich hielt ihr einen Becher an die Lippen, und sie trank.

»Du hast gerade zwei Kanus und mich 15 Kilometer den Fluss hinuntergezogen.« Ich setzte mich quer auf einen Baumstamm, zog den Deckel von einer Dose Pfirsiche und aß bedächtig. Sie schlug ein Auge auf. »Das wird wohl nicht reichen.«

Ich aß die Pfirsiche auf, öffnete den Reißverschluss des Zelts und hob Abbie behutsam vom Strand auf. Nachdem ich sie ins Zelt gelegt hatte, kochte ich Wasser im Jetboil. Während es abkühlte, schloss ich von innen den Reißverschluss am Zelteingang und zog ihr langsam die Kleider aus. »Allmählich kannst du das richtig gut«, flüsterte sie.

»Übung.« Ihr Fentanyl-Pflaster musste gewechselt werden. Ich zog das alte ab, tupfte die Haut an ihrem Arm ab und klebte ein neues auf. Behutsam wusch ich ihre Arme und Beine, trocknete sie ab, zog ihr ein T-Shirt über Kopf und Arme und legte sie in einen Fleece-Schlafsack. In den letzten Monaten mochte sie nicht mehr in etwas schlafen, was Druck auf ihre Haut ausübte – sie sagte, es fühle sich an, als schneide es in sie hinein. Ich band ihr lose das Kopftuch um und deutete zum Zelteingang. »Ich bin draußen.« Sie drückte meine Hand und drehte sich auf die Seite.

Ich schürte das Feuer, zerrte einen toten Ast hinter einigen Palmbüschen hervor und legte ihn aufs Feuer. Dann setzte ich mich auf einen Baumstamm, schlug nach Mücken und zählte die wenigen Sterne, die ich durch das Blätterdach sehen konnte. Nach etwa einer Stunde hörte ich einen Zweig knacken. Da ich genug Zeit in den Wäldern verbracht hatte, konnte ich durchaus unterscheiden, ob ein Zweig unter dem Fuß eines Eichhörnchens oder unter einem größeren Gewicht brach. So tief in der Wildnis war es nicht ungewöhnlich, auf Wildschweine, Hirsche, Gürteltiere, Waschbären, Wildhunde oder sogar Bären zu treffen, daher hängte ich mir das Gewehr um und leuchtete mit der Taschenlampe ins Gebüsch. Als ich nichts sah – keine Augen, die mich anstarrten –, machte ich das Gewehr scharf, in der Hoffnung, dass allein schon das Geräusch abschreckend auf ein Tier wirkte, das auf Nahrungssuche war. Ich hatte als ersten Schuss Vogelschrot, als zweiten Sauposten und für die beiden letzten Schuss Flintenlaufgeschoss-Patronen geladen. Dabei hatte ich im Sinn gehabt, abzuschrecken, aufzuhalten und zu töten. Vogelschrot und Sauposten würden ausreichen, fast alle Tiere in diesen Wäldern zu töten. Die Flintenlaufgeschosse waren eine Rückversicherung, weil sie nahezu alles durchschlugen – wie etwa einen Motorblock. Als nichts sich regte, sicherte ich die Waffe und legte sie neben mich.

Da ich in oder in der Nähe der Wälder aufgewachsen war, war ich an die Gerüche und Geräusche gewöhnt. Vor allem an die Geräusche, da meine Nase noch nie sonderlich zuverlässig war. Nachts wird es im Wald zwar ruhig, aber nur selten völlig still. Vögel, Grillen, Frösche, Alligatoren, Hunde und so weiter. Und oft fressen sie sich gegenseitig. Leise Geräusche hier und da lösen eine Art tierischer Kettenreaktion aus. Wenn eins zirpt oder krächzt, halten die anderen es für angebracht, einzufallen. Das gilt aber auch umgekehrt. Wenn eins verstummt, werden auch die anderen lange genug still, um herauszufinden, weshalb. Ich setzte mich wieder auf den Baumstamm und merkte, wie totenstill es im Wald mit einem Mal war.

Alte Filme fielen mir ein. Besonders Szenen, in denen irgendein Typ namens Festus, Stumpy oder Lefty sich am Nacken kratzt und sagt: »Ich kann sie zwar nicht sehen, aber ich habe das Gefühl, dass wir beobachtet werden.« Meist hat er damit Recht. Denn gleich in der nächsten Einstellung sehen wir Indianer in Kriegsbemalung.

Auch wenn ich es nicht erklären kann, hatte ich genau dieses Gefühl. Ich überlegte: *Ich habe einen Ast knacken gehört. Unter Gewicht. Vermutlich ein größeres Gewicht als ein Eichhörnchen oder ein Waschbär. Das Geräusch hatte gedämpft geklungen. Bei Hirschen und Wildschweinen war das nicht so, weil sie harte Hufe hatten. Aber bei Menschen und Bärentatzen war es so.* Über Bären machte ich mir, ehrlich gesagt, keine allzu großen Sorgen. Schwarzbären sind eher neugierig als gefährlich. Aber die andere Möglichkeit ließ mir die Nackenhaare zu Berge stehen.

Ich öffnete den Reißverschluss am Zelt, hob Abbie in ihrem Schlafsack auf und legte meinen Finger auf ihre Lippen. »Psst.« Sie schlang ihre Arme um meinen Nacken. Ich hängte mir die Pelican-Box und das Gewehr über den Arm und schlich die Böschung hinunter, fort aus dem Licht des Lagerfeuers. Dann watete ich durch den knöcheltiefen Fluss auf eine Sandbank auf der Florida-Seite. Abbie flüsterte: »Was ist?«

Lauschend ließ ich den Blick über den Fluss schweifen. »Ich weiß nicht recht.«

Ich setzte sie am Ufer unter einige überhängende Äste. Zwanzig Minuten vergingen. Während wir warteten, plante ich in Gedanken die morgige Tagesetappe, überlegte, wo wir Mittagessen und Trinkwasser holen könnten. Wo wir Menschen begegnen und wo wir uns verstecken könnten. Der Fluss war zwar sauberer als die meisten, und wenn es sein musste, konnte man das Wasser trinken, aber angesichts der Verunreinigungen versuchte ich es zu vermeiden. Zu viele Pestizide, die man nicht sah, und zu viel Gülle, die ich nicht unbedingt trinken wollte. Überall am Ufer fanden sich artesische Brunnen, wenn man nur wusste, wo man danach suchen musste.

Beinah wollte ich Abbie schon wieder zum Zelt tragen, als der erste Mann am Fluss auftauchte. Er war groß, hager, barfuß und trug eine abgeschnittene Jeans und ein ärmelloses T-Shirt. Er kam hinter einigen Bäumen hervor, tauchte die Füße ins Wasser und watete zu den Kanus. Dabei hob er die Füße langsam und setzte sie geräuschlos wieder ins Wasser. So gehen auch Hirsche, wenn sie unbemerkt bleiben wollen. Hinter ihm tauchte ein zweiter Mann auf und ging direkt zum Zelt, dicht gefolgt von einem dritten. Der erste durchstöberte die Kanus, während der zweite und der dritte das Zelt auseinanderrissen. Ich konnte nur Bruchstücke hören. Sie flüsterten barsch.

Die beiden am Zelt schubsten sich gegenseitig herum und warfen das ganze Zeug – Zelt, meinen Schlafsack, unsere Kleider und alles, was ich eingepackt hatte – ins Feuer. Der schwer entflammbare Zeltstoff erstickte die Flammen und hüllte den Lagerplatz in Rauch, was bei den dreien noch mehr Gedränge und Gehuste auslöste. Schließlich gewann die Hitze die Oberhand. Die Flammen loderten brusthoch und erhellten das Flussufer.

Als der Rauch abzog, hatte der leise Mann die Kanus durchwühlt und fast alles, was wir besaßen, in eins der Kanus umgeladen, das er nun flussaufwärts zog. Etwa hundert Meter weiter zerrte er es ans Ufer unter die Bäume. Eine Weile hörte ich ihn das Boot durch das Unterholz schleifen. Das Feuer loderte, knisterte und hüllte das Ufer in Hitze und Licht. Die beiden anderen wurden immer wütender. Ihre Gesichter glühten im Feuerschein. Ich sah sie gut genug, um sie nicht zu mögen, aber nicht gut genug, um sie wiederzuerkennen.

Wir rutschten tiefer unter die Bäume. Ich legte Abbie wieder den Finger auf die Lippen, kauerte mich neben sie auf den Boden und starrte durch das Gras zu unserem Lagerplatz hinüber. Die beiden verbliebenen Männer warfen in wachsender Wut alles, was sie nicht haben wollten, ins Lagerfeuer, das sie in ein Abfallfeuer verwandelten. Die Flammen loderten fast fünf Meter hoch und züngelten an den unteren Ästen der Bäume. Alles, was übrig blieb, warfen sie sich über die Schultern und trugen es durch den Fluss, als sie dem Mann folgten, der unser Kanu gestohlen hatte. Zurück blieb kaum mehr als ein Kanu.

Ich griff zu meinem Gewehr. Aber Abbie legte ihre Hand auf meine und sagte: »Alles da drüben lässt sich ersetzen. Du nicht.«

11

Obwohl die Weihnachtsparty ihrer Eltern noch in vollem Gang war, sprang Abbie von der Betonmauer, hakte mich unter und sagte: »Wie gut kennst du Charleston?«

»Genug, um zur Arbeit, zur Schule und an ein paar Angelplätze zu kommen, an denen die Fische gut anbeißen.«

Sie hob beide Augenbrauen und schüttelte den Kopf. »Das reicht nicht. Ganz und gar nicht.«

Die Straßen in Charleston waren breit – 1680 so angelegt, um die Staus der engen Londoner Straßen zu vermeiden. Wir gingen die East Bay hinauf, die Rainbow Row entlang, bogen links in die Elliot Street zur Church Street ab und schlenderten die Cabbage Street hinunter. Sie zeigte die Straße hinauf und hinunter. »Hast du schon mal *Porgy and Bess* gesehen?« Ich schüttelte den Kopf. »Na ja, falls du es dir mal ansiehst: Das hier ist die ›Catfish Row‹.«

Wir gingen hinüber zum Dock-Street-Theater. »Hier habe ich gelernt, mich vor eine Menge Fremder auf die Bühne zu stellen.« Sie lächelte. »Und es zu mögen.« Einige Häuser weiter zeigte sie mir das Piratenhaus aus blauem Granit, der von den Bermudas stammte. Sie deutete auf ihre Füße. »Es geht das Gerücht, dass Geheimgänge von diesem Haus bis an die Kaianlagen führen.«

»Glaubst du dem Gerücht?«

Sie nickte.

»Wieso?«

Sie schaute nach links und rechts und beugte sich zu mir. »Weil ich die Gänge gesehen habe.«

Wir machten kehrt und bogen in die Chalmers Street, Charlestons längste Straße mit Kopfsteinpflaster. Britische Schiffe der Ostindischen Kompanie benutzten einst englische Pflastersteine bei der Atlantiküberquerung als Ballast. Wenn sie hier anlegten und Baumwolle, Reis oder Holz luden, ließen sie uns ihre Steine hier. Sparsame Siedler pflasterten damit die Straßen und füllten die Fugen mit Muschelschalen, die durch ihren hohen Kalkgehalt das Abwasser auf natürliche Weise filterten. Wir bogen links in die Meeting Street und überquerten die Four Corners of Law, eine Kreuzung, die nach den Gebäuden an ihren Eckpunkten benannt ist: Federal Courthouse und Postamt, County Courthouse, Rathaus und Episkopalkirche St. Michael. Hier bog sie rechts in die Broad Street ein und dann links in die King Street, die unseren Rundgang durch Charleston als lebendiges Architekturlexikon krönte. Abbie erklärte: »Charleston hat die meisten Originalhäuser aus dem 18. und 19. Jahrhundert im ganzen Land. In dem Boom, der nach Hurrikan Hugo einsetzte, breitete sich die Nachfrage danach aus wie ein Fieber. Jeder wollte eins haben, was die Immobilienpreise bis zu 1000 Dollar pro Quadratmeter hochschnellen ließ. Nur selten stellt jemand ein Schild ›zu verkaufen‹ in den Vorgarten. Das ist gar nicht nötig. Die Besitzer brauchen nur einem Freund oder Makler zu erzählen, dass sie vorhaben, zu verkaufen, und noch am selben Tag rufen acht oder zehn Interessenten an. Nicht selten kommt es zu regelrechten Bieterschlachten. Hier in der

Gegend gibt es vor allem das so genannte Charlestoner Einzimmerhaus: ein Zimmer breit, mit der Schmalseite zur Straße. Die überdachte Veranda oder Piazza reicht oft über die ganze Längsseite des Hauses und liegt nach Süden oder Südwesten, um die Seebrise einzufangen. Die Siedler wussten schon vor langer Zeit, dass es besser ist, für die langen, schwülheißen Sommer zu planen als für die kurzen Winter.« Abbie konnte in fünf Minuten mehr über Charleston erzählen, als ich insgesamt über die Stadt wusste. Sie bog in eine Gasse, um mir eine Einfahrt zu zeigen, die mit Ziegelsteinen im Fischgrätenmuster gepflastert war. Oder ein originales Schmiedeeisengitter von Philip Simmons und einen Garten, in dem etwas Besonderes wuchs: »Diese Glyzinie soll 150 Jahre alt sein.« Ich hatte fast mein Leben lang Kunst studiert, aber Abbie besaß ein mindestens ebenso gutes Auge, wenn nicht gar ein besseres als ich. In den kleinsten Details sah sie Schönheit. An einem anderen Tor beugte sie sich vor und zeigte nach oben. »Dieser Strauch heißt ›Küss-mich-am-Tor‹ oder Duftheckenkirsche.« Sie ließ einen Zweig durch ihre Finger gleiten. »Er wird zwei bis zweieinhalb Meter hoch und hat hängende Blüten, man erkennt ihn aber vor allem an seinem Duft.«

Ich war verdutzt. »Woher weißt du das alles?«

»Ich bin ein Mädchen aus Charleston.« Wieder lächelte sie. »Wie werden dazu erzogen, so was zu wissen.«

Es war kurz nach Mitternacht, und nach einer vollständigen Runde waren wir nur noch einige Blocks von ihrem Zuhause entfernt. Sie sah mich an. »Müde?«

Ich schüttelte den Kopf. »Nein. Der Spaziergang hat mir, glaube ich, gutgetan. Ich weiß ja nicht, was ihr so in eure Limonade tut, aber ihr solltet die Leute davor warnen.«

Lachend nahm sie meine Hand und zog mich im Laufschritt hinter sich her ein paar Blocks in Richtung Wasser. »Sie schließen um eins, vielleicht schaffen wir es ja noch rechtzeitig«, sagte sie.

»Wer schließt um eins?«

Die Straßen waren ruhig und nur gelegentlich von einem vorbeifahrenden Wagen oder einer Gaslaterne beleuchtet. Zwei Katzen stritten sich um eine Mülltonne, und entfernt kläffte schrill ein Hund, dem ein tiefes Bellen antwortete. Wir liefen zurück auf die Rainbow Row zu einem Spirituosenladen an einer Ecke. Sie stieß die Tür auf. Hinter der Theke saß ein älterer, schwarzer Mann in roter Strickjacke. Ein Bein hatte er unter der Theke vorgestreckt und wippte mit der pinguinfarbenen Schuhspitze im Takt zu der Jazzmusik, die aus dem soliden Radiogerät über ihm drang. Ein Auge war trüb, Bart und Schnurrbart waren gestutzt und sein rosa Hemd gestärkt und gebügelt. Als Abbie auf ihn zuging, stand er strahlend auf. »Das muss ja eine tolle Party sein, wenn Sie mitten in der Nacht zum Einkaufen geschickt werden.«

Sie zog mich an der Hand. »Mr Jake, das ist mein Freund Chris Michaels.«

Er musterte mich abschätzend mit seinem guten Auge, schwieg eine Weile und reichte mir dann die Hand. »Sind Sie der Junge, von dem ich gehört hab, dass er Miss Abbie neulich nachts geholfen hat?«

Ich nickte. »Ja.«

Er deutete mit einer ausladenden Geste auf seinen Laden. »Dann können Sie sich nehmen, was Sie wollen.«

Abbie schlang einen Arm um seine Taille. »Mr Jake, ich wollte Chris den Keller zeigen.«

Er ging um eine Ecke, zog an einem im Boden versenkten Griff und öffnete eine große Falltür. Sie schaltete das

Licht ein, und wir drei stiegen eine alte Holztreppe in den Keller hinunter.

Es war kühl, irgendwo tropfte Wasser, und soweit ich sehen konnte, war der Keller vollständig aus handgeformten Ziegelsteinen gemauert. Mr Jake erklärte: »Das hier ist einer der Originaltunnel unter der Altstadt von Charleston.« Seine Hand machte eine wedelnde Geste wie eine tänzelnde Biene. »Sie laufen unter der ganzen Stadt durch. Als Hugo tobte, waren sie voll mit Meerwasser, das hat sämtliche Ratten rausgespült.« Er lachte, wie er überhaupt viel lachte. »Ein paar sind eingestürzt. Einige sind noch da. Aber nur wenige wissen davon.«

Ich ließ meine Hand über die Mauer gleiten und hörte ihm zu. »Als ich noch ein Kind war, kam ich immer durch ein Abflussrohr der städtischen Kanalisation im Hafen in die Tunnel, ging mit einer Kerze ein paar Blocks weit und schlich mich ins Theater. Zum Haupteingang ließen sie mich nicht rein, also kam ich von unten. Ich habe mehr Aufführungen gesehen als sonst jemand, glaube ich.«

Abbie schaltete sich ein: »Mr Jake ist zu bescheiden. Er hat seine Bühnenkarriere in der Dock Street angefangen und es von da nach New York geschafft, wo er in mehr als einem Theater am Broadway und sonst wo ein Star war.«

Er nickte bei der Erinnerung. Sie nahm seine Hand. »Mr Jake, erinnern Sie sich noch an unseren ersten Tanz?« Sie streifte ihre Schuhe ab und erzählte mir: »Ich war damals sechs. Im Dock Street Theatre brauchten sie einen Ersatz für eine ziemlich komplizierte Nummer mit Mr Jake.« Ich lehnte mich an die Mauer, während Abbie Mr Jake führte und ihm die Erinnerung wieder kam. Seine Absätze schlurften über den Backsteinboden, wenn er zwei Schritte machte, wo der Mann in seiner Erinnerung nur einen brauchte. Seine Miene sagte mir alles.

Als sie fertig waren, atmete er schwer, strahlte aber noch mehr als vorher. Sie stellte sich auf die Zehenspitzen, küsste ihn auf die Wange und sagte: »Mr Jake, Sie sind immer noch der Beste.«

»Miss Abbie«, er zog ein Taschentuch aus seiner Gesäßtasche, schüttelte es aus und wischte sich Stirn und Nacken, »Sie tun einem alten Mann gut.«

Wir stiegen die Kellertreppe hinauf und traten aus dem Spirituosenladen unter eine Straßenlaterne. Auf dem Heimweg erzählte sie mir mehr über die Häuser, an denen wir vorbeikamen, über ihre Geschichte und ihre Besitzer. Ich hörte zu, lief mir den Schwips aus dem Kopf und hatte ein seltsames Gefühl. Mein Leben lang war ich zwischen den Inseln in mir hin und her geschwommen, hatte aber von einer nie die anderen gesehen. In jener Nacht schaute ich über den Ozean in mir und sah zum ersten Mal eine ferne Küste.

12

Die Nacht verbrachten wir am Ufer unter einem Indischen Flieder.

Abbie legte den Kopf auf meinen Schoß und schlief unruhig, während ich lauschte, über die vergangenen vier Jahre nachdachte und immer wütender wurde. Zuzusehen, wie drei Idioten unser Leben plünderten, lastete auf mir wie die gegnerische Footballmannschaft beim Gedränge. Ich war stocksauer. Sie murmelte etwas in Satzfetzen, und ihre Arme und Beine zuckten heftig. Durch die Schmerzen hatte sie seit Monaten nicht mehr tief geschlafen. Vielleicht schon ein Jahr. Sie trieb zwischen Wachen und Schlafen – immer dicht unter der Oberfläche. Es war, als schaute ich jemandem zu, der mit einem offenen Auge schlief.

Ich strich ihr von der Schläfe über Ohr, Nacken und Schulter. Dunkle Schatten lagen unter ihren tief eingesunkenen Augen. Ihre Finger zitterten. Ich nahm sie und legte sie unter ihr Kinn.

Sie hatte sich so viel erhofft, so oft, so lange, aber jede Untersuchung, jedes verheerende Ergebnis hatte an ihr genagt. Die Ärzte sagten mir, die Rastlosigkeit käme von ihrer Krankheit – von der Verschlechterung ihres Zentralnervensystems, von den Medikamenten, die sie vergifteten. Ich glaube, es steckte mehr dahinter. Tief im Inneren wusste

Abbie, sobald sie ihre Wachsamkeit aufgäbe, würde sie nie wieder aufwachen.

Ich bin ein absoluter Fan der Rocky-Filme. Ich habe sie alle gut zwanzig Mal gesehen. Erklären kann ich es vielleicht nur damit, dass ein Mann, der sich weigert, in die Knie zu gehen, einfach etwas hat. Der immer wieder aufs Ganze geht und sagt: *Ich bin*. Um allen Missverständnissen vorzubeugen: Ich bin kein Rocky. Wirklich nicht. Aber meine Abbie. Man muss sie sich nur anschauen. Da liegt die schönste, kostbarste, prachtvollste Frau der Welt, und trotz der schlaffen Haut und der kleinen Stimme, die ihr ins Ohr flüstert, dass sie nicht einmal mehr ein Schatten ihrer selbst ist, holt sie immer noch zum Schlag aus. Teilt immer noch aus. Trifft immer noch.

In den kommenden Wochen und Monaten werden Leute sich überlegen, was ich getan habe, und mich fragen: *Warum? Warum hast du das gemacht?* Ich bin nicht sicher, ob ich es in Worte fassen kann. Wenn sie schon fragen müssen, werden sie die Antwort sicher nicht verstehen. Zumindest keine Antwort, die sie akzeptieren oder nachvollziehen könnten.

Niemand kann ewig kämpfen, daher stellte ich mich auf zwei Kämpfe ein. Bei dem einen ging es darum, an ihrer Seite zu kämpfen. Das hatten wir getan. So gut, wie zwei Menschen es nur vermochten. Aber in dem Maße, wie die Jahre dahinschwanden, sah ich eine zweite Front auf mich zukommen – und es war die härtere der beiden. Abbie mochte zwar noch zum Schlag ausholen, aber sie war besiegt. Um ehrlich zu sein, ich glaube, sie stand nur meinetwegen immer noch im Ring und kämpfte. In letzter Zeit hatte mich der Gedanke nachts wach gehalten, was wohl passieren würde, wenn ich ihr sagte, dass sie loslassen und aufhören könnte, zu kämpfen. Was, wenn sie nur meinetwegen wartete?

‹›

Als die Sonne endlich aufging und durch die Baumwipfel drang, war ich so weit, dass ich jemanden hätte erschießen mögen. Sie wachte auf, hob den Kopf, rieb sich den Schlaf aus den Augen und sagte: »Wie geht es dir?« Ich drehte den Kopf flussabwärts, rieb mit dem Daumen meine Tränen fort und tippte mit dem rechten Zeigefinger auf den Abzugshahn der Flinte. Sie hob eine Augenbraue. »So gut, mh?«

Sie richtete sich auf. »Lass nicht zu, dass sie uns das nehmen. Verstanden?«

Genau das meine ich.

»Warte hier, ich geh rüber und schau nach, was noch übrig ist.« Ich stieg in den Fluss und watete zu unserem Lager hinüber.

Meine Erkundungsmission dauerte nicht lange. Sie hatten alles ins Feuer geworfen. Es musste heiß gebrannt haben, denn am Ufer war nur Asche übrig geblieben. Das zweite Kanu war leer, aber fahrtauglich. Kurz, wir hatten nichts zu essen, kein Zelt und kein GPS. Abbie hatte ihren Schlafsack und das T-Shirt, das sie trug, aber sonst nichts. Ich hatte das langärmelige Hemd und die Shorts, die ich am Leib hatte, ein Paar Sandalen, ein Gewehr, einen Revolver und die Pelican-Box. Aber das alles konnte man weder essen noch trinken.

Wir mussten los.

Ich zog das mangofarbene Kanu bis zu Abbie, legte sie hinein und sagte: »In ein paar Kilometern kommen wir an einige Hütten und diese … nun ja, Ferienanlage. Vielleicht können wir da ein paar Sachen auftreiben.«

Sie grinste. »Soso, eine Ferienanlage? Da müsste ich eigentlich gut hinpassen.«

Das Bare Bottom Resort war eine Nudistenkolonie, die alle möglichen Schichten anlockte – von älteren, gesetzteren bis zu jüngeren, experimentierfreudigeren Leuten. Meist hielten sie sich vom Fluss fern, um kein Aufsehen zu erregen, aber wenn man nicht wusste, was einen erwartete, blühte einem eine Überraschung.

Sie tippte auf meine Brusttasche und fragte mit erhobener Augenbraue: »Was haken wir heute ab?«

»Schatz, wir versuchen, Wasser und mit ein bisschen Glück ein paar Kleider für dich aufzutreiben.«

Sie streckte ihr Bein aus dem Schlafsack. Kleine blaue Flecken tüpfelten ihren Schenkel. »Mach nicht so ein Gesicht. Schließlich paddelst du nicht jeden Tag mit einer nackten Frau auf deinem Lieblingsfluss.«

»Gutes Argument.«

Ich griff unter meinem Sitz nach der Kartenmappe, aber sie war ebenfalls verschwunden. Dann klopfte ich auf meine Brusttasche, in der Hoffnung, die Plastikhülle rascheln zu hören. Nichts.

Sie las es an meiner Miene ab. »Das auch, was?« Ich nickte. Sie zog die Mundwinkel hoch. »Ich denke, ich erinnere mich auch so daran.«

Das kannte ich. Ich kratzte mich am Kopf. Was bleibt, wenn alles weg ist?

Ich war noch keine zwanzig Minuten gepaddelt, als sich der Bug des Kanus durch überhängende Äste in einen tiefen Teich auf der anderen Seite schob. Zu beiden Seiten ragten die Uferböschungen nahezu senkrecht sechs Meter hoch auf. Umgefallene Bäume hatten sich zu einem Spaghettiknoten verflochten. Also stieg ich aus, streifte die

Gurte über meine Arme und stemmte mich in ihr Gewicht. Hundert Meter weit ging es sich wie auf einem Biberdamm. Bei jedem Schritt brach ich durch eine Schicht von Ästen und Zweigen auf die nächste Schicht unter der Wasseroberfläche durch, die mich vorübergehend trug. Ich zerrte an Ästen, duckte mich darunter durch oder stieg darüber weg. Aber Sorgen machte ich mir nicht um mich, sondern um das Kanu – und darum, Abbie nicht sämtliche Rippen zu brechen. Mit schweißtriefendem Gesicht und zerkratzten, blutenden Händen hievte ich das Kanu gerade über einen Baumstamm, als Abbies Hand über dem Bootsrand auftauchte. Sie fing an zu lachen. »Schatz?«

Ich suchte mit den Füßen einen halbwegs festen Stand und zerrte. Dann suchte ich neuen Halt und zog wieder. Endlich rutschte das Kanu über den Stamm und glitt einen guten Meter durch das Wasser, bevor es auf den nächsten Baumstamm stieß. Stehen tat weh. »Ja?«

»Wenn wir nach Hause kommen, sollten wir dieses Ding in die Werkstatt bringen. Ich glaube, die Stoßdämpfer sind hinüber.«

»Ich denk mal drüber nach.«

»Gut.« Sie legte sich wieder hin. »Weck mich, wenn wir aus diesem Schlamassel raus sind.«

Ich stapfte vor den Bug, nahm wieder die Seile und betrachtete den Fluss vor uns. Allein in Sichtweite lagen noch gut fünfzig solcher Bäume – horizontale Hürden. Als Abbie sagte: *Den ganzen Weg ab Moniac,* hatte sie genau das gemeint. Das unmögliche Teilstück, auf dem es keinen anderen Rhythmus gibt als den Off-Beat, den nur der Fluss hört. Hier ergreift der Fluss von dir Besitz und zermürbt dich. Du bist ihm auf Gedeih und Verderb ausgeliefert und hast keine Chance. Hier bringt er dich zum Innehalten.

Zwingt dich, abzuwägen, dich umzusehen und messen zu lassen.

Armdicke Fuchsreben rankten sich am Ufer an den Stämmen der Virginia-Eichen hoch und wuchsen an ihren Ästen wie an einem Spalier über den Fluss. In der Mitte trafen sie sich und bildeten ein dichtes Geflecht, das kaum Sonne durchließ, aber im September voller Trauben hing. Zurzeit hatten sie dichtes Laub, kleine grüne Blüten und wimmelten von Eidechsen.

Die Fuchsreben werden oft über hundert Meter lang und gedeihen in feuchtwarmem Klima auf sandigem Boden. Also am Fluss. Die bis zu fünf Zentimeter dicken Trauben haben eine harte Schale, fünf Kerne und eine Farbe, die von grünlich gelb über bronzegelb bis rosarot, purpurn und schwarz reicht.

Wenn sie reifen, legen die Leute Planen auf den Boden und schütteln die Rebstöcke. Da die Trauben einen Zuckergehalt von 25 Prozent erreichen, machen sie daraus Gelee, Konfitüre und hier in der Gegend bevorzugt Wein.

Nach kurzer Zeit hatte ich mich völlig verausgabt. Ich stieg über einen Baumstamm und zerrte an dem Kanu, bis es herüberglitt und im Wasser schwamm. Auf den Bug gestützt rang ich nach Luft. Da hörte ich irgendwo hinter mir den Spannhahn eines Gewehrs klicken. Eine heisere Reibeisenstimme – völlig verschleimt – durchbrach die Stille. »Du hast sie ja nicht alle.«

Als ich mich umdrehte, hatte ich den Lauf eines ellenlangen, verrosteten Gewehrs direkt vor der Nase. Dahinter stand die hässlichste Frau, die ich je gesehen hatte. Der zahnlose Mund war halb voll mit Schnupftabak, ihre Hutkrempe war über der Stirn bis an die Hutspitze zurückgeklappt, und ihre knotigen Hände und Finger waren an den völlig falschen Stellen gekrümmt. Sie war weder schwarz noch weiß, sondern irgendetwas dazwischen. Ihr Gesicht war voller Sommersprossen, und ihrem rechten Ohr fehlte die obere Hälfte. Sie trug eine Latzhose, ein zerlumptes Jeanshemd und kniehohe Gummistiefel. Der Gewehrlauf rückte etwas zur Seite, und sie musterte mich von oben bis unten. Hätte sie abgedrückt, so hätte sie meinen Kopf nur noch an der rechten Seite getroffen statt voll in der Mitte. Ihr linkes Auge war vom grauen Star getrübt. Sie schloss den Mund, sammelte den Speichel auf einer Seite, schürzte die Lippen und spuckte ihn geübt seitlich aus. Ein Rascheln gut fünf Meter rechts von ihr ließ sie blitzschnell herumwirbeln, zielen und abdrücken. Aus dem Lauf schoss ein meterlanges Mündungsfeuer, irgendwo am gegenüberliegenden Flussufer bekam ein Nagetier mit langem Schwanz die volle Ladung ab und flog in Fetzen durch die Luft. Sie warf die Patronenhülse aus, legte eine neue ein und knallte das Magazin zu. Dann musterte sie mich und das Kanu aus schmalen Augen. Der Schuss hatte Abbie hellwach aufschrecken lassen. Die Frau senkte den Gewehrlauf und hob eine Augenbraue. Dann schüttelte sie den Kopf. »Ratten! Die nagen an meinem Wein. Das kann ich nicht ausstehen.«

Abbie nickte. »Das verstehe ich.«

Die Frau deutete mit dem Lauf auf mich. »Was machen Sie bei dem da?«

Abbie deutete auf mich. »Er hat mir eine Alaskakreuzfahrt versprochen mit Walbeobachtung und so ... und ich kriege das hier.«

Die Frau klappte den Lauf ab, hängte sich das Gewehr über den Arm wie einen Bumerang und lachte. Sie spuckte einen dunklen Schwall in den Fluss. »Sie gefallen mir.«

Abbie zuckte die Achseln. »Na ja … das ist sicher besser als die Alternative.«

Wieder lachte die Frau. Ihre verschleimten Stimmbänder machten mir schon beim Zuhören einen Würgereiz. »Was machen Sie bei ihm?«

»Er ist mein Mann.«

Sie schwenkte den Lauf in meine Richtung. »Er ist ein Idiot.«

»Das sagt mein Dad mir schon seit vierzehn Jahren.«

Wie das Heulen einer Hyäne stieg das Lachen der Frau hinauf durch die Bäume. Es löste den Schleim in ihrer Kehle. Sie fing ihn mit der Zunge ein, blies die Wangen auf und spuckte den austerngroßen Schleimklumpen mit Karacho in den Fluss. »Sie gefallen mir.«

Abbies Blick folgte dem Bogen der Spucke. »Gut, dass wir das geklärt haben.« Als der Auswurf landete und die Fische daran knabberten, brodelte das Wasser von ihrem Sog.

Die Frau kam in den Fluss und watete an das Kanu. Als sie bis zur Taille im Wasser stand, auf Augenhöhe mit Abbie, beugte sie sich zur Seite und fragte: »Sind Sie krank?«

Abbie nickte. »Ja, Ma'am.«

»Was fehlt Ihnen denn?«

»Na ja …« Abbie schaute mich an und zuckte die Achseln. Dann klopfte sie sich an den Kopf. »Ich habe da so ein Ding im Kopf, das wächst. Es macht anscheinend, was es will.«

Die Frau schob mit der Zunge ein riesiges Stück Schnupftabak von einer Wange in die andere. »Und was passiert damit?«

»Also, die Ärzte sagen, es ist wie eine Minibombe in meinem Kopf.«

»Wann geht sie hoch?«

»Das ist die Frage.«

Die Frau zog sich an Abbies Arm ein Stück näher an ihren Kopf heran. Sie begutachtete ihr Gesicht und ihren Hals. »Ich sehe nichts.«

»Ich auch nicht, aber glauben Sie mir.« Abbie strich über ihr Kopftuch. »Da drin ist was.«

»Na und was passiert, wenn es hochgeht?«

Abbie grinste. »Das ist eines der Dinge, die eine gute und eine schlechte Seite haben. Die gute ist, dass es dann nicht mehr wehtut.«

Die Frau legte sich das Gewehr auf die rechte Schulter. »Und die schlechte?«

Abbie deutete auf mich. »Er kann dann eine meiner reichen Freundinnen heiraten.«

Die Frau ließ das Gewehr zuschnappen und schwenkte es nickend in meine Richtung. »Es geht immer ums Geld, was? Mistke…«

Abbie legte der Frau die Hand auf die Schulter. »Schon okay. Wirklich.«

Offenbar hörte die Frau wieder ein Rascheln am anderen Ufer, denn sie wirbelte um 180 Grad herum und jagte wieder eine meterlange Flamme aus ihrem Lauf. Dieses Mal flogen keine Fetzen durch die Luft, vielmehr löste sich das Etwas schlichtweg auf und hinterließ einen roten Fleck am Ufer. Nickend spuckte die Frau aus. Sie klappte den Lauf ab, warf die Patronenhülse aus, schob eine dritte Ladung ein und hängte sich das Gewehr wieder über den rechten Arm. Schniefend wandte sie sich wieder an Abbie. »Brauchen Sie Hilfe mit ihm?«

Abbie schüttelte den Kopf. »Nein … ich schaffe es schon.« Sie tat mich mit einer wegwerfenden Geste ab. »Unter dem ganzen Schweiß und den Muskeln ist er völlig harmlos.«

Die Frau watete zu mir, schob meinen Hut zurück und schaute mir in die Augen. »Sieht mir nach einem ziemlich zähen Burschen aus.« Sie drückte mir ihren schwieligen Daumen leicht in die rechte Schläfe. »Wenn die Bombe hochgeht, komm ich vielleicht mal vorbei.«

Abbie verkniff sich ein Lachen. »Ja, bitte machen Sie das. Ich kann wesentlich besser schlafen, wenn ich weiß, dass er nicht mit einer meiner besten Freundinnen zusammenlebt.«

Die Frau nickte und watete zurück ans Ufer. Ein Loch hinten in ihrer Latzhose ließ deutlich erkennen, dass sie keine Unterwäsche trug und ihre Hinterbacken ebenso hingen wie ihre Wangen. Abbie unterdrückte ein Lachen hinter vorgehaltener Hand. Als die Frau das Ufer erreichte, schwenkte sie den Gewehrlauf an den Bäumen vorbei und drehte sich zu Abbie um. Das Lächeln war gewichen, was ihren Falten etwas Bulldoggenhaftes verlieh. Sie sog die Luft durch die Zähne ein. »An manchen Stellen ist der Fluss breit. An anderen tief. An wieder anderen fallen die Bäume um und veranstalten ein Riesenchaos. Dann schlängelt er sich mal um seinen eigenen Ellbogen, um zu seinem Daumen zu kommen. Aber er bringt es weit. Und nichts kann ihn aufhalten. Du kannst ihn nicht eindämmen. Du kannst es versuchen, aber er wird drum herum fließen. Er sucht sich seinen Weg. Genau das macht der St. Mary's. Er bahnt sich immer einen Weg.« Sie spuckte aus und deutete mit dem abgeklappten Gewehrlauf vage in meine Richtung. »Ich schätze mal, der Fluss hat viel Ähnlichkeit mit ihm.« Sie ging an eine Holzkiste am Ufer und holte eine Flasche heraus. Alt und trüb von Kratzern. Mit den Zähnen zog sie den Korken heraus, nahm einen kräftigen Schluck, schwenkte ihn im Mund hin und her, gurgelte damit und nickte. Dann drückte sie den Korken wieder hinein und reichte mir die Flasche. »Vom letzten Jahr. Genau richtig.«

Ich deutete auf die Fuchsreben über mir. »Haben Sie ihn gemacht?«

Sie nickte. »Ja. Nach eigenem Rezept. Hier in der Gegend nennen wir ihn Scuppernong, Fuchswein, Freudensaft und ...« Sie wiegte die Hüften in einem Tanz, den ich nie wieder zu sehen hoffe. »... Tanzschmiere.«

Abbie schaute mich mit hochgezogenen Augenbrauen an. »Oje.«

Die alte Frau hängte sich das Gewehr über den Arm. »Macht's gut, ihr beiden.« Ein Rascheln und Huschen in den Blättern links von ihr ließ sie das Gewehr heben und gleichzeitig spannen. Sie zielte, stockte aber dann mit großen Augen. Zufrieden sicherte sie die Waffe und legte sie wieder in ihre Armbeuge. Als ich mich umdrehte, sah ich eine Wasserschlange, die eine noch zuckende Ratte verschlang. Nur der Schwanz ragte noch aus ihrem Maul.

Ich zog meinen Hut ins Gesicht, legte mir die Gurte um und ging los.

So ist der St. Mary's. Beim Schlimmsten, das er zu bieten hat, zeigt er sich hässlich, abstoßend und scheußlich genug, dass es eine Made zum Kotzen bringt, aber wenn du hineintauchst, die Oberfläche durchbrichst und schwimmst, wo andere es nie tun würden, überrascht er dich, versetzt dich in Staunen und weckt Erinnerungen.

13

Seit der Weihnachtsparty waren zwei Tage vergangen. Eine einzelne Glühbirne beleuchtete die Leinwand vor mir. Es war kurz vor Mitternacht. Ich saß mit einem Pinsel voller Farbe zwischen den Zähnen auf einem Barhocker auf meiner Empore. Mit schmalen Augen und schräg gelegtem Kopf wie ein Hund versuchte ich, mir über einen Schatten klar zu werden. Vor mir auf der Leinwand war ihr Gesicht im Profil, gesehen von knapp hinter ihrem rechten Ohr auf die Wange, den Mundwinkel und die Nase, die nach Fort Sumpter zeigte und Ashley und Cooper trennte. Ihr Gesicht nahm nahezu die Hälfte der Leinwand ein. Rechts unterhalb der Haarsträhnen in der oberen linken Ecke führte ihr Ohr an ihrem Gesicht entlang nach Fort Sumpter, das unten rechts in der Ecke im Wasser schwebte. Das Bild lenkte den Blick von der linken oberen Ecke in die rechte untere Ecke zum Fort und über dessen Lichter zum Mond, der hell in der oberen rechten Ecke leuchtete, um wieder links oben zu münden – ein geschlossener Kreis.

Ein Klopfen riss mich aus meiner Konzentration. Mit dem Pinsel im Mund ging ich an die Tür und stellte mich darauf ein, einen betrunkenen Kadetten zu verscheuchen und ihm zu erklären, dass mein Türeingang nicht sein Schlafsaal war. Zigarettenrauch und derb-lauter Kneipenlärm schlugen mir entgegen, sobald ich die Tür einen Spalt öffnete. Als ich sie weiter aufmachte, trat sie aus dem Schatten – Nerzmantel und Perlen. Ich hörte mich zurückweichen und tief Luft holen. Lächelnd schüttelte sie den Kopf und ging an mir vorbei. »Arbeitest du?«

Ich schaute auf die Uhr und sagte an dem Pinsel zwischen meinen Zähnen vorbei: »Nicht mehr.«

Sie verdrehte die Augen. »Gut.«

Ich schloss die Tür, und sie musste ihre Augen erst an das Dämmerlicht gewöhnen. Die einzelne Glühbirne auf der Empore zog ihre Aufmerksamkeit auf sich. Sie reckte den Hals, sah die Leinwand und ging die Treppe hinauf. Ich folgte ihr mit einigem Abstand. Sie betrachtete das Bild eine Weile, ging dichter heran, drehte den Kopf und ging beiseite.

»Bist du wütend?«, fragte ich.

»Nein«, antwortete sie, ohne mich anzusehen. »Ich bin es gewohnt, dass Leute mein Bild stehlen.«

Ich reichte ihr die Leinwand. »Entschuldigung.«

Sie schüttelte den Kopf. »Wieso ich?«

»Weil … du du bist.«

Sie zuckte die Achseln. »Vielleicht.« Sie schwieg ein Weilchen und sah aus, als wolle sie noch etwas sagen. Schließlich erklärte sie: »Normalerweise braucht jemand Photoshop, um mich so aussehen zu lassen.«

»Bist du wütend?«, fragte ich noch einmal.

»Nein, aber ich bin ein einfaches Motiv. Mich kann jeder malen. Sei nicht wie alle anderen.« Ihre Eindringlichkeit überraschte mich. »Die Leute sagen mir ständig, dass ich schön bin. Okay, na und? Ich habe den größten Teil meines Lebens vor Kameras gestanden. Leute benutzen mein Bild, um ein Produkt zu verkaufen. Das ist alles. Letzten Endes benutzen sie mich – mein Gesicht, meine Figur, zu der ich übrigens nichts beigetragen habe –, um allen anderen zu zeigen, dass sie NICHT sind wie ich. Also: *Ihr seid nicht schön. Ihr seid nicht hübsch. Ihr genügt den Maßstäben nicht.*« Ihr Blick war glasig. Sie deutete auf das Atelier. »Wenn du große Kunst schaffen willst, etwas, das über Zeit und Raum hinausreichen kann, dann suche Menschen, die nicht schön sind, und zeig ihnen, dass sie es doch sind. Male die Gebrochenen, Unscheinbaren … und mache, dass sie an sich glauben.«

᠔

Eine enge Wendeltreppe führte aufs Dach. Je nach Mondlicht, Straßenbeleuchtung und Wind arbeitete ich oft dort oben. Es war ruhig, meist ging eine leichte Brise, und ich konnte die Welt aus der Vogelperspektive betrachten. »Geht's da aufs Dach?«, fragte sie. Ich nickte. »Können wir?«

Ich ging die Treppe hinauf, stieß die Tür auf und half ihr hinauf. Die Backsteinfassade meines Ateliers ragte brusthoch über das Flachdach hinaus und trennte uns von den Auspuffgasen und dem Lärm der King Street. Fette Tauben gurrten zufrieden über ihren Logenplatz auf der Mauerkrone. Als ich die Tür schloss, flatterten sie auf und kreisten über uns wie Kampfflieger. Sie zeigte auf die mutigste Purpurtaube, die uns am nächsten war. »Hör zu, du kleiner Scheißer. Mein Daddy sammelt Gewehre. Wenn du mir auf meinen Nerz machst, knalle ich dich persönlich ab.« Die Taube flog in scharfem Bogen nach rechts in die Nacht.

Sie war eine so vielschichtige Persönlichkeit, wie ich noch nie eine getroffen, geschweige denn gekannt hatte. In einem Moment ernst, im nächsten voller Lachen. Aber diese Fähigkeit hatte ihren Preis. Sie lehnte sich an die Mauer und schloss die Augen. »Du bringst mich besser hinunter.«

»Alles okay?«

Sie nickte wie ein betrunkener Seemann. »Migräne. Kommt ganz plötzlich.«

Wir tasteten uns die Treppe hinunter, und als wir den ersten Stock erreichten, trug ich sie. Ich legte sie in mein Bett, füllte einen Beutel mit Eis und legte ihn ihr unter den Nacken. Da mein einziges Bettlaken schmutzig war, hatte ich auf meinem ausgebreiteten Schlafsack geschlafen. Sie strich über die Matratze. »Schönes Laken.«

»Tut mir leid. Nach dem Abend neulich und meinem Wrestling-Debüt war es ein bisschen blutverschmiert.« Ich deutete auf den zerknüllten Wäschehaufen in der Ecke.

Ich zog ihr die Schuhe aus, schob ihr ein Kissen unter die Knie und breitete eine Decke über ihre Beine. Dann legte ich ihr den Nerz über Arme und Schultern. Sie flüsterte: »Hast du das schon mal gemacht?«

»Ja, bei meiner Mom.«

Sie schlief fest, bis die Müllabfuhr bei Sonnenaufgang die King Street zum Leben erweckte. Ich saß auf meinem Hocker, zehn verschiedene, getrocknete Farben an den Fingern, einen Pinsel wie ein Piratenmesser zwischen den Zähnen und einen zweiten in der Hand. Im Laufe der Nacht hatte ich das Bild fertig gemalt.

Sie setzte sich im Bett auf, rieb sich die Augen und schaute an mir vorbei auf mein Werk. »Du warst fleißig.« Ich nickte, unsicher, wie sie reagieren würde. Sie klopfte auf das Bett. »Falls du die Situation ausnutzen wolltest, hast du deine Chance verpasst.«

Ich grinste um meinen Pinsel herum. »Glaub ja nicht, es wäre mir nicht in den Sinn gekommen, aber dann ist mir eingefallen, dass dein Vater Waffen sammelt.«

Sie stand auf, kam herüber und legte mir die Hand auf

die Schulter. »Ja, das tut er.« Sie küsste mich, trotz des Pinsels in meinem Mund. »Danke.«

Ich spuckte den Pinsel aus. »Gern geschehen.«

Sie lachte. »Tust du mir einen Gefallen?«

»Ist es legal?«

»Ja, aber …«, sie musterte die Leinwand, »es kostet etwas Zeit.«

»Sag's schon.«

Sie deutete auf Farben, Pinsel und Staffelei. »Ist das transportabel?«

»Unter Umständen.«

»Hast du heute Nachmittag schon was vor?«

»Nur Arbeit, aber ich kann mich krankmelden.« Sie zog ihre Schuhe an, nahm ihren Nerz und küsste mich noch einmal. »Ohne den Pinsel war es besser.« Sie ging an die Tür und setzte ihre Sonnenbrille auf. Ich deutete auf die Straße. »Die Leute könnten reden, wenn sie dich um diese Zeit hier herauskommen sehen. Hier in der Gegend nennt man das den ›Schandweg‹.«

»Sie reden sowieso.« Sie deutete auf die Leinwand mit meinem Porträt von ihr. »Hast du schon einen Preis festgesetzt?«

»Es ist … es ist unverkäuflich.«

»Dann gegen fünf?«

»Um fünf.«

14

Reynolds Bridge war eine einspurige Stahlbetonbrücke ohne Geländer und Straßenbeleuchtung. Da der Fluss sich darunter tief in das sandige Steilufer gegraben hatte, war sie gut siebeneinhalb Meter hoch. Das mag sich nicht nach viel anhören, aber die Brücke hatte keinen Bogen. In ihrem Schutz wurzelten ausgewachsene Bäume, die ihre Äste um die Brückenränder herum der Sonne entgegenreckten.

Südstaatenflaggen schmückten Pfahlhütten, die etwas abseits zwischen den Bäumen versteckt standen. Ein ausrangierter Cola-Automat lag kopfüber am Florida-Ufer. Die Plastikverkleidung war geborsten, und jemand hatte ein Dutzend offensichtlich großkalibrige Kugeln hineingeballert.

Hier unten, zwischen den Steilufern, war kaum ein Geräusch zu hören. Es war, als ginge man durch Schnee. Meist vernahm man nur gedämpftes Echo, aber selbst da war man sich nicht sicher. Es roch nach Moder und gelegentlich nach einer Blüte. Unter der Brücke kam man sich vor wie unter der Erdoberfläche.

Das Bare Bottom Resort umfasste ein paar Hektar Land jenseits der Brücke. Ein nackter Mensch mochte kaum Aufsehen erregen, aber bei fünfzig Nackten war das anders. An jedem dritten Baum hing ein leuchtend orangefarbenes oder gelbes Schild: PRIVAT – ZUTRITT VERBOTEN. Die Besitzer hofften, damit unerwünschte Eindringlinge und Spanner auf Abstand zu halten. Aber South-Georgia-Rednecks zu sagen, dass sie in ihrem eigenen Terrain unerwünscht waren, machte alles nur noch schlimmer. Gewöhnlich wimmelte es im Wald von einheimischen Jungs, die hofften, die erste nackte Frau ihres Lebens zu sehen. Ich weiß Bescheid, schließlich war ich auch mal einer von ihnen. Das Problem ist nur, dass viele, die sich Nudistenkolonien anschließen, nicht gerade dem schwedischen Bikini-Traum angehören oder angehört haben. Als wir damals durch den Wald schlichen und hofften, einen Blick auf das Covergirl der *Sports Illustrated* zu erhaschen, richtete der Anblick bei uns vermutlich mehr Schaden an, als er Gutes bewirkte. In meiner Jugend hätte auf dem Verbotsschild stehen sollen: »Es ist nicht so aufregend, wie euch alle sagen. Hinschauen auf eigene Gefahr. Nach einem Blick wünscht ihr vielleicht, ihr hättet es nicht getan.«

Ich war natürlich lange nicht mehr hier gewesen und hatte vielleicht Glück, dass das einzig Beständige der Wandel ist.

Überhängende Äste verflochten sich zu einem dichten Blätterdach über dem Fluss, der an einigen Stellen sogar gute Badeteiche bildete. Ich zog das Kanu unter einem alten Schaukelseil an den Strand und sagte: »Bleib hier. Ich bin bald zurück.«

Sie lachte. »Normalerweise habe ich Größe 36, aber ich könnte mich auch in Größe 34 zwängen. Und hol etwas, was zu meinen Augen passt.«

»Erhoffe dir nicht zu viel.«

»Vergiss nicht …« Sie fing an zu lachen. »Denke wie sie. Pass dich an.«

»Sehr komisch.«

Nachdem ich gut zweihundert Meter durch den Wald geschlichen war, kam ich an eine Reihe von Hütten. Ich roch brutzelndes Frühstück, hörte Fernsehnachrichten in verschiedenen Ausgaben, sah aber niemanden draußen und keine Wäscheleinen mit gewaschener Wäsche. Ab und zu mussten diese Leute doch Kleider tragen. Sie gingen doch auch mal einkaufen.

Am Ende einer Rasenfläche, die sicher vier Footballfelder groß war, befand sich der öffentliche Swimmingpool. Da tummelten sich, wie es aussah, etwa ein Dutzend Leute. Dahinter las ich »Spa« und »Waschküche«.

Bingo.

Als ich aus dem Wald trat, fiel mir ein, was Abbie gesagt hatte. Es war wichtig, *keine* Aufmerksamkeit zu erregen. Also machte ich kehrt, zog mich hinter einem Baum bis auf die Haut aus, setzte meine Sonnenbrille auf und schlenderte über den Rasen wie ein Stammgast. Dabei überlegte ich, dass ich auf dem Rückweg etwas tragen wollte, ruderte also zurück und schlang mir mein Shirt um den Hals wie ein Handtuch.

So verlegen war ich noch nie in meinem Leben gewesen. Ich versuchte zu pfeifen, konnte aber meine Lippen nicht überreden, mitzuspielen.

Bis zur Hälfte hatte ich es über den Rasen geschafft, als eine ältere Frau etwa fünfzig Meter entfernt aus ihrer Hütte kam. Sie hatte ebenfalls nichts an und gab ein runzeliges, hängendes Bild ab, auf das ich gut hätte verzichten können. Sie winkte, wandte mir den Rücken zu – ein weiterer Anblick, der mich bis ins Grab verfolgen wird – und goss die Blumenkästen auf ihrer Terrasse, ohne weiter auf mich zu achten.

Komische Leute.

Dann fiel mir ein, dass ich splitternackt durch ihren Park spazierte und wahrscheinlich genauso komisch war.

Ich schaffte es bis an den Pool, ohne Blickkontakt mit den elf oder zwölf Leuten aufzunehmen, die darin schwammen oder sich am Rand sonnten. Es waren vier Kinder, zwei Teenager und vier Erwachsene. Sah nach zwei Familien aus. Befangener denn je ging ich über die Poolterrasse in den Spa-Bereich, wo ich in einen Yogakurs für Frauen geriet.

Das konnte doch nur ein Witz sein.

Ich schaute alle und niemanden an und ging einen Flur entlang in einen Raum, der sich nach Waschküche anhörte. Niemand achtete auf mich, was auf eine seltsame Art gut war. Die Frauen konzentrierten sich alle auf etwas zwischen einem nach unten gerichteten Hund und einem aufgehenden Mond. In der Waschküche liefen zwölf Waschmaschinen und Trockner. Offenbar brachten die Frauen ihre Wäsche mit zum Yoga.

Jackpot!

Ich warf einen Blick über die Schulter und stöberte nacheinander die Trockner durch. Ich fand einen Bikini, ein Handtuch und eine Shorts, die aussah, als ob sie Abbie passen könnte. Dann dachte ich: *Füße*. Ich schnappte mir ein Paar Socken und nahm ein Stück Seife vom Waschbecken. Ich wickelte alles in das Handtuch, legte es mir um den Nacken und ging durch den Yogakurs hinaus, wobei ich versuchte, an Steuern, die Wurzel aus Pi oder einen magischen Würfel zu denken.

Als ich an der Sonnenterrasse am Pool entlangging, winkte ich einem Mann zu, der auf der anderen Seite ein Buch las, und schlüpfte durch das Tor. Die Frau neben ihm hob die Nase aus ihrem Buch und fragte: »Sind Sie neu hier?«

»Ja.« Ich deutete auf eine Hüttenreihe am anderen Ende, die nach Miethütten aussahen. »Gerade eingezogen. Wir versuchen, einmal im Jahr herunterzukommen.«

Sie setzte sich auf und deutete auf eine Hüttenreihe gegenüber vom Poolhaus. »Kommen Sie doch heute Abend zu uns herüber. Nummer 14. George hier grillt Hamburger, wir haben ein paar Nachbarn eingeladen. Ganz zwanglos.«

»Klar. Ähm, um wie viel Uhr?«

»Gegen sechs. Bringen Sie Ihre Frau mit?« Es war eine Frage.

»Ja. Danke. Bis dann.« George winkte, und die Frau wandte sich lächelnd wieder ihrem Buch zu.

Ich ging über den Rasen zurück, wo zwei Männer und eine weitere Frau mir von ihren Veranden aus zuwinkten. *Das ist schamloser Exhibitionismus. Menschen sind nicht dafür geschaffen, nackt herumzulaufen. Es ist nicht angenehm.* Als ich in den Wald kam, stieß ich auf Abbie, die sich nur im T-Shirt vor Lachen krümmte. Tränen liefen ihr über das Gesicht. Sie lachte, wie ich es noch nie erlebt hatte.

Ich reichte ihr die Kleider. »Das ist ganz und gar nicht komisch.« Sie brachte kein Wort heraus. Ich nahm meine Shorts, hakte mich bei ihr unter, und wir strolchten mit nacktem Hintern durch den Wald.

Sie musterte mich von hinten und gab mir einen Klaps auf die rechte Pobacke. »Du hast einen süßen Hintern.«

»Na, er ist aber nicht mein bestes Stück.«

Wir erreichten den Fluss an der Seilschaukel, die über uns hing. Man konnte sich auf die Böschung hocken, an dem Seil über den Strand hinwegschwingen und in einem

Teich landen, der, nach der Farbe des Wassers zu urteilen, recht tief war. Abbie wickelte ihre Kleider aus dem Handtuch und fand das Stück Seife. Sie schaute mich mit ihrem verschmitzten Blick an. »Wenn du in Rom bist ...« Sie schlüpfte aus ihrem Shirt, nahm ihr Kopftuch ab und stand auf dem weißen Sandstrand. Sie geht mir immer noch unter die Haut, nach alldem. *Sie ist immer noch die schönste Frau der Welt.* Das Wasser war knietief und kupferbraun. Die Sonne verschwand hinter dunklen Wolken, aus denen dicke Regentropfen auf Wasser und Bäume prasselten. Der Regen war kalt, aber der Fluss warm, daher tauchten wir schultertief ein, bis wir mit dem Kinn die Wasseroberfläche streiften. Es war einer jener Momente. Im Nu konnte man ihn verpassen. Wasser tropfte von ihren Ohrläppchen und ihrer Nasenspitze, Dunst stieg vom Wasser in winzigen Spiralen durch die Bäume auf und löste sich lautlos auf, während die Wolken sich entleerten. Wenn es im Himmel Herrlichkeit gab, ergoss sie sich gerade über meine Frau.

Ich nahm die Flasche Fuchswein, zog den Korken heraus und ließ Abbie den Kopf auf meinen Bauch legen. Ich lehnte mich zurück in den Fluss. Wir tranken schweigend und schauten zu, wie der Dunst aufstieg. Als der Regen nachließ, sagte sie: »Bade mich.« Ich tat es. Sobald die Sonne durch die Wolken brach, breitete ich die Plane am Strand aus und kroch mit ihr in den Schlafsack. Wir schliefen unseren Schwips aus. Diese eine Stunde Schlaf fühlte sich an wie eine Woche.

Als wir aufwachten und ich den Schlafsack zusammenfaltete, gab sie mir einen Klaps auf den Hintern. »Drei erledigt. Noch sieben.«

Sie hatte Recht. Wir hatten gerade die Punkte 3, 4 und 9 abgehakt. Abbie verstand es, mich die Hölle vergessen zu lassen, in der wir lebten. Dieser Augenblick war keine Ausnahme. Es gab nur ein Problem: Als ich das Kanu packte, sie hineinlegte und das Paddel ins Wasser stach, merkte ich, dass das Gewehr verschwunden war.

15

Kurz nach 17 Uhr hielt ein 5er BMW mit dunklen Scheiben an der Parkuhr vor meiner Haustür. Sie öffnete das Seitenfenster und winkte mir zu. Ich schloss die Tür ab und verstaute meine Staffelei, eine leere, aufgezogene Leinwand und zwei Angelkästen voller Farben und Pinsel in ihrem Kofferraum. Da auf dem Beifahrersitz eine Frau saß, stieg ich hinten ein. Sie drehte sich um und stellte vor: »Chris, das ist Rosalia.«

Rosalia war eine kräftige Mittfünfzigerin vermutlich südamerikanischer Abstammung und hatte offensichtlich viel Zeit in der Sonne verbracht. Sie drehte sich zu mir um und reichte mir ihre schwielige, trockene Hand. Unter ihren Augen hingen Tränensäcke, ihre Augenbrauen waren nicht der Rede wert, ihre Nase war krumm, ein Ohr fehlte, und sie hatte keine Zähne.

Wir fuhren quer durch die Stadt zu einigen Kais mit großen Lagerhäusern. »Wir haben dieses Studio für Aufnahmen in letzter Minute eingerichtet. Es ist nicht perfekt, dürfte aber genügen«, erklärte Abbie. Es war kühl, geräumig, und der Betonboden ließ jedes Flüstern widerhallen. In der Mitte hing ein grauer Vorhang an einem Draht, der zwischen zwei Pfosten gespannt war. Dutzende unterschiedlicher Studioscheinwerfer waren auf den Vorhang gerichtet. Einige strahlten vom Boden nach oben, manche direkt auf den Vorhang, andere auf eine schwarze Matte und einen kleinen Hocker.

Rosalia trug einen langen dunkelbraunen Rock, eine große, schmutzige weiße Schürze und alte Turnschuhe – an einem war der Schnürsenkel zerrissen. Ihre sackartige lavendelfarbene Bluse entsprach der Kleidung, die man den meisten »Dienstmädchen« vorschrieb oder auf die man sie getrimmt hatte. Etwas an ihr kam mir unstimmig vor, aber ich konnte es nicht recht festmachen. Etwas war unausgewogen.

Abbie setzte Rosalia auf den Hocker, flüsterte ihr etwas zu, ging dann an eine Schalttafel und schaltete Scheinwerfer ein und aus. Rosalia saß auf dem Hocker und wischte sich die Hände an ihrer Schürze ab. Eine Weile probierte Abbie verschiedene Beleuchtungen aus, schaltete einen Scheinwerfer ein, fügte einen zweiten dazu, schaltete einen dritten aus, nur um sofort mit einem vierten Akzente zu setzen. Sie wandte sich an mich. »Was meinst du?«

»Mir gefällt es, aber wenn du noch etwas weiches Licht auf ihre Füße geben könntest, gibt das vielleicht die Atmosphäre, die du, glaube ich, haben willst.« Sie betätigte einen Schalter, knabberte an ihrer Lippe und trank aus einer Wasserflasche. Schließlich nickte sie.

Sie nahm meine Hand, führte mich zu Rosalia und sagte auf Spanisch: »Rosalia, das ist der Maler, von dem ich dir erzählt habe.« Rosalia lächelte, ohne mich anzusehen, und nickte. Abbie tätschelte ihr Knie und schaute mich an. »Chris, mit dieser Frau verbinden mich einige meiner frühesten Erinnerungen. Sie hat mir die Haare gekämmt und mir gesagt, dass ich hübsch bin, bevor ich auch nur wusste, was das Wort bedeutet.« Sie wandte sich zu Rosalia. »Okay. Fang an.«

Rosalia strich ihre Schürze glatt und fing an, ihre Bluse aufzuknöpfen. Als sie den letzten Knopf öffnete, trat Abbie hinter sie und half ihr, sie auszuziehen. Hastig, als ob sie befürchtete, dass sie es sich anders überlegen könnte, griff Rosalia sich an den Rücken und öffnete ihren BH. Ohne ihn sich über die Arme zu streifen ließ sie ihn fallen und enthüllte die Unausgewogenheit.

Abbie kniete sich neben sie, tätschelte ihren Arm und erklärte mir: »Rosalia ist aus ihrem Land geflüchtet, als ich noch ein Baby war.« Sie deutete auf eine dicke, fast vier Zentimeter breite, schiefe Narbe, die von der Stelle, an der einmal ihre rechte Brustwarze war, über ihr Brustbein, die fehlende linke Brust, unter der Achselhöhle durch bis auf den Rücken reichte. »Aber vorher ist ein Mann mit einer Machete über sie hergefallen.« Rosalias rechte Brust sackte fast bis auf ihre Taille, nur aufgehalten von der Speckrolle, die ihre Schürze nach oben presste. Abbie stellte sich hinter Rosalia, löste ihr grau meliertes, schwarzes Haar und ließ es über ihre Schultern fallen. Es reichte ihr fast bis an die Hüfte.

Ich schaute Abbie an. Fragend. Abbie küsste Rosalia auf die Wange und hob ihr Kinn an. Dann sagte sie zu mir: »Rosalia wollte schon immer ein Porträt von sich. Ich habe ihr gesagt, dass du es malen kannst.«

Ich ging an meine Leinwand und tat, als würde ich Stifte und Farben richten, fragte mich dabei aber, wie um alles in der Welt ich das hier schaffen sollte, als Abbie sich hinter mich stellte und die Arme um mich schlang. Sie raunte mir ins Ohr: »Chris … mach die Augen auf.« Sie hielt mir die Augen zu. »Nicht diese.« Ihre Hand wanderte an meine Brust. »Diese. Schau damit und zeige ihr, was sie immer sehen wollte.« Sie schob ihre Hand in meine. »Zeige ihr, dass sie über alle Maßen schön ist.«

Ich starrte auf das Grauen, das mich anstarrte. »Wie?«

Ihr Atem streifte warm mein Ohr. »Schau genau hin, was du siehst, und suche das eine, was dich wünschen lässt, noch einmal hinzusehen.«

Rosalia saß auf ihrem Hocker und sah mich an. Unbehaglich rutschte ich mit schwitzenden Händen und trockenem Mund auf meinem Schemel hin und her und dachte: *Was mache ich bloß, wenn sie merkt, dass ich das, was sie von mir erhofft, nicht kann?* Abbie ging um uns herum, telefonierte mit ihrem Agenten, buchte Flüge, managte ihre Karriere. Sie beherrschte Multitasking in einem Maße, das mir unbegreiflich war. Vor mir saß Rosalia. Wartete ruhig.

Sie hatte nichts zu verbergen und nichts, wohinter sie sich verstecken konnte, hob ihr Kinn, straffte eine Schulter, schaute an ihrer Nase herab und aus einem Augenwinkel auf mich.

Innerhalb von drei Sekunden schlug alles Mitleiderregende und Gebrochene an ihr um in Größe und Pracht.

Vier Stunden später hatte ich eine grobe Skizze. Während Abbie nach New York flog, verbrachte ich die nächsten acht Tage damit, zu schwitzen und zu hyperventilieren. Abbie kam nach Hause und rief mich um zwei Uhr in der Nacht an, aber ich hielt sie hin. »Noch nicht.« Okay, ja, ich hatte Angst. Also kniff ich noch weitere zwei Tage, raffte meinen Mut zusammen, und als sie beinah die Tür einschlug, ließ ich sie endlich herein und schaltete die Lampe an.

Das Licht prallte auf die Leinwand, und Abbie trat einen Schritt zurück. Sie holte tief Luft, ließ sich im Indianersitz auf dem Boden nieder, legte die Hand auf den Mund und weinte. Ich wich verwundert in den Schatten zurück. Besorgt. Mit jeder Sekunde wuchs meine Übelkeit. Abbie zog die Lampe näher heran und strich behutsam mit der Fingerspitze über die Narbe auf der Leinwand.

Mit bebenden Lippen drehte sie sich zu mir um. Tränen liefen ihr über das Gesicht. »Ach ... ich weiß gar nicht, wie ich es sagen soll.«

Ich auch nicht. Ich fing an, zurückzurudern. »Das ist nur eine Möglichkeit. Ich kann noch mal von vorn anfangen. Es vielleicht aus einem anderen Blickwinkel versuchen oder ...«

Sie schüttelte den Kopf. »Nein.« Sie stand auf, nahm mein Gesicht in beide Hände und presste ihre Lippen auf meine. Ich erinnere mich, dass ihr Gesicht tränennass war, ihre verschmierte Wimperntusche nach Waschbär aussah und mir die Knie wackelten wie dem Blechmann aus dem *Zauberer von Oz*.

Dieser Kuss ging mir durch und durch, von meinem Gesicht durch den Hals, zwischen den Schultern hindurch bis in die Tiefen meiner Seele, bevor er zur Ruhe kam. Sie legte ihren Kopf an meine Schulter und schüttelte ihn. »Prachtvoll.«

In diesem Moment, oben auf meiner Empore, als ich dastand, Rosalia ansah, Abbie an meine Brust drückte und ihre Tränen auf meinen Lippen schmeckte, lehrte Abbie mich, wieder zu atmen.

Ach, und mit Rosalias Erlaubnis wurde das Gemälde meine Abschlussarbeit.

16

Südlich vom Bare Bottom Resort machte der St. Mary's einen Schlenker nach Osten und wandte sich gleich wieder nach Süden bis zur St. Mary's Bluff Road. Der Wasserstand erlaubte mir streckenweise zu paddeln. An anderen Stellen stieg ich aus, ging am Ufer entlang oder durchs Wasser und zog das Kanu durch den seichten Fluss.

Als ich im Laufe des Nachmittags einmal die Gurte auf meinen Schultern zurechtrückte und nach unten schaute, bemerkte ich etwa anderthalb Meter entfernt eine zusammengerollte Kiefernnatter. Sie sind anderthalb bis zwei Meter lang, dünn, hellbraun und zischen fürchterlich, wenn man sie ärgert. Und das hatte ich offenbar getan, denn sie zischte laut. »Was ist das für ein Geräusch?«, fragte Abbie.

Ich musterte den Boden und sah, dass die Kiefernnatter gar nicht meinetwegen zischte. Etwa dreißig Zentimeter von meinen Zehen in den offenen Sandalen entfernt schwammen drei Zwergklapperschlangen. Meist werden sie keine dreißig Zentimeter lang und knabbern mehr an einem, als dass sie beißen, sind aber dennoch giftig. Wenn man ihnen genug Zeit lässt, nagen sie an den Zehen und verwandeln den Fuß in einen roten Klumpen. Es gibt zwar ein Gegengift, aber dazu hätte ich ins Krankenhaus müssen, und das wäre weder angenehm noch lustig geworden.

Abbie mochte Schlangen nicht sonderlich. Ich ebenfalls nicht, aber bei einer Fahrt über diesen Fluss musste man sich an sie gewöhnen, besonders so weit am Oberlauf. Normalerweise hätte ich sie erschossen, aber ich wollte nicht riskieren, so viel Lärm zu machen. Ich bespritzte die drei vor meinen Füßen, und sie glitten über die Wasseroberfläche. Dann bespritzte ich die Kiefernnatter. Sie machte kehrt und glitt am Ufer in einen Baum. Das ist ein Anblick, den ich ganz und gar nicht mag: eine Schlange, die sich aus dem Staub macht. Schlangen und Krankheiten haben einiges gemeinsam – sie können dir viel besser auflauern als du ihnen.

❧

Die River Bluff Road war die erste »Uferstraße«, die wir erreichten. Sie führte auf der Georgia-Seite, wo das Steilufer merklich höher war, etwa zwei Kilometer am Fluss entlang. Dort standen überwiegend alte Bauernhäuser mit Blechdach und umlaufender Veranda. Nahezu jedes Haus hatte mehrere Hundezwinger und eine Garage, die ebenso groß war wie das Haus. Hinter einem Gehöft, um das ein Dutzend mehr oder weniger ausgeschlachtete, verrostete Autowracks aufgebockt standen, paddelten wir unter einem gestohlenen »Winston-Cup«-Banner durch, das über den Fluss gespannt war. Auf dem Rasen standen verstreut ausgebleichte Plastikstühle und drei ausgebeulte Plastikplanschbecken. Auf einem Schild über der Tür stand: »Bewacht von Smith and Wesson«.

Wohnmobile komplettierten die meisten großen Garagen. Räudige Hunde ohne Halsband streunten umher. Viele schliefen mitten auf der Straße und schnappten nach der Stoßstange des Landpostboten, wenn er vorbeifuhr.

Rosa Flamingos waren als Gartenzierde ebenso beliebt wie abgefahrene Autoreifen, ausrangierte Fischerboote, brennende Müllhaufen, Briefkästen mit der Aufschrift »See Rock City« und Vogelhäuschen.

Hier in dieser Gegend ist jeder religiös. Und obwohl es viele Kirchen gibt, gehören doch alle demselben Glauben an: dem an das Automobil. Die Erste Heilige NASCAR-Gemeinde, deren Anhänger den Autorennsport anbeten, sind eine der größten Glaubensgemeinschaften des Landes. Die meisten huldigen ihrer Religion im Freien. Bei Regen tragen sie Regencapes oder schneiden Armlöcher in schwarze Müllsäcke. Es sind ungezwungene, ziemlich lebhafte Versammlungen. Alle winken, schreien und jubeln zusammen mit hundertfünfzigtausend engen Freunden. Diese Leute als Strenggläubige zu bezeichnen, ist eine Untertreibung. Die Glaubenssätze ihrer Religion stehen auf ihren Kappen, T-Shirts und Jacken. An den Flaggen über ihren Garagen lässt sich die Zugehörigkeit zu ihrer speziellen Gemeinde ablesen, und Autoaufkleber verkünden den Namen ihres »Lieblingspastors«. Da ihre Versammlungen mehrere Stunden dauern können, bringen die meisten Kühltaschen mit Essen und Getränken mit. Manche kampieren sogar schon samstags auf dem Parkplatz und warten, bis die Tore sich öffnen. Die meisten Gottesdienste enden mit einer Kombination aus Kommunion und Taufe. Umringt von seinen Dekanen und anderem Personal, steht der Pastor des Tages – immer ein schicker Bursche – auf einem Podium, nachdem er allen eingeheizt hat, und besprizt sie mit den Elementen. Alle, die vorne stehen, können trinken oder sich darin baden, wie sie wollen.

Als wir unter dem Banner hindurchglitten, kam eine kniehohe, räudige, fast weiße Hündin ohne Halsband die

Uferböschung herunter und steckte die Schnauze ins Wasser. Sie hatte ein schwarzes Auge und irgendwo einen Wurf hungriger Welpen, denn ihre gesprenkelten Zitzen waren vergrößert und schleiften durch den Sand. Einen knappen Kilometer flussabwärts wälzten sich drei Pitbulls mit Stachelhalsbändern im Schlamm. Zwei von ihnen hatten blutige Schrammen über den Augen, dem dritten fehlte ein Auge völlig. Am Zaun hinter ihnen war mit Farbe auf ein Schild gesprüht: »Vergesst den Hund, Vorsicht vor dem Besitzer«. Hinter ihnen trotteten Kühe über eine Weide, umschwärmt von Kuhvögeln und halbdollargroßen Pferdebremsen.

Wir paddelten gerade durch die Rauchschwaden und den beißenden Gestank eines brennenden Müllhaufens, als sechs Pitbulls quer durch den Garten auf uns zuschossen. Noch bevor ich dazu kam, den Revolver herauszukramen, hatten sie die Distanz von hundert Metern zurückgelegt. Als sie das Flussufer erreichten, blieben sie drei Meter entfernt in gerader Reihe stehen und fletschten die Zähne. Sie knurrten, geiferten über den Fluss und einige bellten sogar, aber sie kamen nicht über die imaginäre Grenzlinie. Jeder trug ein Halsband mit einem schwarzen Kästchen und Antenne, die auf einen elektronischen Zaun hindeuteten, wofür ich dankbar war. Ich hoffte, der Erfinder dieses Geräts genoss seinen Ruhestand an irgendeinem Strand, an dem ihm Cabana-Girls Drinks mit kleinen Schirmchen servierten. Er hätte es verdient. Ich vermied jede ruckartige Bewegung und stakte uns langsam durch das seichte Wasser. Abbie öffnete ein Auge einen Spalt und fragte: »Werde ich gleich gefressen?«

Behutsam schüttelte ich den Kopf, ohne das Ufer aus den Augen zu lassen. »Nicht solange der Strom an bleibt.«

»Und wenn er aus geht?«

»Na ja, ich bin dicker, also werden sie wohl zuerst auf mich losgehen. Eigentlich müsstest du dann genug Zeit haben, oben aufs Steilufer zu kommen, bevor sie mich abgenagt haben und sich auf die Suche nach einem Nachtisch machen.«

»Das ist beruhigend.«

Bis Sonnenuntergang schafften wir noch gut sechs Kilometer. Da der Fluss allmählich offener wurde, musste ich das Kanu weniger ziehen und konnte mehr paddeln. An beiden Seiten erstreckten sich lange weiße Sandstrände. Palmen schossen raketengerade in die Höhe, Zwergpalmen beugten sich über das Ufer und tauchten ihre Palmwedel ins Wasser wie zarte Finger. Zwischen den wuchernden Zwergeichen reckten sich mammutbaumgroße Kiefern in die Höhe wie Wolkenkratzer.

Mom hatte Recht.

Bei Sonnenuntergang ertappte ich mich dabei, dass ich mich verstohlen umschaute. Es war schließlich nicht so, dass ich zur Polizei hätte rennen können. Ich dachte mir zwar, dass wir die Kerle vermutlich abgehängt hatten, aber ich war mir sicher, sie kannten den Fluss genauso gut wie ich.

Eine sanfte Brise kam auf, und der Fluss machte eine scharfe Kehre. Fast um 180 Grad. Das war Skinner's Beach. Oben am Ufer gab es eine kleine, überdachte Küche, die rundum mit Fliegengittern versehen war, und einen artesischen Brunnen mit einer verrosteten, alten Handpumpe, die früher noch funktioniert hatte. Kirchliche Jugendgruppen, Pfadfinder und freitägliche Grillfestfreunde kamen regelmäßig her, weil es hier viele Stellplätze für Zelte, Trinkwasser, einen großen Grill, Tische und einen überdachten Platz bei Regen gab.

Ich zog das Kanu ans Ufer in den Schatten und nahm Abbie auf die Arme. Sie schlug weder die Augen auf, noch rührte sie sich – die Schmerzen waren wieder da. Ich trug sie die Uferböschung hinauf, öffnete die Fliegentür und legte sie auf den Tisch, an dem gut zwanzig Leute Platz gefunden hätten. Nachdem ich ihren Kopf weich gebettet hatte, betätigte ich den Pumpenschwengel. Nach einer Weile gurgelte rostiges, bräunliches Wasser heraus. Drei Minuten musste ich pumpen, bis das Wasser klar, kalt und genießbar war. Ich spülte einen Edelstahlbecher aus und brachte Abbie Wasser. Sie setzte sich auf, trank und legte sich wieder hin. Ich holte die Pelican-Box aus dem Kanu, brach die Kappe einer Dexamethazon-Spritze ab und drehte Abbie auf die Seite. Nachdem ich ihre Haut mit Alkohol abgerieben hatte, stach ich die Nadel in das, was vom Fleisch ihrer linken Pobacke noch übrig war.

Anschließend ging ich wieder an die Pumpe, beugte mich unter den Auslauf und ließ mir das Wasser über den Kopf laufen. Es war kalt, sauber und half mir, meine müden Augen offen zu halten. Als mein rechter Arm vom Pumpen müde war, richtete ich mich auf und ließ das Wasser von mir abtropfen.

Um uns herum wurde es dämmrig. Ich ging wieder in die Küche und öffnete die Holzkisten unter dem Tisch. Pfadfinder und kirchliche Jugendgruppen bewahrten darin Vorräte trocken und mäusesicher auf, aber oft ließen sie auch Konserven zurück, weil sie keine Lust hatten, sie wieder heimzuschleppen. In der ersten Kiste waren nur Pappteller, Plastikbecher und drei Rollen Toilettenpapier. Die zweite enthielt eine Plane, eine ungeöffnete, aber überalterte Schachtel Salzcracker, zwei Dosen Sardinen in scharfer Louisiana-Sauce, drei verpackte Biskuitrollen und ein paar Streichhölzer. In der dritten stieß ich auf den Jackpot: Vollkorncracker, Marshmallows und ein paar Hershey-Schokoriegel.

Die Feuerstelle war eine rundum offene Grube mit einer Blechhaube darüber, die Rauch und Hitze durch eine Öffnung im Dach leitete. Es war eine sichere Art, Kinder am offenen Feuer etwas brutzeln zu lassen.

Quer auf den Deckenbalken lagen gut ein Dutzend gerade gezogener Drahtkleiderbügel. Ich nahm einen herunter und legte ihn ins Feuer, um den Rost abzuglühen. Als er heiß und steril war, stach ich ihn durch zwei Marshmallows und zog mir eine Bank ans Feuer. Ich war nicht gerade versessen darauf, ein Signalfeuer anzuzünden, hatte aber das Gefühl, wer uns auch immer folgen mochte, wusste ohnehin schon, wo wir waren. Außerdem tat die Wärme gut. Nach einer Weile tauchte Abbie neben mir auf. Ich legte zwei Stück Schokolade auf einen Cracker, schob einen zerfließenden Marshmallow darauf und deckte das Ganze mit dem anderen Vollkorncracker ab. Abbie lächelte. »Schatz, das wäre doch nicht nötig gewesen.« Geschmolzene Schokolade und Marshmallow quoll aus ihren Mundwinkeln, als sie hineinbiss.

Ich deutete mit dem Schürhaken flussabwärts. »Morgen noch ein paar Kilometer, dann stoßen wir auf die Wochenendhütten. Die meisten haben Küche und Kühlschrank im Freien. Bis dahin …«

Sie grinste mit dem Marshmallow im Mund. »Wenn ich dich nicht besser kennen würde, würde ich glatt sagen, das hast du schon öfter gemacht.«

»Was? Marshmallows rösten?«

Sie schüttelte den Kopf. »Nein, du Dummchen, klauen.«

»Zugegeben ...« Ich warf einen Blick über den Fluss. »Ich habe ein bisschen Übung.«

Das Feuer brannte herunter, und die Holzkohle glühte weiß. Wir aßen alles bis auf den letzten Krümel auf, auch die Salzcracker, aber bei den Sardinen rümpfte Abbie die Nase. Die Biskuitrollen hob ich für unser Frühstück auf, denn die schnelle Energiezufuhr würde mich in Schwung bringen. Ich war müde und hatte das Gefühl, dass ich auch in dieser Nacht nicht viel Schlaf bekommen würde.

Doch sie verging ohne sonderliche Aufregung. Ein leichter Nieselregen kühlte gegen Mitternacht die Luft ab, also schürte ich das Feuer und deckte Abbie mit Handtuch und Plane zu. Etwa zwei Stunden vor dem Morgengrauen hob ich sie vom Tisch und legte sie wie einen Kokon ins Kanu. Sie schlief unruhig, also gab ich ihr einen Lutscher, und sie sank bis Tagesanbruch in einen angenehmen Dämmerzustand.

Ab dem Highway 121 wandte sich der »Okefenokee Trail« zehn Kilometer nach Osten bis Stokes Bridge, machte dort eine Linkskurve und führte relativ geradlinig Richtung Norden nach Folkston und Boulogne. Topografisch lief der Fluss nun von Floridas Rücken herunter.

Der St. Mary's River erreichte hier eine Breite von etwa acht Autolängen. Am Ufer sah man ATV-Spuren, Sumpflöcher und Müllhaufen im Zwergpalmendickicht, das die Einheimischen als Müllkippen nutzten. Eine vollgesogene Matratze, ein von Kugeln durchlöchertes Kühlschrankwrack, ein halbes Motorrad, ein paar Dutzend *National-Geographic*-Hefte und unzählige Budweiser-Dosen und -Flaschen hatten sich in den Schlamm und Sand gegraben. Unter der Brücke lag ein umgestürzter, verrosteter Einkaufswagen mit drei Rädern, in dessen einst verchromtem Gitterkorb sich Stöcke und Plastiktüten verfangen hatten. Ein neueres Modell – aus leuchtend rotem Kunststoff – lag zerfetzt auf den Betonbrocken, da es den Fall von der Brücke nicht überstanden hatte.

17

Um eins klarzustellen: Ich habe ihn um Erlaubnis gefragt. Das Schlüsselwort heißt »gefragt«. Er war immer sehr beschäftigt. Es war schwierig, eine Audienz bei ihm zu bekommen – und sei es auch nur für fünf Minuten. Nur selten war er allein. Es war am Thanksgiving-Wochenende. Er war nach Hause gekommen, um den Truthahn zu zerlegen. Abbie hatte die ganze Zeit gearbeitet. Wochenlang war sie fort gewesen. Ich hatte mein Studium abgeschlossen und machte zwei Jobs parallel: Um die Miete zu zahlen, führte ich Angler in die flachen Küstengewässer, wo sie Rote Trommelfische fingen. Damit konnte ich zweihundert pro Tag verdienen, wenn die Fische anbissen. Wenn nicht, malte ich.

Rosalias Porträt hing bei Abbies Eltern im Foyer. Wenn man sie danach fragte, sagten sie, es sei von einem »örtlichen Künstler«, was Abbie wütend machte, aber da es mit das Erste war, was man beim Hereinkommen sah, war zu vermuten, dass selbst sie die Stärke des Bildes nicht leugnen konnten. Wenn Abbie zu Hause war, belauschte sie heimlich die Gespräche am Essenstisch und passte den richtigen Moment ab, um ihren Eltern zuvorzukommen. Sie steckte den Kopf durch die Tür, begrüßte die Gäste und erklärte ganz nonchalant: »Ich kenne den Künstler, falls Sie gern hätten, dass er Sie in Betracht zieht. Er ist sehr beschäftigt und nimmt nur wenige ausgewählte Kunden pro Jahr an, aber …«, sie lächelte und hob ihre Augenbrauen, »ich weiß seine Aufmerksamkeit zu gewinnen.«

Gegen die Einwände ihrer Eltern arrangierte Abbie Treffen mit angehenden Kunden, und wir besuchten sie dann zu Hause. Ich erklärte mich bereit, sie oder ihn zu porträtieren, besprach die Einzelheiten und setzte Termine für die ersten beiden Sitzungen fest. Bei unserem ersten Vorgespräch fragte der Ehemann, ein Ölmanager: »Wie viel nehmen Sie?«

Ich wollte gerade tausend Dollar verlangen, als Abbie sagte: »Normalerweise nimmt er zehn, aber meinetwegen hat er sich bereit erklärt, mit seinem Honorar auf sieben-fünf herunterzugehen.« Der Mann nickte, als hätte sie gerade seine Bestellung in einem Schnellrestaurant aufgenommen und ihm an der Kasse die Rechnung präsentiert.

Die Kinnlade fiel mir runter, fast bis auf den Boden.

Innerhalb von neun Monaten bezahlte ich meine Schulden für das Studium ab und kaufte mir mein erstes Auto. Dabei hätte ich es eigentlich sogar kostenlos gemacht, denn zum ersten Mal in meinem Berufsleben fühlte ich mich gewürdigt. Gewürdigt, weil die Personen, diese »Sujets« vor mir, mir das Wertvollste anvertrauten, was sie besaßen – ihr Ebenbild.

Glücklicher hätte ich gar nicht sein können.

Ihre Eltern hätten dagegen gar nicht weniger beeindruckt sein können. Ihre Stiefmutter sprach es am offensten von den beiden aus. Am Thanksgiving-Morgen ging ich an die Hintertür und wollte gerade klopfen, als ich hörte: »Ihr beide betreibt Schwindel, und wenn die Leute das merken, wird Chris in dieser Stadt nie wieder malen.« Ich zog meine Hand zurück und setzte mich auf die Bank zu Rosalia, die Erbsen aus den Schoten pulte.

»Mutter …«

»Sag nicht ›Mutter‹ zu mir.«

»Hast du je ein Werk von ihm gesehen außer Rosalia?«

Widerstrebende Pause. »Ja.«

»Und?«

Katherine nahm die Zeitung und schlug die Todesanzeigen auf. »Ich schätze, die Bilder sind … ganz nett.«

»Nett?«

Sie ließ die Zeitung sinken. »Es gefällt mir nicht, dass du dich mit diesem Jungen triffst.«

»Was du nicht sagst.«

»Abbie, er ist in einem Wohnwagen aufgewachsen.«

»Und was willst du damit sagen?«

»Er ist nicht dein Typ.«

»Du meinst, ›nicht aus unseren Kreisen‹.«

»Er wird nie einer von uns werden.«

»Mutter, das versucht er auch gar nicht.«

»Genau das meine ich.«

»Ziemlich erfrischend, findest du nicht?«

Abbie ging nach oben, und ich hörte die Dusche prasseln. Rosalia lehnte sich an mich und drückte ihre fleischigen Schultern an meine. Sie schaute mich von unten herauf an, tätschelte mir den Oberschenkel und nickte mir aufmunternd zu. Ich küsste sie auf die Stirn, klopfte leicht an die Fliegentür und stieß sie auf. »Guten Morgen, Mrs Coleman.«

»Ach, hi Chris. Komm doch herein. Du siehst hungrig aus. Möchtest du frühstücken?«

Porträts zu malen hat mich etwas über die Menschen gelehrt. Alle meine Kunden haben zwei Gesichter. Eins, mit dem sie leben, und das andere, das sie von mir gemalt haben möchten. Mrs Coleman war auch nicht anders.

Nachdem das Haus sich am Thanksgiving-Abend geleert hatte, vergrub Senator Coleman sich in seinem Arbeitszimmer. Ich klopfte an die Tür. Er schaute ausdruckslos auf. »Hallo, Chris. Hast du Abigail verloren?«

»Nein, Sir. Ich wollte mit Ihnen sprechen.«

Er lehnte sich zurück. »Worüber?«

»Na ja, Sir, über Abbie.« Er schaukelte leicht vor und zurück und stützte das Kinn auf einen Bleistift. »Also, dann komme ich einfach zur Sache.« Ich wusste nicht, wohin mit meinen Händen, daher schob ich sie schließlich in die Hosentaschen. »Senator Coleman, ich möchte Sie um die Erlaubnis bitten, Ihre Tochter zu heiraten.« Er hörte auf zu schaukeln und legte den Bleistift weg. Ihm gegenüber stand ein leerer Stuhl, aber er machte keine Anstalten, ihn mir anzubieten. Innerhalb weniger Sekunden verstrich ein ganzes Leben. Schließlich schüttelte er den Kopf und sagte schlicht: »Nein.«

Ich wusste nicht, was ich sagen sollte. Was sollte ich damit anfangen? »Besteht eine Chance, Sie von dieser Position abzubringen?«

Ein einstudiertes Lächeln. »Nein.«

Es gab eine Menge, was ich in diesem Augenblick gern gesagt hätte, aber ich wusste nicht, wie ich es herausbringen sollte, und noch weniger, ob es etwas nützen würde. Seiner Ansicht nach war ich ein impulsiver, 21-jähriger, hungernder Künstler. Er hatte sich seine Meinung schon lange gebildet, bevor ich durch diese Tür gekommen war. »Ja, Sir.« Ich drehte mich um, ging hinaus und schloss die Tür leise hinter mir.

Ich war gekränkt, aber Abbie kochte vor Wut. Noch nie hatte ich sie so aufgebracht erlebt. Nach einer Stunde hatte sie sich immer noch nicht beruhigt. Wir standen unten am

Wasser. Also ich stand, sie lief hin und her. »Wofür hält er sich eigentlich?«

»Er ist dein Vater.«

»Das macht ihn noch lange nicht zu Gott.«

»Das sieht er anders.« Ernüchtert und wütend saßen wir da. »Wenn ich etwas aus mir machen und in fünf Jahren wiederkommen würde, würde er seine Meinung vielleicht ändern, aber ich habe ihn schon verstanden. Nein heißt nein. Endgültig.«

Sie blickte kopfschüttelnd aufs Wasser hinaus. Mir war klar, dass alles, was hinter einem vollständigen Einlenken zurückblieb, einer Kriegserklärung gleichkam – einem weiteren Schuss auf Fort Sumpter. Das wollte ich Abbie nicht zumuten und sie ihrer Familie nicht entfremden. Ich wusste, dass das, was ich vorhatte, lange Zeit wehtun würde, aber mir war klar, dass es das Beste war.

Ich musste ihr einen Ausweg lassen. Also drehte ich sie zu mir um. »Bitte verzeih mir, was ich gleich tun werde.« Langsam schüttelte sie den Kopf. »Abigail … dein Vater hat Recht.« Ich wich ein Stück zurück. »Ich bin das Produkt eines Trailerparks. Du bist Südstaatenadel. Ich bin ein Träumer, ein Einzelgänger und schaffe es fast nie, zu sagen, was ich denke oder fühle. Auf den Partys deiner Eltern wäre ich als Kellner nicht so fehl am Platz wie als Gast.« Tränen traten ihr in die Augen. »Du bist landesweit bekannt und kannst mit Königen und Königinnen genauso reden wie mit Korbflechtern.«

»Chris …«

»Ich kann nur eine Sache gut. Aber bei dir verwandelt sich alles in Gold, was du anfasst.«

Sie schrie: »Wage ja nicht, mir das anzutun. Nicht seinetwegen.«

»Abigail, deine Mutter hat Recht. Ich gehöre nicht zu deinen Kreisen.«

Sie legte mir den rechten Zeigefinger auf die Lippen. »Ich bin ein Mädchen, das einen Jungen liebt.«

Irgendwo tutete ein Schiffshorn. Auf dem Fluss drehte ein Boot den Motor hoch und schoss übers Wasser. Hinter der Ufermauer rumpelte eine Pferdekutsche über das Kopfsteinpflaster. Über uns kreischten Möwen in der nächtlichen Dunkelheit, und hinter uns im Park warf ein Mädchen unter einer Straßenlaterne einen Tennisball für einen sabbernden schokobraunen Labrador. Ich nahm ihre Hände. »Willst du mich heiraten?«

Das war am Freitag nach Thanksgiving 1992.

Sie stampfte mit dem Fuß auf. »Chris Michaels! Du hast mir gerade eine Heidenangst eingejagt.«

»Abigail ... willst du mich heiraten?«

Sie schlug mir gegen die Brust. »Erst wenn du dich entschuldigt hast.«

»Entschuldigung.«

»Das hast du nicht ernst gemeint.«

Ich ging auf die Knie.

»Abbie, ich kann dir nicht das Leben bieten, das dein Vater und deine Mutter dir geboten haben. Ich weiß nicht, zu was ich es in der Welt bringen werde, daher kann ich dir nicht viel versprechen. Nur eins: Ich gebe mich dir ganz und gar. Ohne Hintergedanken, ohne Mauern, ohne Lügen. Kein Mann auf der Welt hat dich je so geliebt und wird dich je so lieben wie ich. Wenn ich nicht mit dir zusammen bin, tut es weh. Und wenn ich mit dir zusammen bin, tut es auch weh, weil ich weiß, dass ich nach ein paar Stunden wieder ohne dich sein werde. Mein ganzes Leben war bisher fast nur Schmerz, und ich will keinen Schmerz mehr … Bitte, nimm mich … und die Inseln in mir … und mache mich ganz.«

Sie musterte mich aus den Augenwinkeln. »Mach das nie wieder mit mir, sonst …«

»Abbie?«

Sie knabberte an ihrer Lippe. »Ich muss dir ein Geständnis machen.« Sie drehte sich halb um und deutete auf ihr Hinterteil. »Ich habe einen Leberfleck am Po.«

»Ich kann es gar nicht abwarten, ihn zu sehen. Das wird unser kleines Geheimnis.«

Sie schüttelte den Kopf. »Chris. Ich bin nicht die Frau aus den Zeitschriften. Diese Frau existiert gar nicht. Sie ist ein Fantasiegebilde …«

»Ich liebe nicht die Frau auf den Zeitschriftencovers.«

»Ja, aber … Ich liefere nur die Umrisse. Sie stecken mich in einen Computer, löschen die Fältchen, verkleinern die Nase, machen das Kinn weicher, die Wangen schmaler …« Sie schob mit beiden Händen ihre Brust hoch. »Machen meinen Busen größer.«

Ich schüttelte den Kopf. »Ich liebe die Abbie, die vor mir steht.«

Sie kniete sich auf den Boden, in Augenhöhe mit mir. »Und wenn ich alt und hässlich bin und alles an den falschen Stellen hängt?«

»Abigail Coleman, ich heirate kein Ideal. Und auch keine Erinnerung. Ich heirate dich. Mach dir also keine Sorgen, wie du später mal sein wirst. Diese Frau werde ich auch lieben. Sogar noch mehr. Ich nehme das Schlechte in Kauf, weil das bedeutet, dass ich mit dem Guten gelebt habe.«

Mit leisem Schluchzen presste sie ihr Gesicht an meine Brust. Als es zu stark wurde, um es zu unterdrücken, schlang sie die Arme um meinen Hals und stieß einen Schrei aus.

Er klang so, als käme er aus der Region ihres Bauchnabels, und sie presste ihr tränen- und rotznasses Gesicht an meines. »Ja.«

18

Am Nachmittag des dritten Tages erreichten wir die Brücke des Highway 121. Das hieß, wir hatten 37 Kilometer geschafft. Noch 10 Kilometer bis Stokes Bridge – der Marke für das erste Viertel der Strecke.

So weit »oben« wurde der St. Mary's nicht als Freizeitgebiet genutzt – nicht wie südlich von Trader's Ferry. Hier bot der Fluss uns also »Deckung«, aber weiter nach Norden und Osten, wo er breiter und offener war, würden wir auf Wassersportler mit Jetskis, Nachen mit Anglern sowie auf Naturschutzbeamte stoßen, die in ihren Pathfinder-Booten mit 200-PS-Yamaha-Viertaktmotor, Funk und Satellitentelefon patrouillierten. Wenn sie einen gesichtet hatten, konnte man ihrem Boot vielleicht ausweichen, nicht aber dem Funkgerät.

Der Fluss wurde wieder schmaler, stellenweise ragte der sandige Grund aus dem Wasser, das nur noch 30 Zentimeter tief war. Linker Hand erstreckte sich ein langer Strand. Die schwüle Nachmittagssonne lastete auf meinen Schultern und machte mich müde. Also ließ ich das Kanu leise unter einen Baum gleiten, um Abbie nicht zu wecken. Oberhalb von uns am Florida-Ufer stand der Rohbau eines riesigen Hauses. Offenbar wussten die Eigentümer, was sie taten, denn sie hatten die höchste Erhebung am Fluss gekauft. Allein schon die Lage schützte sie vor jedem Hoch-wasser – außer vielleicht vor der Sintflut. Vor uns machte der Fluss eine scharfe Rechtsbiegung. Ich schloss die Augen und sah jeden Quadratzentimeter des Ufers vor mir. In Sichtweite hing ein altes Schaukelseil, an dem ich den Salto rückwärts gelernt hatte. Es war ausgefranst, grün und schwang sachte hin und her.

Darunter standen die Reste einer Bank.

Ich zog das Kanu auf den Strand und schüttelte Abbie. Sie hob ein Augenlid. »Sind wir schon da?«

Ich nickte. »Ja.«

Mit wackligen Knien stand sie auf. »Gut, ich dachte schon, wir müssten noch Hunderte Kilometer fahren.«

Betonstufen führten vom Fluss die Uferböschung hinauf in den Garten eines Hauses, das aussah, als hätte es tausend Quadratmeter Wohnfläche. Das steile Schrägdach reichte bis über eine riesige betonierte Terrasse, die Platz für fünf-zig Schaukelstühle und einen herrlichen Blick auf die Fluss-windungen bot.

Ich trug Abbie die Treppe hinauf und durch das knie-hohe Gras auf die Terrasse. Das Ständerwerk war fertig, das Dach gedeckt und die Außenschale gemauert, aber es fehl-ten die Fenster, die Gipskartonplatten an den Innenwänden und der übrige Innenausbau. Es sah aus, als hätten sie mit den Innenarbeiten gerade erst angefangen und an der Haus-front einige Fenster eingesetzt. Neben der Terrasse stand ein Klohäuschen. Ich half Abbie auf den Sitz und ließ sie sich bei mir anlehnen, während sie ihren Körper von Giften entleerte.

Die Türen waren verschlossen, aber ich stieg durch eine Fensteröffnung und holte sie herein. Die Gewölbedecke im Wohnzimmer war fast sechs Meter hoch, und an einer

Wand gab es einen offenen Kamin, der groß genug war, dass man ausgestreckt darin liegen konnte. Kalte Asche häufte sich am Boden. Ich sah nach, ob der Abzug offen war, stöberte im Abfallholz herum und schichtete ein kleines Feuer auf. Abbie lag auf dem Boden und wandte sich dem Feuer zu. In der Waschküche fand ich eine Staubdecke und ein funktionierendes Waschbecken. Ich brachte Abbie einen Becher Wasser und durchsuchte dann das restliche Haus. Das Obergeschoss war nicht minder weitläufig, und was die Aussicht auf den Fluss anging, hätte es besser kaum sein können. Da das Haus ziemlich ordentlich war, fand ich nicht viel Brauchbares. In der Waschküche entdeckte ich eine Kaffeemaschine und eine halbvolle Dose Maxwell-Kaffee. Ich schloss die Kaffeemaschine an einem roten Verlängerungskabel an, das aus der Garage kam, und das rote Lämpchen leuchtete auf. Während die Maschine prustete, holte ich eine mit Alufolie beschichtete Dämmplatte aus der Garage und legte sie vor das offene Feuer. Es war das Zeug, das man an das Holzständerwerk nagelt, bevor man die Außenverkleidung mauert. Nachdem ich eine Malerfolie darübergebreitet hatte, legten wir uns hin und lauschten auf die Kaffeemaschine. Abbie legte den Kopf auf meine Brust, zwirbelte an einem meiner Brusthaare und sagte: »Du bist so still.«

»Fühlst du dich gut genug für einen Spaziergang?«

»Meinst du, es gibt hier irgendwo eine Schubkarre?«

»Kann sein.« An der Hauswand lehnte eine von diesen großen Kunststoffkarren mit zwei Rädern vorn, die sie stabiler machten. Ich spritzte sie mit einem Gartenschlauch sauber und setzte Abbie mit dem Gesicht nach vorn hinein. »Ihr Wagen, Madam.« Ich reichte ihr eine Flasche Wasser. »Und trink das.« Je mehr Flüssigkeit ich in sie hineinbekäme, umso besser würde sie sich fühlen. Es würde den Blutdruck stabilisieren und helfen, all die Gifte, die wir ihr verabreichten, herauszuspülen.

Sie steckte die Flasche zwischen ihre Beine, hielt sich an den Karrenseiten fest und machte mit einem Arm eine peitschende Bewegung. »Hü!«

»Nett. Wirklich nett.«

Ich schob sie einen knappen Kilometer am Rand der Uferböschung entlang, links von uns war der Fluss, rechts hüfthohes Gras. Alle paar Minuten musste ich stehen bleiben, um mir einen festeren Griff zu verschaffen. Aufrecht zu sitzen und zu trinken tat ihr offenbar gut. Es brachte Farbe in ihr Gesicht.

Wir gelangten um die Flussbiegung, unterhalb des Schaukelseils. Rechts vor uns, gut hundert Meter entfernt im Wald, stand die erste Wohnwagenreihe. Die Trailer waren seit langem verlassen und fast völlig von Ranken überwuchert, die wie lange, nasse Haarsträhnen aussahen.

Wir arbeiteten uns durchs Gebüsch, streiften mit den Schienbeinen den Farn und kamen auf die Lichtung. Noch vor meiner Geburt hatte jemand zwölf abgewrackte Wohnwagen im Kreis aufgestellt – dicht nebeneinander wie entgleiste Eisenbahnwaggons. In der Mitte an der Feuerstelle hatten alle ihre Autos abgestellt, Abfälle fortgeworfen, Kippen in die Gegend geschnippt und Flaschendrehen gespielt. Eine ziemlich ungesunde Umgebung. Früher hatten die Wohnwagen alle einem bestimmten Mann gehört – dem Vermieter sozusagen –, der von Instandhaltung schon damals so viel gehalten hatte wie heute. Ich schob Abbie in die Mitte und drehte mich langsam im Kreis. Es war ein Gefühl, als hätte sich jemand auf meine Brust gestellt.

Die Bäume waren gewachsen und ragten nun hoch über

die Wohnwagen hinaus. Dadurch war ein Blätterdach mit viel Schatten und wenig direktem Sonnenlicht entstanden, das alles ziemlich kühl und feucht hielt. Sie trank aus der Wasserflasche. »Welcher war eurer?«

Ich zeigte darauf. An allen Seiten hatte sich Giftefeu daran hochgerankt. Dreiblättrig mit rotem Stamm. Jede Berührung damit würde mir zwei Wochen lang Pusteln und Juckreiz eintragen. Die Ranken bildeten ein dichtes Geflecht, das sich irgendwo oben zusammenschloss. Was nicht überwuchert war, hatten Schimmel und Moder entfärbt. Alle Glasscheiben waren zerbrochen, die Tür verschwunden, die drei Eingangsstufen nirgendwo zu sehen und die Wände wie bei den meisten anderen Wagen von Schrotkörnern durchlöchert.

»Wo war dein Zimmer?«

Ich schob sie an die Rückseite und schaute auf den Fensterrahmen, in dem früher mein Ventilator gehangen hatte. Das klaffende Loch ließ vermuten, dass jemand ihn gestohlen hatte. »Genau hier war mein Ventilator. Er kühlte zwar nicht sonderlich, ratterte aber ziemlich laut. Ich stellte ihn oft auf die höchste Stufe, um den Lärm zu übertönen – von drinnen wie von draußen.«

Abbie nickte und fragte: »Und was ist mit der Bank?«

Der Pfad war unter hohen Kräutern, umgefallenen Bäumen und zwei Meter breiten Netzen handtellergroßer Bananenspinnen nahezu verschwunden. Mit einem langen Stock zog ich die Spinnweben herunter, als wollte ich Zuckerwatte machen, und warf ihn anschließend beiseite. Abbie beobachtete die Spinnen und zog die Beine bis an ihre Brust. Wie ein Bulldozer pflügten wir uns durch das Gras, und zwei Mal musste ich Abbie über einen toten Baumstamm heben. Während sie nervös mit einem Zweig über den oberen Karrenrand strich, schob ich sie auf die Lichtung oberhalb des sandigen Steilufers.

Unter dem Ast einer Virginia-Eiche, der über den Fluss ragte, stand die anderthalb Meter breite Bank aus einem der Länge nach halbierten Eichenstamm, der auf zwei Pfählen ruhte. Holzfäule hatte die Stützen wegbrechen lassen, und den Sitz hatten größtenteils die Würmer zerfressen. Als ich meinen Fuß auf die Mitte stellte, zerbröselte das Holz, das zu weich und zu durchnässt war, um zu brechen.

Ich stand da und starrte auf den Anker meiner Erinnerungen. Abbie kletterte aus der Schubkarre, schlang die Arme um meine Taille, legte den Kopf an meine Schulter und betrachtete die Überreste der einstigen Bank. Gerade wollte sie etwas sagen, als ich ein vertrautes Geräusch hörte.

In dieser Gegend nannte man es die »Schlupf«. Es hörte sich an wie ein entferntes Auto, das sich mit quietschenden Bremsen näherte. Allein schon der hohe Ton verursachte einem Gänsehaut. Die »Schlupf« war ein wiederkehrendes Ereignis, bei dem die Mücken ihre Eier legten. Im träge fließenden Wasser und in den stillen Tümpeln waren die Larven sicher. Und wenn sie fertig waren mit dem, was auch immer sie tun mochten, schlüpften sie zu Zehntausenden gleichzeitig, tanzten in Schwärmen in der Luft und gaben dieses für Mücken typische hohe Sirren von sich. Normalerweise hörte man es erst, wenn sie dicht am Ohr waren, aber bei fünfzigtausend war das anders. Da waren sie schon aus vierzig Meter Entfernung zu hören. Das Schwärmen war ein Zeichen, dass sie hungrig waren, und Stechmücken fraßen eigentlich nur eines. Abbie hörte es ebenfalls. »Sind wir in der Nähe eines Highways?« Ich schüttelte den Kopf und dachte über den schnellsten Fluchtweg nach. »Was ist denn das für ein Geräusch?«

In diesem Moment erreichten sie uns. Meine Haut und meine Haare wurden schwarz. Ich packte Abbie, setzte sie in die Schubkarre und lief den Hang hinunter. Mit jedem Atemzug schluckte ich Mücken. Abbie schrie und schlug um sich, während die Mücken mir in Nase, Ohren und Augen flogen und mich durch die Kleider oder in die nackte Haut stachen. Innerhalb von Sekunden brannte mein ganzer Körper. Wir rollten den Hang hinunter, durch das hohe Gras und über die freie Fläche am Haus in die zukünftige Garage. Als wir das Haus erreichten, hatten sich die meisten Mücken verzogen; nur wenige folgten uns hinein, aber noch immer umschwirrte mich eine ganze Wolke. Ich hob Abbie aus der Karre, ging die Treppe hinauf ins Haus, setzte sie im Wohnzimmer ab und rieb oder klopfte auf ihre Beine, während sie mir auf Schultern und Gesicht schlug. Sechs oder acht Mal klatschte sie mir die Hand ins Gesicht, von Mal zu Mal fester. Abbie hasste Mücken. Als sie mich wieder schlagen wollte, packte ich ihre Hand. »Schatz ... das hilft nichts.« Blut tropfte aus meinem Mundwinkel, wo sie mich geschlagen hatte. »O ... ups.« Sie fing an zu lachen. Ich strich ihr die letzten Mücken von ihrem rechten Bein und setzte mich. Da die Kerle am Fluss fast unsere gesamte Ausrüstung ins Feuer geworfen hatten, hatte ich keine Antihistamine für den Fall, dass Abbie mit Schwellungen auf die Stiche reagieren sollte. Ich suchte ihre Arme, Beine, Hals und Gesicht nach Anzeichen wachsender Beulen ab, fand aber keine. Keine einzige. Ich schwoll dagegen überall an und sah aus, als hätte mir jemand einen Luftschlauch in die Nase gesteckt und mein Gesicht aufgeblasen. Ich zog mein Shirt aus, und Abbie fing an, die Stiche von meiner Taille aufwärts zu zählen. Als sie bei hundert war, gab sie auf. Schließlich setzte sie sich auf die Fersen und kaute an einem Fingernagel. »Ach, Chris. Tut es weh? Es sieht schmerzhaft aus. Tut es sehr weh?«

Ihr Adrenalinspiegel war hoch, sie sprach hastig. Ich schloss die Augen und legte mich auf den Betonboden; in meinem Blut war genügend Mückengift, um ein kleineres Tier zu töten. Ich nieste die letzten Mücken aus. »Nein, Schatz.« Meine Lippen wurden taub und dick. »Es fühlt sich gut an.«

»Na ja, ich wollte schon immer gern wissen, wie du als Baby aussahst. Jetzt weiß ich es.« Sie musterte ihre Arme und Beine und wunderte sich, dass sie keine Stiche abbekommen hatte. »Ich nehme an, Mücken spüren den Unterschied.«

»Welchen Unterschied?«

»Zwischen vergiftetem und nicht vergiftetem Blut.«

ॐ

Mein nostalgisches Wiedersehen war vorbei. Mein Gesicht brannte wie Feuer und mein linkes Ohr und Auge waren fast zugeschwollen. Meine Hände und Finger waren so dick, dass das Paddel sich doppelt so groß anfühlte wie noch vor einer Stunde. Wenn ich aus meiner Haut hätte schlüpfen können, hätte ich es sofort getan. Ich belud das Kanu und stieß kopfschüttelnd ab.

Der Blick flussabwärts hatte sich verändert, aber die Grundzüge der Landschaft nicht. Die Bäume, die vor Louisianamoos schwankten, waren höher und beugten sich weiter über den Fluss, aber noch immer machte der Fluss eine sanfte Biegung nach rechts und verschwand gut vierhundert Meter entfernt, wo der Horizont mit der durchgehenden Linie der Baumwipfel verschmolz. Hoch über mir auf der rechten Seite zog die zerbröselte Bank vorüber.

Ich schaute nicht hin. Nach zwei weiteren Paddelstichen atmete ich tief ein und hielt die Luft an. Ich prägte mir die Aussicht ein, schloss die Augen und konzentrierte mich auf das eine, ohne das ich nicht leben konnte.

Sie hielt mich dort lange fest an sich gedrückt. Vielleicht drei Minuten. Als ich ausatmete, spürte ich gar nichts.

19

Die Sonne lauerte hinter Fort Sumpter und kroch an der Ufermauer herauf, während wir redeten, träumten und überlegten, was wir ihren Eltern sagen sollten. Ich konnte mit oder ohne große Charlestoner Hochzeit leben – mir war alles recht, was Abbie wollte. Aber man musste kein wissenschaftlicher Überflieger sein, um zu wissen, dass sie und ihre Mutter einen Schlichter brauchen würden, um sich über die Details der Hochzeit zu einigen – zumal sie nicht damit einverstanden war. Sie würden sich zwangsläufig streiten. Und falls ihr Vater sich einschalten sollte, dann gnade uns Gott.

Ein Citybus hielt hinter uns mit metallisch kreischenden Bremsen und ließ eine junge Mutter und ein Mädchen mit Pferdeschwanz, pinkfarbenem Rucksack und ebensolchen Schuhen einsteigen. Die pneumatischen Bremsen zischten, der Bus fuhr ab, und Abbie nahm mein Gesicht zwischen ihre Hände. »Lass uns sofort gehen.«

»Was, heute?«

»Jetzt, sofort.«

»Möchtest du denn nichts planen?«

»Chris, ich will dich heiraten, seit ich dich zum ersten Mal gesehen habe. So, jetzt heirate mich auf der Stelle.«

»Schatz, kein vernünftiger Pfarrer oder Priester wird uns einfach so auf der Stelle trauen.«

»Chris, ich muss nicht in der Kirche heiraten. Gott weiß,

wie es in meinem Herzen aussieht.« Sie lachte. »Er ist es wahrscheinlich schon leid, ständig von dir zu hören – ich bitte ihn schon fast mein Leben lang um dich.«

Die Vorstellung verblüffte mich. »Wirklich?«

Sie hielt mein Gesicht in ihren Händen. »Und ich habe dich schon geliebt, lange bevor ich dir begegnet bin.«

Da war es wieder. Dieses Etwas, das meine Frau ausmachte. »Wo denn? Wen?«

»Das weiß ich nicht, aber du lässt dir besser was einfallen.« Sie tippte auf ihr uhrloses linkes Handgelenk. »Die Uhr tickt.«

»Aber Abbie, ich habe doch gar keinen Ring.«

Sie stemmte die Hand in die Hüfte. »Also, du hättest wirklich ein bisschen vorausplanen können.« Sie knabberte an ihrer Lippe. »Ich habe jede Menge. Wir nehmen einen von meinen.«

»Ich heirate dich doch nicht mit einem deiner eigenen Ringe.«

»Hast du einen anderen Vorschlag?«

»Na ja, wir sind hier in Charleston. Und es ist der Freitag nach Thanksgiving. Feiertag. Der größte Shopping-Tag des Jahres.«

»Wenn wir hier in der Gegend einkaufen gehen, wird es sich herumsprechen, und kaum dass wir aus dem ersten Laden raus sind, warten meine Eltern schon im zweiten auf uns.«

»Was ist mit einem Ort, wo wir uns umschauen könnten, ohne richtig zu suchen?«

»An was denkst du?«

»Sklavenmarkt.«

»Perfekt.«

Wir gingen die Ufermauer entlang zum Sklavenmarkt,

wo die Frauen schon eifrig ihre Körbe flochten. Er erstreckte sich über eine Länge von mehreren Häuserblocks und eine Breite von einem halben Block und war mittlerweile ein ganz gewöhnlicher Markt. Die Händler öffneten schon ihre Kisten und breiteten die Waren auf den Ständen aus – eine Mischung aus Flohmarkt, Kunsthandwerksladen, Antiquitätengeschäft und Souvenirshop mit allerlei Sport-Fanartikeln. Es war der letzte Ort auf Erden, an dem eine Dame wie Abbie einen Ring kaufen würde. Die durchbrochenen Backsteinmauern ließen frische Luft durch, schützten aber den Basar vor Wind und Wetter. Wir gingen Hand in Hand hinein. »Weißt du«, sagte sie, »eigentlich hat man hier nie Sklaven verkauft.«

»Wieso heißt er dann Sklavenmarkt?«

»Weil hier die Sklaven von den Schiffen gebracht wurden, bevor man sie zur Versteigerung anderswohin schaffte. Später verkauften Sklaven hier ihre Waren.« Sie überlegte ein Weilchen. »Obwohl, aus Sicht der Sklaven ist das wohl nur Wortklauberei, schätze ich. Irgendwo hat eben ein Geschäft stattgefunden.«

»Woher weißt du das alles?«

Sie wirbelte herum und sang leise: »*I'm Charleston born and Charleston bred and when I die ...*«

»Ich weiß, ich weiß.«

Sie zog an meinem Arm und führte mich an die Auslage einer Frau, die Silberbesteck verkaufte. Das meiste hieß *Old Orange Blossom*. In einem Kasten am Ende der Auslage hatte sie etwa ein Dutzend alter, schlichter Silberringe. Abbie setzte ihre Sonnenbrille auf und schaute sie sich an.

Die Frau fragte: »Kann ich helfen?«

Abbie deutete auf die Ringe. »Ist das Silber?«

Die Frau schüttelte den Kopf. »Platin.«

»Darf ich?«

Nickend holte die Frau das Tablett mit den Ringen aus der Auslage. Abbie probierte mehrere an, bis sie einen passenden gefunden hatte. Auf dem Preisschildchen stand »280 $«. »Haben Sie auch welche in Herrengrößen?«, fragte Abbie.

Lächelnd holte die Frau ein anderes Tablett aus der Auslage und schaute mich an. »Kennen Sie Ihre Größe?«

Ich schüttelte den Kopf.

Sie musterte meinen Finger. »Sie haben elf oder etwas nahe dran. Probieren Sie den mal.« Sie schob mir den Ring auf den Finger. Er ging nur widerstrebend über meinen Knöchel, aber ich konnte ihn nicht mehr abstreifen.

»Wird das gehen, bis ich dir einen richtigen Ring kaufen kann?«, fragte ich Abbie und warf einen flüchtigen Blick zu der Frau hinüber. »Das ist nicht beleidigend gemeint, Ma'am.«

Sie lachte. »Habe ich auch nicht so aufgefasst.«

Abbie drehte den gebrauchten Ring an ihrem Finger. »Chris, ich brauche keinen Diamanten.«

»Abbie, jedes Mädchen verdient einen Diamanten.«

»Gut, dann behalte ich diesen, bis der Tag mal kommt. Und dann trage ich beide.«

»Wie viel kosten die beiden?«, fragte ich.

»Normalerweise 400 Dollar, aber heute gibt's einen spontanen Rabatt von 25 Prozent.«

»Gekauft.«

»Soll ich sie als Geschenk einpacken?«

In Wirklichkeit hatte sie nicht vor, sie als Geschenk zu verpacken, sondern war nur neugierig, das war uns allen klar. »Nein danke. Sie würden ohnehin nicht lange eingepackt bleiben.«

Ich gab der Frau meine Kreditkarte, unterschrieb, steckte die beiden Ringe in meine Hosentasche und steuerte mit Abbie das Gefängnis an.

Es war der Freitag nach Thanksgiving. Ein Feiertag. Die Gerichte blieben also geschlossen, und die meisten Richter waren zum Angeln oder Golfspielen gefahren. Umgeben von so viel Geschichte, erinnerte ich mich an meinen Geschichtsunterricht der zwölften Klasse. Die Magna Charta verlangt, dass ein Festgenommener innerhalb von 24 Stunden einem Richter vorgeführt wird. Charleston war zwar kein Brennpunkt der Kriminalität, aber sicher hatte an Thanksgiving mindestens ein Mensch Dummheiten gemacht.

Wir lauerten durch das Fenster in »Gerichtssaal 1«, wo Honorable Archibald Holcomb Fletcher III. zu Gericht saß. Abbie grinste verschmitzt. »Komm mit. Den habe ich in der Tasche.« Wir warteten ruhig, bis Richter Fletcher drei Kids abgehandelt hatte, die dabei erwischt wurden, als sie ein Kutschpferd mit blauer Farbe einsprühten; anschließend kümmerte er sich um zwei Fälle von Fahren unter Alkoholeinfluss. Als der Gerichtssaal sich leerte, schaute er Abbie über den Brillenrand an. »Abigail, was machst du mit diesem jungen Mann in meinem Gerichtssaal?« Ich hatte das Gefühl, dass er eigentlich nicht zu fragen brauchte.

»Heiraten.«

Er lachte. »Nicht in meinem Gericht. Dein Dad zieht mir das Fell über die Ohren. Wie übrigens ganz Charleston.«

»Euer Ehren, ich mache es Ihnen leichter. Entweder Sie trauen uns …«, sie lächelte verschmitzt und hob eine Augenbraue, »… oder nicht.«

Er war sich nicht sicher, welchen Trumpf sie in der Hand

hatte, und stockte. Ihr Ton sagte ihm, dass sie etwas über ihn wusste, aber er wollte sie lieber nicht fragen, was sie meinte, dann hätte er nämlich zugeben müssen, dass er etwas zu verbergen hatte. »Habt ihr eine Lizenz?«

Abbie schüttelte den Kopf. »Nein.«

»Dann müsst ihr warten, bis die Ämter am Montagmorgen geöffnet sind. 8.30 Uhr. Nachdem ihr den Antrag gestellt habt, gibt es eine 24-stündige ...«, er fächerte seine Hände in der Luft, »Abkühlzeit. Sie ist vorgeschrieben, damit so ungestüme junge Leute wie ihr ...«, er musterte mich, »keine Dummheiten machen. Bis dahin rufe ich erst mal deinen Dad an und vergewissere mich, dass er mit dem allem ...«, er schwenkte den Finger in meine Richtung, »einverstanden ist.«

»Richter Fletcher?« Er verschränkte die Arme. »Hat mein Daddy Sie nicht immer anständig behandelt? Hat er Ihnen nicht geholfen, zwei Mal wiedergewählt zu werden?«

Er nickte. »Und genau deshalb werdet ihr nicht in diesem Gerichtssaal heiraten.«

»Ich will gar nicht in diesem Gerichtssaal heiraten. Ich möchte da unten in der kleinen Laube heiraten.«

Er stand auf. »Abbie, Mädchen.« Er schwenkte den Hammer in der Luft. »Das ist eine verdammt billige Geschichte. Du brauchst eine richtige Hochzeit. St. Michaels, weißes Kleid, Dudelsack, Pfarrer.«

Abbie schlug die Beine übereinander und musterte ihre Fingernägel. Nach einer Weile schaute sie auf. »Zwei Dinge. Erstens: Egal, wo ich heirate, wird es im Angesicht Gottes sein, also mache ich mir um seinen Segen keine Sorgen. Zweitens: Im Laufe der Jahre habe ich eine ganze Menge Reporter kennengelernt, Euer Ehren. Viele hier aus der Stadt. Und da sie wissen, dass sie Sie auf ihrer Seite haben müssen, drücken sie vermutlich beide Augen zu, was Ihre Pokerspielchen dienstagabends angeht. Obwohl ich mir denken könnte, dass die Kammer von South Carolina gern etwas darüber erfahren würde. Aber ich denke, Ihre lange Heimfahrt auf weiten Umwegen dürfte sie noch mehr interessieren. Wie lange braucht man mit dem Auto für knapp zwei Kilometer? Mrs Cathers Haushälterin sagt, es kann manchmal vier bis fünf Stunden dauern. Und wenn Mr Cather nicht in der Stadt ist, sogar noch länger.« Sie grinste von einem Ohr bis zum anderen. »Und wenn man bedenkt, dass er zu Hause ist, wenn Sie um sein Poolhaus herumschleichen … Also, ich bin ja kein Reporter, aber ich kann mir vorstellen, dass das die Schlagzeile in jeder Tageszeitung von South Carolina wird.«

Ich raunte aus einem Mundwinkel: »Erinnere mich, dass ich nie mit dir Poker spiele.«

Er schaute mich an. »Wie heißen Sie, mein Junge?«

»Chris Michaels, Euer Ehren.«

»Ihnen ist ja wohl klar, dass ihr Schwiegervater Sie bei lebendigem Leib häuten und vierteilen, Ihnen den Kopf abschlagen und am Stadttor pfählen wird, wenn Sie das hier durchziehen.«

Das fasste es recht gut zusammen. »Ja, Sir.«

»Wie alt sind Sie?«

»Zweiundzwanzig.«

»Und Abbie?«

»Ebenfalls, Sir.«

Er warf seinen Hammer auf den Tisch. »Kommt mit.« Seine Absätze klapperten auf den Fliesen. Wir kamen an eine Tür, auf der »Standesamt« stand. »Wartet da am Fenster«, befahl er und schob die Tür auf wie den Schalter in einer Arztpraxis.

Ich gab ihm unsere Führerscheine und Geburtsurkunden. »Siebzig Dollar«, sagte er. »Wir nehmen weder Kreditkarten noch Schecks.«

Ich reichte ihm siebzig Dollar in bar, und er füllte für uns die Anträge aus. Fünf Minuten später standen wir, umrankt von verstaubten Seidenblumen, in der Laube. Sie nahm eine Ecke des kleinen, vertäfelten Raums ein, war umrahmt mit 5 mal 10 Zentimeter starken Kanthölzern und gewölbt wie ein Tunnel, mit Bändern umwickelt und mit uralten Weihnachtslichterketten geschmückt, die sporadisch flackerten. Davor standen zwei Bänke. Abbie schaute sich um und lachte. Richter Fletcher hielt in einer Hand einen Ausdruck des Ehegelübdes und schaute Abbie über den Rand seiner Lesebrille hinweg an. »Dir ist klar, was du deiner Mutter damit antust?«

Abbie hakte sich bei mir ein. »Bei allem Respekt, Richter Fletcher, meine Mutter heiratet hier nicht.«

»Ich muss das nicht machen, das ist dir klar.« Eigentlich wollte er damit sagen, dass es keineswegs ein Schuldeingeständnis war, wenn er uns traute, was es natürlich doch war. Er wollte sich damit nur herauslavieren.

Lächelnd holte sie ihr Handy aus der Tasche.

Er wandte sich an mich. »Wissen Sie, das hat sie von ihrem Vater.«

»Ja, Sir.«

»Sie machen mir doch einen ganz gescheiten Eindruck. Fangen Sie ja nicht an, mit Ihrem Schwanz zu denken. Bringen Sie sie nach Hause, geben Sie sie bei ihren Eltern ab und sehen Sie zu, dass Sie Land gewinnen.«

Abbie stemmte die Hände in die Hüften. »Sie müssen gerade reden – ein Vorbild an Besonnenheit. Euer Ehren, das ist einer der ganz wenigen Jungs, die ich kennengelernt habe, die nicht mit dem Schwanz denken. Von ihm könnten Sie noch einiges lernen.«

Ich wisperte aus dem Mundwinkel: »Na ja, ein bisschen vielleicht doch.«

Lächelnd raunte sie zurück: »Ein bisschen ist okay.«

Er räusperte sich. »Wir sind heute hier zusammengekommen, um Zeuge zu werden, wie dieser Mann und diese Frau in den Stand der Ehe treten, ein ehrbarer Bund, den man *nicht* …« Er musterte uns über den Brillenrand hinweg. Es war eher ein Stirnrunzeln als ein Lächeln. »… unbedacht oder leichtsinnig, sondern ehrfürchtig und umsichtig eingehen sollte und in dem diese beiden hier Anwesenden nun vereint werden. Chris Michaels und Abigail Coleman, wenn es euer Wille ist, miteinander Freud und Leid zu teilen und alles, was die Jahre bringen, so bindet euch nun mit euren Gelübden aneinander als Mann und Frau.«

Ich hörte ihn *Freud und Leid* sagen, aber eigentlich hatte ich keine Ahnung, wovon er redete.

»Chris.«

»Ja, Sir.«

»Willst du Abigail Grace Eliot Coleman zu deiner dir rechtlich angetrauten Ehefrau nehmen.«

»Ja, Sir.«

»Noch nicht, mein Junge.« Ich nickte. »Willst du Abbie zu deiner dir rechtlich angetrauten Ehefrau nehmen? Willst du sie lieben, umsorgen, ehren, ernähren, allen anderen entsagen und nur bei ihr bleiben, so lange ihr beide lebt?«

»Ich will.«

»Abbie, willst du Chris zu deinem dir rechtlich angetrauten Ehemann nehmen? Willst du ihn lieben, umsorgen, ehren und ernähren und allen anderen entsagen und nur bei ihm bleiben, so lange ihr beide lebt?«

»Ich will«, sagte Abbie, während mir die Worte *so lange ihr beide lebt* durch den Kopf ratterten.

»Abbie, sprich mir nach.« Ihre Augen waren feucht. Am liebsten hätte ich sie weggebracht, zu einer richtigen Hochzeit. Abbie hätte Weiß tragen sollen. Nicht Jeans und ein weißes T-Shirt. Sie hätte eine lange Schleppe hinter sich herziehen und von fünfzehn schniefenden Freundinnen umgeben sein sollen, die sich um jeden ihrer Wünsche kümmerten. In der Kirche hätte es Unmengen Blumen geben sollen, eine Orgel, einen Solisten, einen Dudelsackpfeifer, einen Priester in langem Talar, Blumenmädchen, einen Ringjungen ... Aber in jedem Szenario, das ich im Kopf entwarf, tauchten ihre Eltern auf. Und dann wären Abbies Tränen der Rührung und ihr Lächeln verschwunden. Abbie hätte es aus Pflichtgefühl über sich ergehen lassen, und rückblickend hätten wir keine Freude empfunden. Ihr Strahlen, umrahmt von dieser billigen Laube und den uralten, vergilbten Lichterketten, hätte sich nirgendwo gezeigt, wo ihre Mutter und ihr Vater eine Rolle gespielt hätten.

Rückblickend denke ich manchmal, ich hätte vielleicht einschreiten und einen Frieden vermitteln sollen, aber ich war damals nicht stark genug, ihrer Familie die Stirn zu bieten. Ich hätte auch gar nicht gewusst, wie, und um ehrlich zu sein, war ihr Frieden mir egal. Mir lag an Abbies Frieden.

Abbie sprach das Ehegelübde nach, und da war es wieder: *nur bei ihm bleiben, so lange ihr beide lebt.*

Richter Fletcher gab mir ein Zeichen. »Ich, Chris, nehme dich, Abbie, zur Frau. Ich gelobe, dir immer zur Seite zu stehen und beizustehen in guten wie in schlechten Zeiten.

In Krankheit und Gesundheit will ich mit dir leben und dich lieben, so lange wir beide leben.«

Während meine Lippen sich bewegten und meine Stimmbänder die entsprechenden Laute produzierten, drängte aus meinem Herzen eine Frage heraus. Warum, weiß ich nicht, es war einfach so. *Woher weiß sie, dass ich es ernst meine, bevor ich es nicht getan habe? Ich meine, woher weiß sie das?*

Abbie hielt meine Hände. »Ich, Abbie, nehme dich, Chris …« Schweiß trat auf ihre Oberlippe, eine Vene pochte an ihrer rechten Schläfe, eine Träne rann über ihr Gesicht, und ihre rechte Hand zitterte. Das sagte mir zweierlei: Aus dem Nichts hatte sich bei ihr gerade eine Migräne eingestellt, und das an sich sagte mir alles, was ich wissen musste. Abbie ging aufs Ganze. Sie setzte ihr Leben.

Richter Fletcher räusperte sich. »Seit Urzeiten ist der Ring ein Symbol ehelicher Liebe. Als vollkommener Kreis symbolisiert er die unendliche Liebe, die ihr euch gelobt habt.« Er bohrte mir den Finger in die Schulter. »Mein Junge, hast du die Ringe?« Ich zeigte sie ihm auf der offenen Handfläche. »Gut. Schiebe ihren Ring halb auf ihren Finger und sprich mir nach.« Als ich Abbie den Ring über den ersten Knöchel schob, merkte ich, dass sie über das ganze Gesicht strahlte. Da traf es mich wie ein Schlag. Sie brauchte kein Weiß. Sie verdiente es zwar, aber sie brauchte es nicht.

»Diesen Ring gebe ich dir zum Zeichen …«, ich schob ihn ihr über den Knöchel und drückte ihn sanft an ihren Fingerrücken, »meiner standhaften Treue und immerwährenden Liebe.« Wer diesen Ring vorher auch immer besessen haben mochte, hatte ihn nur geborgt, denn er passte, als sei er für sie gemacht.

Und bis heute hat sie ihn nie abgelegt.

Abbie schob mir den Ring über den ersten Knöchel und sprach dem Richter nach. Dabei leuchteten ihre Augen. Trotz ihrer öffentlichen Auftritte und der Tatsache, dass sie schon früh die Welt praktisch erobert hatte, war sie privat und emotional eher vorsichtig. Aber unter dieser Laube kam sie aus der Muschel, in der sie sich verschanzt hatte.

Seufzend faltete der Richter den Ausdruck zusammen. Seine Nasenhaare waren lang, lockig und gaben ein leises Pfeifen von sich, wenn er einatmete. Er schaute uns beide kopfschüttelnd an und runzelte die Stirn. »Nachdem ich eure Gelöbnisse der Zuneigung gehört habe, erkläre ich euch nun kraft meines Amtes zu Mann und Frau.« Er hob die Augenbrauen. »Glückwunsch. Sie dürfen die Braut jetzt küssen.«

⌁

Obwohl wir uns nach Kräften um Geheimhaltung bemüht hatten, sprach es sich schnell herum. Wir hatten das Gerichtsgebäude noch nicht verlassen, als schon Abbies Handy klingelte. Als sie den Anruf nicht annahm, klingelte meins.

Sie lehnte sich an mich. »Kannst du mich irgendwo hinbringen, wo niemand uns findet?«

»Ich weiß nur einen Ort, und der ist nicht sonderlich glamourös.«

»Glamour hatte ich schon.«

Also brachte ich sie an den einzigen Ort, den ich gut kannte. An den Fluss.

Das ist vierzehn Jahre her. Mein Ring vom Sklavenmarkt ist verkratzt, matt und an den Rändern dünn geworden. Ich weiß nicht, wer diese Gelübde geschrieben hat, aber es muss jemand gewesen sein, der lange verheiratet war, denn wir haben Freud und Leid geteilt, etwas Gesundheit und viel Krankheit erlebt.

Und jedes Mal wenn ich an jenen Tag zurückdenke, merke ich, dass ich ihn ändern möchte.

20

Stokes Bridge, eine fast schon attraktive einspurige Betonbrücke, spannte sich über die verrottenden Überreste alter Brückenpfeiler, die mittlerweile halb verfallen waren und nur noch knapp über die Wasseroberfläche ragten. Zu beiden Seiten erstreckten sich sanft gewellte weiße Strände, auf denen Pappeln, ausladende Virginia-Eichen, Hartriegel und Sumpfkiefern wuchsen. Während der Woche waren sie meist menschenleer, aber das änderte sich, sobald der Freitag kam. Als die Brücke hinter einer Biegung in Sicht kam, rochen wir schon Lagerfeuer und hörten Gelächter. Ein halbes Dutzend Feuer, deren Schein sich in Getränkedosen und braunen Glasflaschen widerspiegelten, und vereinzelte Zigarettenglut erhellten den Strand. Zwei Dutzend Trucks mit Reifen, größer als die Motorhaube eines Buick, reihten sich am Ufer, und auf den Pritschen stapelten sich Kühlboxen voller Bier. Offenbar hatten alle denselben Countrymusik-Sender eingeschaltet. Als wir unter der Brücke hindurchglitten, ging die Musik gerade von einer Kenny-Chesney-Nummer in einen alten Hank-Junior-Song über. Gut fünfzig kernige Jungs ohne Hemden und ihre spärlich bekleideten Freundinnen gruppierten sich um die Lagerfeuer. Einige schwammen, und abseits im Schatten badete ein Pärchen nackt. Drei langhaarige Hippietypen standen oben am Brückengeländer. Sie heulten den Mond an, zählten bis drei und sprangen dann die gut drei Meter in den Tümpel unter der Brücke hinunter. Am gegenüberliegenden Ufer versuchten ein junger Mann und ein Mädchen, sich an eine Seilschaukel zu hängen, während unter der Brücke ein verloren wirkender Einzelgänger sich schon zur Hälfte durch eine Riesenflasche Jack Daniels gearbeitet hatte. Wir hielten uns im Schatten so weit wie möglich vom Strand entfernt. Neben einem Grill stand ein rundlicher Kerl mit einer Kappe der Georgia Bulldogs und wendete Hamburger, Hotdogs und etwas, das nach Würstchen aussah. Neben ihm ließ eine ziemlich dicke Bikerbraut im Bikini die Beine aus dem offenen Heck eines Wagens baumeln, in der Hand eine langhalsige Flasche in einer Kühlhülle.

Ich winkte, wich aber jedem Blickkontakt aus. Der Bursche am Grill brüllte übers Wasser: »He, habt ihr Hunger?« Kopfschüttelnd winkte ich ab und hielt mich dicht am gegenüberliegenden Ufer. Er trat einen Schritt vom Grill weg, aus dem Rauch, und tippte sich an die Kappe. »Seid ihr schon lange unterwegs?«

Ich nickte und paddelte weiter. Noch zweihundert Meter, dann konnten wir im Schatten untertauchen. »Eine ganze Weile.«

Grinsend schwenkte er sein Bier. »Na, dann kommt doch rüber und macht Rast. Wieso habt ihr es so eilig?«

Ich schüttelte entschiedener den Kopf. »Danke, wir fahren nur vorbei.« Der Vollmond stand hoch am Himmel. »Wir wollen das Licht nutzen, solange es da ist.«

Der Rauch vom Grill wehte über den Fluss, stieg mir in die Nase und ließ mein Gehirn Signale an meinen Magen senden. In diesem Augenblick hielt ein Truck, der mehr

Lichter hatte als eine Landebahn, mitten auf der Brücke und drehte *Sweet Home Alabama* auf eine Lautstärke, wie ich sie noch nie aus einem Auto gehört hatte. Es klang wie ein Rockkonzert.

Ausnahmslos standen sämtliche Männer am Strand und im Wasser auf, nahmen ihre Kappen ab, legten die Hand ans Herz und grölten aus vollem Hals mit, während viele der Mädchen ihre Feuerzeuge herausholten und die Flämmchen schweigend über ihren Köpfen schwenkten. Diese Gegend hieß Redneck Riviera, das Lied galt als Redneck-Hymne, und sie erwiesen ihr »Respekt«.

Manche saßen im Supermarkt an der Kasse, räumten Regale im Ersatzteillager eines Autohändlers ein, stapelten Futtereimer beim örtlichen Eisenwarenhändler, arbeiteten bei der Forstverwaltung oder als Schweißer, Hufschmied und Landpostbote oder verkauften Vieh, Immobilien oder wohl eher Bauholz. Sie redeten langsamer, machten aus einer Silbe oft fünf, benutzten Sätze, die scheinbar keinen Sinn ergaben, kauten Copenhagen-Kautabak und tranken gleichzeitig Bier und hatten nicht die geringste Lust, die hektische New Yorker Zeitrechnung zu verstehen. Zugegeben, College-Abschlüsse waren nicht gerade die Regel, Doktortitel selten, und Fremde, die über die Brücke fuhren, sahen in ihnen kaum mehr als einen Haufen betrunkener Rednecks. Aber man sollte diese kulturellen Unterschiede nie mit Ignoranz oder Dummheit verwechseln. Unter dem schwerfälligen Äußeren verbarg sich gesunder Menschenverstand, Genügsamkeit, Sinn für Humor und die Bereitschaft, das letzte Hemd zu geben – sie waren das Salz der Erde. Wer es nicht eilig hatte und sich dazusetzte, hatte bald einen vollen Bauch und Lachfältchen im Gesicht.

Abbie hob den Kopf. »Du hältst wohl besser.«

»Schatz …«

»Komm mir nicht mit ›Schatz‹. Halt an, oder ich tanze mit unserem Chefkoch da drüben.«

Ich ließ das Kanu knapp abseits der Lagerfeuerfunken auf den Strand gleiten und half Abbie auf die Füße. Sie schwankte leicht, bis der Schwindel nachließ. Zwischen annähernd hundert Leuten, die am Strand und im Wasser tanzten, schlang sie ihre Arme um meinen Nacken. »Ich gehe nach oben, du tanzt unten.«

»Einverstanden.«

Wir tanzten mit den anderen zu *Freebird*, Waylon und Willies *She's a Good Hearted Woman*, Don Williams *Lord I hope this Day is Good* und AC/DCs *You Shook Me All Night Long*. Am Ende lachte Abbie, sang mit und hielt sich an mir fest. Ich hob sie auf und tanzte mit ihr über den Strand. Da ich den ganzen Tag noch nichts gegessen hatte, legte ich sie auf den Sand und sank neben ihr auf den Boden, als der Flughafentruck schließlich die Brücke verließ. Der Chefkoch tauchte über meiner Schulter auf, reichte mir die Hand und sagte: »Ich bin Michael, aber hier sagen alle nur ›Link‹ zu mir.« Er reichte mir einen Pappteller mit zwei so saftigen und duftenden Riesencheeseburgern, wie ich sie noch nie gesehen hatte. »Esst mal. Und herzlich willkommen.« Er deutete auf eine Kühlbox auf der Ladefläche seines Trucks. »Hab Limo, Bier, Wasser, was ihr wollt. Fühlt euch wie zu Hause.« Er ging zwei Schritte weg und machte dann kehrt. »Stimmt was nicht mit deinem Gesicht?« Abbie lachte. »Ja, Mücken.«

»Au! Tut's weh?« Hinter mir hörte ich Abbie lachen.

»Ein bisschen.«

»Brauchst du was dagegen?«

»Ja.«

Er klappte den Werkzeugkasten auf seinem Truck auf und holte einen Erste-Hilfe-Kasten heraus. »Da müsste was drin sein.«

Ich kramte darin herum und fand zwei Benadryl-Tabletten gegen Allergien. »Danke.«

Abbie beäugte den Kasten und zog die rechte Augenbraue und den rechten Mundwinkel hoch. »Du hast nicht zufällig auch was gegen Krebs da drin?«

»Nein, ist gerade ausgegangen, aber wir können im nächsten Wal-Mart was besorgen.«

Sie lehnte sich zurück und strampelte mit den Füßen. »Das wär schön. Machen wir das.«

In der nächsten halben Stunde verputzte ich vier Burger und bemühte mich, Abbie mit so viel Flüssigkeit zu versorgen, wie sie nur trinken konnte.

Wir hielten uns im Schatten und beobachteten das Treiben um uns her. Schließlich fragte ich Link: »Macht ihr das jeden Freitagabend?«

Er lachte, zerdrückte eine Bierdose in einer Hand und öffnete sofort die nächste. »Habt ihr den Wetterbericht nicht gesehen?« Ich schüttelte den Kopf. Er schwenkte sein Bier in südwestlicher Richtung gen Himmel. »Hurrikan Annie. Sie ist über dem Golf hängen geblieben, aber wie's aussieht, zieht sie nach Nordosten und müsste in ein paar Tagen hier sein. Dachten, wir machen mal 'ne Willkommensparty, wenn sie schon genau über uns wegzieht.«

Er schwieg eine Weile und kaute auf einem Würstchen. Schließlich sagte er: »Wir haben von euch gehört.«

Das war nicht gut. »Ach ja?«

Er nickte und biss in sein Würstchen – Senf und Fett verschmierten seine Mundwinkel. »Ja, ein paar Leute oben am Fluss haben euch gesehen. Fanden es ziemlich komisch, dass jemand so weit oben paddelt. Die meisten fangen erst in St. George an. Oder sie kennen sich auf dem Fluss aus.« Er starrte mich an. »Wie du aussiehst und …«, er kicherte, »mit diesem Hut da, würde ich sagen, du warst schon mal hier.«

Ich nickte. »Schon ein oder zwei Mal.«

»Bei eurem Tempo würde ich sagen, du warst schon öfter als ein oder zwei Mal hier.«

Es gab zwei Möglichkeiten. Die Leute hier am Fluss waren darauf bedacht, sich und ihre Privatsphäre zu schützen. Jedem, der nach Politiker, Vertreter oder Journalist aussah, begegneten sie von vornherein mit Misstrauen. Sie ließen also nicht jeden ohne Weiteres an sich heran, weil sie nicht gerade versessen darauf waren, Fremde in ihre Angelegenheiten einzubeziehen. Mir fiel ein, was meine Mom mir gesagt hatte. Die Leute kamen aus unterschiedlichen Gründen an den Fluss. Wer hier war, um sich zu verstecken, wollte, dass es auch so blieb. Aufmerksamkeit zu erregen war nicht in ihrem Sinne. Zugegeben, wir gaben einen seltsamen Anblick ab, und aus ihrer Sicht waren wir Eindringlinge auf dem Fluss, den sie für ihr Privateigentum hielten, aber ich hatte die Hoffnung, wenn wir unauffällig vorbeipaddelten, würden sie nur hinter vorgehaltener Hand untereinander über uns tuscheln und nicht beim Frisör über uns tratschen.

Ich sagte nichts. »Wie weit wollt ihr?«, fragte er.

Ich hatte die Wahl. Lügen oder ihm die Wahrheit sagen. Ich hatte das Gefühl, dass eine Lüge uns nicht weiter flussab helfen würde, die Wahrheit vielleicht schon. »Den ganzen Weg, wenn ich es schaffe.«

Er hielt mitten im Biss inne. »Den ganzen Weg bis St. Marys?«

»Wenn uns nichts aufhält.«

209

Er aß sein Würstchen auf und wischte sich die Hände am T-Shirt ab. »Ihr wisst ja, wenn der Hurrikan kübelweise Regen über uns ausschüttet, sieht der Fluss über Nacht völlig anders aus.«

Ich nickte. »Ja.«

Er deutete nach Norden Richtung Folkston. »Ich bin da hinten groß geworden. Aber ich war nie bis ganz unten. Wollte ich immer. Ich würde gern mal Reed's Bluff sehen.«

»Es lohnt sich.«

Er schaute auf den Fluss. »Vielleicht mache ich das ja mal.« Seine Augen verengten sich zu Schlitzen. »Die Leute sagen, wenn du erst mal da oben bist, kannst du sehen, wo der Fluss mündet. Stimmt das?«

»Ja.«

»War sie hübsch?«

Ein Nicken und ein flüchtiger Blick auf Abbie. »Sie ist … schön.« Abbies Stirn war gerötet und an ihrer linken Schläfe pochte die verräterische blaue Vene. Als ich mich neben sie kniete, stöhnte sie nur. Ich klappte die Pelican-Box auf, brach die Kappe einer Dexamethazon-Spritze auf und drückte die Luft heraus. Dann stach ich sie Abbie in den Oberschenkel. Nachdem ich die Spritze geleert hatte, setzte ich die Kappe wieder auf und schloss die Box.

Eine Weile verging. Link schluckte so laut, dass ich es hören konnte. Mit großen Augen musterte er seinen Truck. »Braucht ihr vielleicht irgendwas?« Dabei rieb er sich den Oberschenkel.

Ich schaute flussabwärts. »Zeit und Abstand. Und vielleicht ein bisschen mehr Strömung.«

Er hob eine Augenbraue und fragte leise: »Hab ich sie vielleicht schon mal irgendwo gesehen?«

»Vermutlich.«

»Ist sie berühmt? Ein Model oder so was?«

»Früher mal.«

»Geht es ihr einigermaßen gut?«

Was sollte ich darauf antworten? »Sie ist schon lange krank. Und … wir brauchten mal frische Luft, darum habe ich sie hierher gebracht, wo sie sie bekommt.«

»Na ja.« Er kaute eine Weile auf seiner Unterlippe. »Ich hoffe, ihr schafft es. Alle beide.«

Ich breitete eine Decke am Strand unter den niedrigen Ästen einer Eiche aus. Sie waren dünn, lang, senkten sich auf den Strand, streiften den Sand und reckten sich, dicht belaubt, im Bogen über das Wasser. Von Link abgesehen hielten wir uns von den anderen fern.

Link hatte Kiefer wie eine Bulldogge und drei Mal so dicke Finger wie ich, aber das hinderte ihn nicht, Gitarre zu spielen. Nachdem er alle abgefüttert hatte, holte er eine Gibson hinten aus seinem Truck und brachte die Saiten zum Glühen. Noch nie hatte ich Finger so schnell auf einem Instrument spielen sehen. »Wer ist der Kerl? Er sollte in der Grand Ole Opry auftreten«, sagte ich zu Abbie.

Ein Bursche neben uns hörte es und nickte. »Da war er schon. Und er ist regelmäßig in Woodbine.«

Woodbine ist die Opry Südgeorgias. Er reckte seinen langen Hals in Richtung des Chefkochs. »Link spielt nach Gehör und hat nie Unterricht gehabt.« Er schluckte, Schaum tropfte ihm vom Kinn. »Ziemlich gut, was?«

»Das will ich meinen.«

Link spielte ohne Unterbrechung zwanzig oder dreißig Songs, die nahtlos ineinander übergingen und gut kaschierte Improvisationen enthielten. Seine Musik erfüllte die Luft mit etwas, was ich nur als Resonanz beschreiben kann. Er sagte kaum etwas, weil seine Hände genug sagten, und griff jeden Musikwunsch auf, ohne auf ein einziges Notenblatt zu schauen. Der Bursche sah aus, als würde er nur Traktor fahren oder Ställe ausmisten, aber er war der talentierteste Musiker, den ich je gesehen hatte. Er glänzte mit Blue Grass, Country, Southern Rock und Klassik. Falls sein Repertoire Grenzen kannte, merkten wir nichts davon.

Gegen zehn Uhr wateten ein paar Leute ins Wasser, Mädchen kletterten den Jungs auf die Schultern und fingen einen gemischten Ringkampf an. Es war alles Spaß und spielerisches Gerangel, bis ein Mädchen einem anderen das Bikinioberteil abriss und die Hölle losbrach. Sie kratzten, krallten und ohrfeigten sich. Es sah aus wie ein Kampf zwischen zwei Katzen.

Gegen Mitternacht hatten sich drei Grüppchen gebildet. Die Ersten lagen bewusstlos am Strand, andere hatten sich auf ihre Decken zurückgezogen, kuschelten sich an die Lagerfeuer und brieten Marshmallows, und die dritte Gruppe stand herum, unterhielt sich leise, trank oder saß im Wasser und ließ sich von der warmen Strömung umspülen. Aber alle Augen waren auf Link gerichtet. Seit fast drei Stunden hatte er kein Wort gesagt. Schließlich hörte er auf, an den Saiten zu zupfen, und klopfte auf die Gitarrendecke. Sein Blick verlor sich irgendwo auf dem Sand vor ihm. Die Leute kamen näher. Der Bursche neben mir flüsterte. »Der letzte Song. Meistens Zeppelin.«

Die Menge am Strand scharte sich dicht um das Feuer – und um ihn. Goldene Flammen züngelten aus der weißen Glut, jagten dem Rauch hinterher, leckten an der Luft und beleuchteten sein Gesicht und den tropfenden Schweiß.

Er klopfte ein paar Takte. Sein Tapping klang wie hohles Trommeln. Dann schaute er durch den Rauch zu mir und

Abbie hinüber und ließ den Blick über meine Schulter ins Leere schweifen.

Nach einer Weile sagte er: »Eric Claptons Sohn Connor fiel 1991 aus einem Fenster im 53. Stock. Nach 49 Stockwerken landete er auf dem Dach eines vierstöckigen Hauses. Ein Jahr später brachte Clapton einen Song heraus, der ihm gewidmet war: *Tears in Heaven*. Die Leute suchten einen Schuldigen, aber letzten Endes war es nur ein tragischer Unfall.« Er zuckte die Achseln. »Das Leben ist hart, und manchmal tut es weh. Und manchmal sind die Gründe nicht wirklich klar.«

Ein Bursche neben mir deutete mit der Flasche gen Himmel und sagte: »Hab gehört, das stimmt.«

Link sprach weiter. »Der Song hat fast jeden Preis gekriegt, genau wie das Album *Unplugged*.« Er zupfte leise. »Es ist schwer zu sagen, welcher der beste Tribute-Song ist. Es ist, als hätten sie einen ganz eigenen Platz – auch außerhalb der Konzertsäle und Preisverleihungen. Sie lassen sich auch nicht leicht einordnen. Kritiker hacken darauf herum, aber ich glaube kaum, dass das eine Rolle spielt. Nach 9/11 haben viele Leute Songs geschrieben, aber keiner hat das, was ich empfunden habe, so gut ausgedrückt wie Alan Jacksons *Where Were You*.« Pärchen am Feuer lehnten sich aneinander und verschmolzen miteinander. »Robert Plants Sohn Karac starb 1977 plötzlich an einer Darminfektion. Plant war auf Tournee. Darüber schrieb er einen Song, von dem viele sagen, dass er Clapton inspirierte.« Link musterte den Hals seiner Gitarre und seine sanft tappenden Finger auf den Saiten. »Es ist mein Lieblingsstück von Zeppelin. Es heißt *All My Love*.« Er spielte ein Intro. »Normalerweise widme ich niemandem Songs. Das ist einfach nicht mein Ding. Der Song spricht für sich, aber … diesen spiele ich für … jeden, der jemals da stand … wo der Fluss endet.«

Ich hob Abbie von der Decke auf und wiegte mich langsam über dem Sand, dem Wasser und dem Widerschein des Feuers. Sie klammerte sich an meine Schultern, legte den Kopf an meinen Hals und hielt mich fest, als wir uns am Strand drehten.

Als das Lied endete, schwieg selbst der Wald um uns herum. Abbie zupfte an mir und raunte: »Noch mal?«

Die letzten Töne verhallten über dem Fluss, als ich sagte: »Link?« Alle schauten mich an – den namenlosen Fremden, der ein hageres Gespenst den Fluss hinunterpaddelte. Ich räusperte mich. »Würdest du das noch mal spielen? Bitte?«

Die Menge wich auseinander, und jemand stellte einen umgedrehten Eimer zwischen uns und das Feuer. Link stellte den Fuß auf den Eimer, schloss die Augen und legte seine ganze Seele in den Song. Die letzten Töne waren noch nicht ganz verklungen, als er mit dem Vorspiel begann.

Als er fertig war, drückte Abbie ihre Stirn an meine. Ich war schweißgebadet. Schweiß tropfte von meiner Nase, und mein Shirt klebte mir am Rücken. Wir blieben noch eine Weile stehen, dann stieg ich ins Wasser und kniete mich in die Strömung. Sie zupfte an meinem Ohr und rang sich ein Lächeln ab. »Es wurde auch Zeit, dass du mal tanzen lernst.«

Ich legte sie ins Kanu, bedankte mich bei Link, und wir brachen kurz nach Mitternacht vom Strand auf. Wenn die Leute schon über uns redeten, wollte ich im Schutz der Dunkelheit so weit wie möglich auf dem Fluss vorankommen. Schlafen konnten wir am Tag.

Als ich das Paddel ins Wasser tauchte, flüsterte Abbie: »Ich erinnere mich noch an meinen ersten Tanz mit Mr Jake im Dock Street Theatre. Nach der Vorstellung fiel der Vorhang, aber ich war noch so aufgeregt, dass er meine Hand nahm und wir hinter der Bühne tanzten. Ich war so aufgedreht … ich wollte einfach nicht, dass es zu Ende geht.«

Nicht lange nachdem meine Mutter mir erklärt hatte, was ein »leichtes Mädchen« ist, beschloss ich, mich auf meine Weise an der dicken Fetten zu rächen, die das Gerücht in Umlauf gebracht hatte. Sie hatte ein Thermometer an ihrer Terrasse, das man vom ganzen Platz aus lesen konnte. Es hing getarnt zwischen gestohlenen Coca-Cola- und Berma-Shave-Schildern an der Sonnenseite ihres Trailers und zeigte daher immer ein paar Grad mehr an, als es tatsächlich war – sie glaubte, das mache sie zu etwas Besonderem. Es war, als hätte sie damit die marktbeherrschende Stellung für Temperaturanzeigen in Südgeorgia gepachtet. Im Trailerpark gingen die Uhren nun mal ein bisschen anders. Jedenfalls fuhr sie eines Nachmittags weg, und ihr Wagen war unbeaufsichtigt. Ich zögerte keine Sekunde, nahm einen Ziegelstein, ging zielstrebig an ihr Thermometer und schlug es in tausend Stücke. Das Glas explodierte förmlich mit einem lauten Knall, an den ich mich bis heute erinnere, und als ich zu Boden schaute, sah ich etwa ein halbes Dutzend großer silberner Tropfen, die aussahen wie verformte Kugellagerkugeln aus Chrom. Als ich sie mit einem Stock antippte, wabbelten sie. Neugierig schob ich sie wieder zusammen, und sie verschmolzen zu einem fast hühnereigroßen Tropfen, in dem ich mein verzerrtes Spiegelbild sah.

Die Wasseroberfläche haftete am Paddel wie ein flüssiger Spiegel und rann dann in gleichmäßigen Tropfen von der Spitze. Hinter uns stieg der Mond höher und leuchtete hell.

In seinem Licht verschmolzen die Tropfen wie Quecksilber zu einem langen, durchscheinenden Rinnsal.

Sie schloss die Augen. »Ich denke, Nummer acht können wir abhaken.«

Mein Spiegelbild sah ich nicht.

21

Ihre Eltern waren wütend. *Stinksauer* ist wahrscheinlich das bessere Wort. Auch treffender. Sie taten,
was sie nur konnten, um einen Keil zwischen Abbie und
mich zu treiben. Sie führten all unsere Unterschiede an,
meine Unzulänglichkeiten, meinen fehlenden Stammbaum, mein … Schon klar, oder? Und das taten sie hundert
Mal so gut wie ein Mal. Über einen Mangel an Schimpf-
tiraden konnten wir uns nicht beklagen. Von uns beiden
verstand ich sie vermutlich besser als Abbie.

In dem ganzen Aufruhr wurde mir einiges über ihr
Selbstverständnis als Eltern klar. Von außen betrachtet hatte
ich immer gedacht, bei einer Familie wie ihrer sei alles in
Butter. Sie wirkten glücklich, deshalb müssten sie auch
glücklich sein. In Wahrheit ging es ihnen schlecht. Sie war
hübsch, und alle Jungs hatten ihr zu Füßen gelegen. Er war
ein Starpolitiker, der einen kometenhaften Aufstieg gemacht hatte. Alles sah nach einer Ehe aus, die im Himmel
geschlossen war. Keiner von beiden dachte auch nur im
Traum daran, sich zu fragen, ob sie sich eigentlich liebten.
Liebe war zweitrangig. Aber sie lernten, eine glückliche
Miene zu machen und der Welt zu zeigen, dass bei ihnen
alles stimmte. So wurde sie zur Schneekönigin und er zum
Fernsehgesicht. Als Abbie heranwuchs, investierten sie alles
in sie, ganz nach dem Motto: »Ich weiß, was das Beste ist,
also halte dich ran und setze deine Kraft und Leidenschaft

in die Vision, die ich für dich hege.« Kein einziges Mal kamen sie auf die Idee, Abbie zu fragen: »Wie sehen deine Herzenswünsche aus, und wie kann ich dich in deinen Zukunftsvorstellungen unterstützen?«

Also lag Abbie abends im Bett und hörte ihre Eltern streiten, obwohl sie ihr versicherten, dass sie niemals stritten, und schwor sich, dass sie um jeden Preis aus Liebe heiraten würde.

Auf eine völlig verdrehte Art muss ich also froh sein, dass sie sich stritten. Denn sonst hätte Abbie irgendeinen Anwalt in Seersuckeranzug und Fliege geheiratet. Stattdessen hat sie mich geheiratet. Ich habe nie einen Seersuckeranzug besessen, und eine Fliege könnte ich nicht mal binden, wenn mein Leben davon abhinge.

Sie zogen eine Trennlinie – ich war in ihrem Haus, auf ihrem Grundstück und in ihrem Rückspiegel nicht willkommen. Andererseits erwarteten sie von Abbie, dass sie zu allen Familienfesten und politischen Veranstaltungen erschien. Ich sagte: »Schatz, geh ruhig. Es ist deine Familie. Du kannst sie nicht ignorieren. Ich bin hier, wenn du zurückkommst.«

Sie schüttelte den Kopf und griff zum Telefon. »Du bist meine Familie. Also versuche ja nicht, mich zu ihnen abzuschieben.«

Noch zwei Jahre arbeitete Abbie weiter in New York als Model, dann gab sie es auf und kam nach Hause. Man machte sie nie zur Werbeikone für Clinique oder Estee Lauder, aber viele fanden, sie hätte es werden können. Sie sah das Modeln ähnlich wie Bergsteiger die Berge. Sie arbeitete sich nach oben, weil es sich anbot, aber sobald sie den Gipfel erreicht hatte, schaute sie sich um und entdeckte andere Höhen. Wenn man sie fragte, warum, antwortete sie achselzuckend: »Da war ich schon, das kenne ich.« Eigentlich wollte sie damit sagen, dass sie sich bewiesen und von ihrem Dad gelöst hatte. Das hieß keineswegs, dass sie ihn nicht liebte, aber wenn sie nach Hause kam, konnte er sie nicht mehr gängeln. Die Modelkarriere und die Reisen durch die ganze Welt hatten ihr die Augen für ihre wahre Passion geöffnet: Innenarchitektur. Also ging sie noch einmal in Charleston zur Schule, absolvierte innerhalb von zwei Jahren ein normalerweise vierjähriges Innenarchitekturstudium und bekam eine Stelle bei einer ortsansässigen Firma. Sie hatte ein Händchen für Gestaltung. So dauerte es nicht lange, bis sie eigene Kunden hatte. Abbie besaß einen vierdimensionalen Sinn für Design. Sie sah Farbe und Raumgestaltung wie jeder andere, aber ihre einmalige Gabe bestand darin, Chancen und Möglichkeiten zu erkennen, wo andere nur marode Elektroleitungen, antiquierte Installationen, mottenzerfressene Polster, Holzfäule oder rissige, abblätternde Schichten falscher Entscheidungen der Vorbesitzer wahrnahmen.

Das erfuhr ich aus erster Hand, als wir ein halbes Jahr verheiratet waren. Aus ihrer Modelkarriere und dem, was ihr Vater ihr von ihrer verstorbenen Mutter und aus seinem wachsenden Vermögen überlassen hatte, besaß Abbie eigenes Geld. Und zwar nicht wenig.

Mit offenem Verdeck parkte sie den Mercedes vor einem verbretterten Haus, das aussah wie aus einem Stephen-King-Roman. Blätternde Farbe, zerbrochene Fensterscheiben, fehlende Dachziegel und eine abbrechende Veranda an einer Hausseite – man hätte es abreißen oder sprengen sollen. Fast vier Jahre zuvor, im September 1989, hatte Hurrikan Hugo versucht, Charleston von der Landkarte zu wehen. Der Sturm der Kategorie 5 hatte vor allem in North und South Carolina Schäden in einer Höhe von 13 Milliarden Dollar angerichtet. Seitdem standen viele Häuser, die er verwüstet hatte, leer und rotteten vor sich hin. Wie dieses. Nach vier Jahren war die Stadtverwaltung es leid, mit den Eigentümern zu streiten, und stand kurz davor, sie zu enteignen. Offenbar hatte Abbie Wind davon bekommen und es knapp vor einem Gerichtsbeschluss gekauft.

Sie führte mich durch den modernden Schutt eine Wendeltreppe hinauf, die in einem großen Schlafzimmer im Obergeschoss mündete. Von hier stiegen wir eine steile, schmale Holztreppe hoch in den zweiten Stock. Schließlich öffnete sie ein Fenster, winkte mich durch und sagte: »Schließ die Augen.« Ich gehorchte, und sie zog mich hinauf auf das »Krähennest«. Die Plattform schwankte unter unserem Gewicht. Als ich die Augen öffnete, deutete sie aufs Wasser und sagte: »Ich habe dir etwas gekauft.« Suchend schaute ich mich unten auf dem Wasser nach etwas um, was vage Ähnlichkeit mit einem 18-Fuß-Fischerboot hatte. Eigentlich hätte ich gern ein Hewes, Key West oder Pathfinder gehabt, aber ein Carolina Skiff hätte mir auch genügt. Ich sah nichts.

»Was?«

Strahlend stampfte sie mit dem Fuß auf. Die Eisenplattform schepperte, da einige der Bolzen sich gelockert hatten.

Langsam schaute ich nach unten. Allmählich fügten sich die Puzzleteile zu einem Ganzen. Das Haus hatte zwar Hugo überstanden, aber seitdem war nichts daran gemacht worden. Wir redeten hier nicht von ein paar fehlenden Dachziegeln, ein bisschen rissiger, blätternder Farbe oder faulem Holz. Nicht annähernd. Ganze Dachabschnitte fehlten. Fenster waren spurlos verschwunden. Die Haustür hing buchstäblich an einer verdrehten Angel. Im Keller stand dreißig Zentimeter hoch Brackwasser. Außerdem führte den Gerüchen zufolge das Tunnelnetz von Charlestons Altstadt unter diesem Haus hindurch zum Kai. Falls das stimmte, konnte kein Mensch sagen, wie hoch Hugo das Wasser während der Sturmflut ins Haus gedrückt hatte und welche Schäden es an den Fundamenten dieses und der umliegenden Gebäude hinterlassen hatte. Ich beugte mich über das Geländer und schaute durch das Dach zwei Stockwerke tief bis in die Küche. »Das hast du nicht getan.«

Ihre Augen leuchteten, und sie strahlte von einem Ohr bis zum anderen.

Im Geiste sah ich schon monatelange Arbeit an sämtlichen Wochenenden und Abenden und unzählige Fahrten in den Baumarkt vor mir. »Bitte sag mir nicht …«

Sie schlang einen Arm um meine Taille und deutete auf die Aussicht. Hinter mir sah ich ganz Charleston – wo alle, die die Stadt liebten, dafür sorgten, dass kein Gebäude ihre Kirchtürme überragte. Über das Wasser konnte ich bis weit über Fort Sumpter nach Nordosten sehen und die Reste von Sullivan's Island erkennen. Sie stampfte mit dem Fuß auf, um die Robustheit der Bausubstanz zu demonstrieren. Das Eisen schepperte, dass es im ganzen Haus widerhallte. »Wirklich … so schlimm ist es gar nicht.«

Das Haus war nur einen stärkeren Windstoß vom Einsturz entfernt. Ich schüttelte den Kopf. »Unmöglich.«

Sie tippte an meine Brust. »Du die Funktion, ich die Form.« Übersetzt hieß das: *Du meißelst, schleifst, hämmerst, schleppst, sägst und nagelst, und ich dekoriere.*

Funktion und Form – eine gute Beschreibung für uns. Um die Wahrheit zu sagen, wenn sie es von mir verlangt hätte, hätte ich eine Arche in der Wüste gebaut. Und darauf lief das, was wir machten, letztlich fast hinaus. Übrigens war die Aussicht ziemlich gut.

Seltsamerweise hasse ich es, anzustreichen. Ich meine nicht, dass ich es nicht mag, ich meine, ich verabscheue alles, was auch nur entfernt mit Tom-Sawyer-Pinselei zu tun hat. Keine Ahnung, warum. Als wir anfingen, ihre Hurrikan-Bastelbude zu renovieren, sagte ich daher zu Abbie: »Schatz, ich bezahle jemanden, der dir alles, was du willst, in der Farbe anstreichst, die du willst. Ich engagiere dir sogar da Vinci persönlich, aber ich streiche dieses Haus nicht an. Kein bisschen. Niemals. Klar?«

Sie nickte, weil sie wusste, dass ich mir meine Arbeit ausgesucht hatte, und weil sie dachte, ihr würde Anstreichen Spaß machen. »Keine Sorge. Ich streiche an. Ich mache das gern.« Ich wusste es besser. Nachdem wir ein paar Abende im Haus gearbeitet hatten und ich sie öfter verhalten hatte fluchen hören, ahnte ich schon, dass ich jemanden anheuern musste, der ihren Murks in Ordnung brachte. Gegen Mitternacht kam sie zu mir. Ich schliff gerade den Fußboden mit einem Bandschleifer ab. Eine Staubwolke hing im Zimmer. Ich schaltete das Gerät aus, schob meine Staubmaske hoch und wartete, bis der Deckenventilator die Wolke hinausbefördert hatte. Sie war von oben bis unten voller weißer Grundierung: Kopf, Haare, Hände, Arme, Hose, Füße – als hätte jemand sie in ihrer Farbe gewälzt. Sie lehnte sich an die Wand, knibbelte sich trockene Farbe von der Hand und hob eine Augenbraue. »Wenn du mir hilfst, das Haus zu streichen, bekommst du von mir ein bisschen Liebe.« Sie ließ den nassen Pinsel fallen. »Hier, auf der Stelle.«

»Ich streiche liebend gern an. Ich streiche das ganze Haus. Auf der Stelle.«

Also strichen wir an. Das Haus und uns gegenseitig; keiner von uns machte es sonderlich gut, aber wir lernten und hatten vor allem etwas zu lachen. Viel. Vom ersten Tag an war unser Haus erfüllt von Lachen.

Wer in den Amerikanischen Innenarchitektenverband aufgenommen werden will, muss zwei Jahre bei einem Innenarchitekten gearbeitet haben und anschließend eine Prüfung ablegen. Sie absolvierte die zwei Jahre, bestand die Prüfung und hängte Weihnachten 1995 das Firmenschild für ihr eigenes Atelier auf. Damit machte sie sich erneut einen Namen. Ihr Vater war gleichzeitig stolz und beleidigt. Sie und ihr Atelier brachten außerdem mich und meine Kunst auf den Plan. Ansonsten wäre ich sicher als hungernder Kunstlehrer an einer örtlichen Highschool gelandet.

In den folgenden zehn Jahren brachten *Southern Living, Architectural Digest* und auch einige regionale Magazine Artikel über Abbies renovierten Altbau, illustriert mit Vorher-nachher-Fotos. Die meisten ihrer Freundinnen platzten vor Neid, und ihre Kritiker tuschelten: *Ihr Daddy hat seinen Einfluss spielen lassen.* Dieselben Kritiker hatten natürlich zuvor, als wir das Haus gekauft hatten, *Wahnsinn!* geschrien, und ihr Daddy hatte nichts damit zu tun haben wollen. Auch er hatte sie für verrückt erklärt. Aber sie kannten und kennen Abbie nicht. Sie hatte schon immer einen Blick für das, was sonst niemand sah.

Mittlerweile hatten der Senator und Mrs Coleman zwei Jahre nicht mit mir gesprochen. Aber die Zeit und Abbie sorgten für Tauwetter. Das heißt keineswegs, dass sie nett zu mir waren oder mir verziehen hätten, aber zumindest schäumten sie nicht mehr vor Wut. Zwei Dinge trugen dazu bei, sie zu erweichen. Erstens war Abbie als erfolgreiches Model und Innenarchitektin mittlerweile bekannter als ihr Vater. Er kam also nicht umhin, sich einzugestehen, dass sie berühmter und in mancher Hinsicht einflussreicher war als er. Im Fernsehen von South Carolina und Umgebung stellte man ihn sogar manchmal schon als »Abbie Eliots Vater« vor. Gleichzeitig sprach man von ihr nicht mehr als von »Senator Colemans Tochter«. Zweitens hielt ich meinen Mund und blieb mit der Nase an der Leinwand. Entsprechend wuchs mein Arbeitsausstoß. Abbie besaß Charme und eine Präsenz, die Leute anzog wie ein Magnet. Natürlich war sie schön, aber mit Schönheit allein erreichte niemand Abbies Erfolge. Das öffnete mir Türen, die ich allein nie hätte aufstoßen können. Ich machte mir keine Illusionen – allein hätte ich es nicht bis dahin geschafft, und daher war mein Erfolg nicht mir zuzuschreiben. In Wahrheit ritt ich auf ihrer Erfolgswelle mit, und mein Talent reichte zum Glück aus, mich anzuhängen. Mein wachsender Erfolg, besonders in Charleston, rückte mich – oder vielmehr meine Werke – in den Vordergrund, sobald die Colemans einen ihrer Freunde zu Hause besuchten. Offenbar konnten sie mir nicht mehr ausweichen. Ich übernahm einen Auftrag im Monat und war ein Jahr im Voraus ausgebucht. Wir hatten sogar schon angefangen, über eine eigene Familie zu sprechen.

Und dann zwang Abbie mich, ein Jahr auszusetzen.

22

In Florida besteht die Erdoberfläche im Wesentlichen aus Kalkstein, weichem Sand und ein paar Felsen auf einer dicken Kalkschicht. Sobald der St. Mary's sich in den Kalkstein gefressen hat, bleibt ihm nur ein Ausweg: raus. Da seine Ufer ständig in Bewegung sind, verändert er unablässig seinen Lauf – was ihm den Beinamen der »gewundene Fluss« eingetragen hat. Es mag Jahre dauern, bis man einen sichtbaren Unterschied erkennt, und das auch nur, wenn man darauf achtet, aber an Stellen mit starker Strömung oder bei Hochwasser kann er sich mit einer Geschwindigkeit von mehreren Zentimetern pro Tag ein neues Bett graben. Strände entstehen meist, wenn der Fluss sich weiter ins gegenüberliegende Ufer frisst und das Flussbett mitnimmt.

Da ich fünfzehn Jahre nicht mehr hier gewesen war, hatte der Fluss sich für mich völlig verändert. Zwischen Stokes Bridge und St. George gab es am Flussufer nur wenige Häuser und Menschen, weil das Land zum größten Teil Plantagenbesitzern und Papierfabriken gehörte. Eine dieser Plantagen umfasste nahezu 500 Hektar Land am linken Flussufer, also in Georgia. Die Spread Oak Plantation zog sich über fünf Kilometer am Fluss entlang und war Heimat für nachtaktives Mastrotwild, eine regionale Truthahnsorte, Riesenbiber, Rotschwanzbussarde, einige Dutzend Pferde – Tennessee Walker –, Brassen und vor allem Wachteln. Virginiawachteln. Sie brachte sie zu Tausenden hervor. Mein Interesse an der Spread-Oak-Plantage galt aber vor allem ihren geschützten Stränden. Mittlerweile waren wir, von unserer längeren Rast an der Redneck Riviera abgesehen, seit nahezu 24 Stunden ununterbrochen unterwegs gewesen, und allmählich taten mir Muskeln weh, von denen ich völlig vergessen hatte, dass es sie überhaupt gab.

Als die Sonne gerade durch die Baumwipfel brach und den Dunst vom Wasser brannte, ließen wir uns flussab treiben. Zum ersten Mal seit der Brücke musste ich nicht paddeln. Das Wasser war hier tiefer, und die Strömung hatte eine Geschwindigkeit von etwa zweieinhalb Stundenkilometern. Brautenten flogen hintereinander gereiht über der Flussmitte entlang. Als ich aufschaute, sah ich einen Hirsch knietief in Ufernähe im Wasser stehen. Wasser tropfte von seiner Nase, und seine Ohren zuckten in meine Richtung. Er war dick, sein Bauch hing herunter, und goldgelber Bast überzog sein Geweih. Es reichte seitlich eine knappe Hand breit über seine Ohren hinaus und ragte hoch auf seinem Kopf auf. In dem Licht war es schwer zu erkennen, aber ich meinte an jeder Seite sechs Enden ausmachen zu können, und die beiden direkt über seinem Kopf – die Augsprossen – wirkten gut 30 Zentimeter lang. Ich hörte ihn weder kommen noch gehen. Innerhalb eines Wimpernschlags war er verschwunden. Ein Geist. Zurück blieben nur Kräuselwellen im Wasser. Ich hätte nicht gedacht, dass es in dieser Gegend noch solche Hirsche gab, aber sicher war er nicht so groß geworden, weil er dumm war.

Wir glitten durch den aufsteigenden Nebel und hörten die Welt um uns herum erwachen. Hundegebell, Autotüren, Auspufftöpfe, Saatkrähen, rote Kardinalsvögel. Den Vormittag verbrachten wir unter einer Birke an einem Strand der Spread-Oak-Plantage. Bis auf die Rindenröllchen der Papierbirken, die in der Brise raschelten, war es relativ still. Ab und an hörten wir entfernt eine Kettensäge oder ein Motorrad, und zwei Mal sah ich über uns einen Doppeldecker fliegen. Bei der zweiten Runde streifte er beinah die Baumwipfel. Im Abflug erwischte ich einen besseren Blick darauf. Blauer Rumpf, gelbe Tragflächen.

Die Kerle, die irgendwo hinter uns waren, das Gerede über uns und das Flugzeug machten mich ein bisschen unruhig.

Ein seltsamer Geruch stieg mir in die Nase. Als ich zu Abbie hinuntersah, lackierte sie sich die Zehennägel mit farblosem Nagellack. Ich kicherte.

»Worüber lachst du?«

»Woher hast du den?«

»Du glaubst doch wohl nicht, dass ich ohne den das Haus verlasse, oder?«

»Nein, aber alles, was wir bei uns hatten, ist vor gut 30 Kilometern im Feuer gelandet.«

»Nicht alles.« Sie grinste und nahm den nächsten Zeh in Angriff. »Eine Frau kann schließlich nicht mit matten Zehennägeln herumlaufen.«

Ich kratzte mich am Kinn und musste wieder lachen. Sie zeigte mit dem Pinsel auf mich. »Du lachst ja immer noch.«

Mein Gesicht fühlte sich besser an, meine Augen waren nicht mehr geschwollen, aber meine Lippen noch etwas aufgedunsen. Ich schob meinen Hut ins Gesicht und legte mich hin. »Als Gus mich gerade eingestellt hatte, führte ich eine Gruppe von Stokes Bridge nach St. George. Eine gute Gruppe – ein paar Wochenendkrieger, die Frauen blieben zu Hause –, aber sie hatten kaum Erfahrung in den Wäldern. Nach einem langen Tag und einer noch längeren Nacht auf hartem Boden kam einer von ihnen zu mir und fragte: ›Wie machen wir das mit dem Badezimmer?‹ Ich wusste nicht, wie ausführlich ich es ihm erklären musste, gab ihm einen kleinen Spaten, zeigte auf die Wälder und sagte: ›Grab einfach ein Loch und decke es wieder zu, wenn du fertig bist.‹ Er schaute mich an und kräuselte einseitig die Lippen. Dann schaute er flussab. ›Wie lange dauert es noch, bis wir an eine öffentliche Toilette kommen?‹ Ich zuckte die Achseln. ›Vielleicht heute Abend.‹ Als ich nach einer Weile flussauf schaute, saß der Mann vielleicht hundert Meter entfernt am Strand und las eine Zeitschrift. Seine Shorts hing um seine Knöchel, und sein nackter Hintern war in das Loch gepresst, das er gegraben hatte. Ich schüttelte nur den Kopf. Jedenfalls machten die anderen es ihm nach. Vielleicht hätte ich was sagen sollen. Abends kam einer von ihnen zu mir und stammelte: ›Ähm … he, ähm … hast du Insektenstiche? So kleine rote Stiche?‹ Dabei kratzte er sich. ›Nein. Du?‹ Er nickte nur. ›Wo?‹, fragte ich. Er deutete nach unten. ›Überall.‹ Mit verschränkten Armen flüsterte er: ›Also … auf jedem Quadratzentimeter. Und es juckt so furchtbar, dass ich glatt vom Glauben abfallen könnte.‹ Ich fragte: ›Dicke rote Beulen?‹ Er nickte. Ich holte ein Fläschchen farblosen Nagellack aus meiner Tasche und gab es ihm. ›Das sind Sandflöhe. Man sieht sie nicht. Sie suchen warme Stellen, graben sich in die Haut und bleiben etwa zwei Wochen, wenn man sie nicht erstickt. Streiche alle damit ein und lasse es drauf.‹ Er guckte mich an, als hätte ich den Verstand verloren. ›Du willst mich vergackeiern, stimmt's? Das ist so ein Einführungsritual, das ihr Flussführer mit Städtern wie mir veranstaltet.‹ Ich schüttelte den Kopf. ›Nein. Ich würde nie Witze über Sandflöhe machen. Wenn du nichts dagegen unternimmst, juckt es dich heute Nacht so schlimm, dass du … na ja, dass du ziemlich arm dran bist.‹ Er nahm das Fläschchen und fragte: ›Jeden einzelnen?‹ Ich nickte. ›Ja.‹ Ich spülte das Frühstücksgeschirr, brach das Zelt ab und belud die Kanus. Als ich zurückkam, standen alle fünf mit heruntergelassenen Hosen um das Feuer herum und fächelten sich den Nagellack trocken. Das war ein Bild, auf das ich gut hätte verzichten können. Einer von ihnen, ein hagerer Bursche, der irgendwo ein Kraftwerk leitete, sagte: ›Was auf dem Fluss passiert, bleibt auf dem Fluss, abgemacht?‹ – ›Ja, aber es dürfte euch schwerfallen, eure Frauen davon zu überzeugen.‹«

Abbie war fertig, drehte die Kappe zu und pustete auf ihren kleinen Zeh. »Und was hat dich gerade jetzt wieder darauf gebracht?«

»Der Geruch.«

»Na ja«, sie schwenkte das Fläschchen in der Luft, »falls du welchen brauchen solltest, musst du ihn dir schon selbst besorgen. Ich lasse nicht zu …«, sie ließ ihren Zeigefinger in meine Richtung in der Luft kreisen, »dass du dich damit anmalst, und nachher soll ich mir damit meine Zehen lackieren. Eine Frau hat ihre Grenzen. Da musst du schon allein sehen, wie du klarkommst.«

»Das kann ich dir nicht verübeln.«

23

Auf ihren Reisen hatte Abbie einige der bedeutends-
ten Kunstwerke der Welt gesehen. Sie hatte davor-
gestanden, geschaut, gelacht, geweint. Daher hatte sie ein
viel tieferes Verständnis dafür als ich. Ich mochte das Leben
der Künstler verstehen, aber Abbie begriff ihr Werk und damit in einem umfassenderen Sinne auch sie selbst. Verglichen mit Abbie hatte ich nicht die geringste Ahnung. Wenn
ich mir einen Kunstband anschaute und die Seiten umblät-
terte, sagte sie: »Das habe ich gesehen« oder »Im Original
ist es viel besser« oder »Ach, Schatz, das müsstest du sehen,
wie das Licht darüberwandert …« Es machte mich immer
neidisch.

Als wir ein Jahr verheiratet waren, kam sie zu mir. Ich saß
im Atelier und mischte Farben an.

Sie setzte sich auf meinen Schoß und schlang den Arm
um meinen Nacken. »Ich möchte verreisen.«

»Okay.«

»Und ich möchte die Route planen. Ganz allein.«

»Okay.«

»Fährst du mit?«

»Klar.«

Sie ging hinaus und kam mit einem dicken Ordner wieder. Sie setzte sich auf den Boden, klopfte auf den Platz neben sich und breitete eine Weltkarte aus.

Eine der tollen Eigenschaften, die sie von ihrem Vater geerbt hatte, war die Fähigkeit, Schubladendenken zu überwinden. Da sie außerdem noch Geld hatte, konnte sie ziemlich »abwegige« Ideen entwickeln.

Wir waren fast ein ganzes Jahr auf Reisen.

In einer perfekten Welt hätten wir mit der Frührenaissance angefangen und uns in chronologischer Reihenfolge von einem Künstler zum anderen vorgearbeitet. Stattdessen sprangen wir geographisch von Stadt zu Stadt. Außer ganz zum Schluss. Aber auch das machte sie mit Absicht.

Auf dem Weg nach New York machten wir als Erstes in der Nationalgalerie in Washington Halt. Ich erinnere mich, wie ich um eine Ecke bog und plötzlich vor Rubens *Daniel in der Löwengrube* stand. Ich setzte mich davor auf eine Bank und ließ meine Blicke fast drei Stunden lang darüberwandern. Die idealisierte Erhabenheit berührte etwas ganz tief in meinem Inneren, von dem ich bis dahin nie etwas geahnt hatte.

Im Art Institute in Chicago saßen wir mit Toulouse-Lautrec im *Moulin Rouge*. Als verkrüppelter Außenseiter hatte er in Pariser Bordellen mit Prostituierten und anderen Verstoßenen der Gesellschaft gesessen und Trost in der Nachtwelt von Paris gefunden. Wenn ich von Toulouse-Lautrec etwas lernte, dann, dass es eines Außengestoßenen bedarf, die Bedürftigen zu malen.

In London führte Abbie mich in die Nationalgalerie, wo ich Giovanni Bellini und sein *Porträt des Dogen Leonardo Loredano* kennenlernte. Das Gesicht, der Mundausdruck, die Wangenfalte, die mit der Halslinie harmonierte, und vor allem die Augen – darauf war ich nicht vorbereitet.

Wir flogen nach Florenz und trafen Giotto. Er griff die zweidimensionalen, flächigen Bilder seiner Vorgänger auf und verlieh ihnen durch Licht und Schatten Räumlichkeit.

Er schuf Solidität und Massigkeit, wo sie vorher nicht existiert hatten. Abbie fragte mich in ihrer Lehrerinnenrolle: »Wieso ist er bedeutend?«

Nun erkannte ich es: »Er dachte außerhalb von Kategorien.«

Als Nächstes führte sie mich zu Donatellos Skulptur der *Maria Magdalena* als alter Frau, der das Leid ins Gesicht geschrieben war. Die anrührende Darstellung verschlug mir die Sprache. Ihr Haar, das ihr ins Gesicht hing, und ihre zerrissenen Kleider waren Ausdruck ihrer ausgebrannten, verdörrten Seele und ihrer Not.

In den Uffizien fand ich Piero della Francesca und sein Porträt des Federico de Montefeltro im Profil. Federico hatte bei einem Schwertkampf das rechte Auge verloren; um diesen Makel zu verbergen, malte della Francesca ihn von links im Profil. Während seine Zeitgenossen ihre Modelle idealisierten, zeigte er seltsamerweise auch die Leberflecken und die Hakennase. Hier hing auch Tizians *Venus von Urbino*. Ihr aufreizender Körper ist so gemalt, dass er immer wieder den Blick auf ihr Gesicht lenkt, auf die Neigung ihres Halses, die einladend abgewinkelte Schulter, ihren verspielten Blick und die lässig gekreuzten Beine. Genauso sollte ein Akt sein.

Anschließend brachte sie mich zum *Porträt eines jungen Mannes (Der junge Engländer)*. Während Bellinis Doge steif und hölzern wirkt, strahlt das Gesicht des Engländers bei Tizian eine fast greifbare jugendliche Offenheit aus. Seine Kleidung ist verblichen, lässt sich sogar als verwaschen und unscheinbar bezeichnen, aber sein Blick ist sprechend. Er fesselt den Betrachter, zieht seinen Blick auf sich und zwingt ihn, sich mit dem Gedanken auseinanderzusetzen, dass dies das beste Porträt aller Zeiten sein könnte.

Eines Nachmittags verband sie mir die Augen und führte mich einen Gang entlang, um eine Ecke und setzte mich auf eine Bank. Ich wusste, wo wir waren. Es war ein recht berühmter Gang, aber dann nahm sie mir die Augenbinde ab. Und da stand er. Michelangelos *David*. Es war wie ein Schlag in die Kniekehlen. Wenn es in der Kunst etwas Vollkommenes gibt, dann ihn. Ich weinte wie ein Baby.

Abbie, meine Lehrerin, kniete sich neben mich. »Wieso ist er wohl bedeutend?«

»Er hat eine Kategorie für sich geschaffen.«

Nach etwa der Hälfte unserer Reise merkte ich, dass Abbie meine Meister heraus aus den Büchern, herab dem Reich der Götter geholt und mich an einen Tisch mit ihnen gesetzt hatte, wo wir alle eine recht lebhafte Debatte miteinander führten. Sie machte mich mit ihnen bekannt und rückte meinen Stuhl an ihren Tisch. Es war ein unvergleichliches Geschenk, denn damit ließ sie das theoretische Wissen, das ich über die alten Meister besaß, von meinem Kopf in mein Herz durchsickern, wo es Wurzeln schlug.

In Rom fanden wir Berninis Skulptur *Die verdammte Seele*, den Kopf eines gequälten Mannes, dem ewige Verdammnis droht. Um den richtigen Gesichtsausdruck zu finden, versengte Bernini sich den Unterarm mit einem glühenden Eisen. Es funktionierte, denn die Qualen waren im Blick, in den Wangen, der hochgereckten Nase, den wilden, flammenähnlichen Haaren, dem offenen Mund und den weit aufgerissenen Augen deutlich zu erkennen. Kopfschüttelnd fragte ich mich: *Wie hat er das bloß gemacht?*

In der Bildergalerie im Park Sanssouci in Potsdam staunte ich mit Caravaggio und seinem *Ungläubigen Thomas*. Schon lange hatte ich mir aus der Nähe ansehen wollen, wie der Finger tief in Jesu Wundmal in der Brust verschwand. In

Rom fanden wir *Judith,* und ich lernte das ernste, zerfurchte Gesicht der Dienerin kennen.

Im Louvre in Paris begegnete ich Raffaels Porträt des *Baldassare Castiglione*; auf das Bild dieses klar blickenden, nachdenklichen Mannes waren meine Mom und ich zwanzig Jahre zuvor in einem Buch in der Bibliothek gestoßen. Zum ersten Mal begriff ich, wie sich der nach innen gekehrte Blick des Philosophen in seinen Augen widerspiegelte und sich durch Ruhe und »ruhige« Farben eine melancholische Stimmung erzeugen ließ.

Wir sahen noch die Werke vieler weiterer Künstler, aber meinen Lieblingsmaler hob sich Abbie bis zuletzt auf.

Rembrandt.

In einer Zeit, als die meisten, die für ihre Porträts posierten, nichts weiter waren als Modepuppen in einem Kostümdrama, in dem sie sich durch ihre Kleidung von anderen abhoben, kam Rembrandt. Ohne Zögern bildete er Krähenfüße, eine Knollennase, den übergroßen Hodensack eines pausbäckigen Kleinkindes oder Abrahams riesige Hand auf Isaaks Gesicht – die wir in der Eremitage in St. Petersburg sahen – naturgetreu ab.

Rembrandt suchte nach dem, was eine Person ausmachte, was sie unverwechselbar machte, statt es zu meiden oder davor zurückzuscheuen. Er bemühte sich, die Persönlichkeit des Menschen vor ihm zu entdecken, indem er ihm die Maske nahm, die er entweder aus freien Stücken trug oder weil die Gesellschaft sie ihm aufsetzte. Mit seiner feinmotorischen Kunstfertigkeit fing er die Textur von Stoffen genau ein, etwa bei durchbrochenen Spitzen oder durchschimmerndem Chiffon. Er verwendete im selben Bildbereich glatte und raue Oberflächen, indem er die Farbe mit dem stumpfen Pinselstiel bis auf den weißen Grund abschabte. Im *Porträt einer 83-Jährigen* in der Nationalgalerie in London zeigte er uns das hängende Lid eines alten Menschen, indem er die schlaffe Haut mit kräftigen Farbtupfern akzentuierte. Ihr Schildkrötengesicht, ihre feuchten Augen, die Art, wie sie am Betrachter vorbeischaut, und die Schatten vermitteln den Eindruck von Nachdenklichkeit, und ihre geröteten Lider lassen schlaflose Nächte vermuten.

Niemandem gelang das so gut wie Rembrandt.

Bei ihm gab es nichts Groteskes. Sein Naturalismus – den manche als »kompromisslos« bezeichnen würden – sprang den Betrachter förmlich von der Leinwand an. Er erfasste Menschen intuitiv und durchschaute die Maske, um dahinter das Individuum zu finden. Sei es durch den Schwung einer Augenbraue, den Winkel eines Kinns, die Wölbung der Wangenknochen, die einst gebrochene Nase oder die Kinnfalten. Er hörte auf seine Gefühle und das, was sie ihm über jemanden sagten. Er fand das Einzigartige, malte es und gab dem Betrachter einen Grund, immer wieder hinzuschauen. Ich konnte mich gar nicht davon losreißen. Aus der Nähe entdeckte ich in seinen Gemälden Schichten und Ebenen, die in keinem Buch abgebildet wurden. Das lag an seinem Können, seiner Technik: Von zarten bis hin zu kräftigen Pinselstrichen waren Hand und Pinsel bei ihm völlig in Einklang mit seinem Kopf, seiner Vorstellung, und damit weckte er die Sympathien des Betrachters, selbst bei etwas so Banalem wie *Der geschlachtete Ochse* im Louvre in Paris.

Bis zum Ende der Reise hatte ich durchgehalten, aber Rembrandt stürzte mich in eine Krise. Michelangelo hätte das auch vermocht, aber er ist nun mal Michelangelo. Abbie hatte das gewusst und ihn deshalb bis zum Schluss aufgehoben. Nachdem ich Rembrandt gesehen hatte, verspürte ich ein unwiderstehliches Verlangen, ungeschönte menschliche Natur in all ihrer zerknitterten Unzulänglich-keit darzustellen.

Abbie tippte mir auf die Schulter. »Und er?«

»Diese Leute, die für die Porträts saßen, posierten nicht. Sie saßen still da, aber trotzdem regten sie sich. Sie lebten.« Ich wollte aufhören. Aufgeben. Alles verbrennen, was ich je gemalt hatte.

Abbie nickte. »Was du siehst, ist menschliche Größe. Es ist so gut, wie es nur je war und vielleicht je sein wird.« Ich sah, was er geschafft hatte, und wusste, dass ich das nie er-reichen konnte. Abbie hakte sich bei mir unter und sagte: »Komm schon, er war auch nur ein Mensch. Das kannst du auch.«

»Du bist verrückt.«

»Du machst es doch schon.«

»Aber ... er ist *Rembrandt*.«

Sie nickte. »Und du bist Chris.«

»Trotzdem bist du verrückt.«

»Nein.« Sie schüttelte den Kopf. »Ich glaube an dich.«

Unsere Reise bildete mich mehr als alles, was ich je er-lebt hatte. Es war, als ob Abbie meine Unvollkommenheit und meine Unzulänglichkeiten genau kannte. Um sie zu bekämpfen, hatte sie eine Reiseroute zu genau den Kunst-werken geplant, die ich begreifen musste, und bewies damit, dass sie instinktiv wusste, welche Werke ich sehen musste, um zu dem Künstler zu werden, der ich sein konnte und von dem sie wusste, dass er in mir steckte.

Ich erinnere mich, wie wir die Halle verließen, in der der David stand. Auf dem Weg nach draußen kamen wir an den Friesen vorbei, die er geschaffen hatte – nichts als riesige Granitblöcke mit halben Figuren, die aus dem Fels kletter-ten. Es war, als ob sie daraus ausbrächen und sich befreiten.

Und wenn ich in Gedanken wieder durch diese Halle gehe, ist mir klar, dass Abbie mir genau das Gleiche ermöglicht hat.

Sie brachte mich an ihren Fluss, und ich trank in vollen Zügen.

Als wir wieder nach Hause kamen, merkte ich, dass Abbie mir etwas geschenkt hatte, womit ich nicht gerechnet hatte. Ich stand vor meiner Staffelei und stellte fest, dass ich Schönheit in weniger Schönem und sogar in Groteskem sah. Was sie mit Rosalia zum Vorschein gebracht hatte, war nun zur Reife gebracht. Ich betrachtete die Farbtuben, die sich in einem Eimer zu meinen Füßen stapelten. Wo ich zuvor einige Dutzend gesehen hatte, sah ich jetzt Zehntausende.

24

4. JUNI, MITTAGS

Die Eisenbahnlinie, die knapp 20 Kilometer Luftlinie entfernt durch Moniac führte, lief am Südrand von St. George entlang. Die A. E. Bell Bridge, auf der sie bei St. George den Fluss überquerte, war bei Verliebten, die mit Sprühfarbe umgehen konnten, sehr beliebt. Purpurschwalben nisteten zu Hunderten unter der Brücke, wenn sie aus ihren Winterquartieren in Brasilien in den Norden zurückkamen. Nur selten machten sie Rast und fraßen und tranken im Flug. Auf der Suche nach ihrer täglichen Ration Bremsen, Libellen und Maikäfer sausten sie über und unter der Brücke durch die Luft wie F-16-Kampfjets. Dann gingen sie im Sturzflug herunter und durchschnitten mit ihrem Schnabel das glasklare Wasser.

Verglichen mit Moniac ist St. George eine blühende Metropole. Die Einwohnerzahl übersteigt die Hundert. Grundschule, Restaurant, Tankstelle mit Lebensmittelmarkt und Metzgerei, Autowerkstatt, eine Kreuzung mit gelbem Blinklicht und ein Burgerlokal namens »Shack by the Track«.

Ich stach das Paddel ein, zog es ans Heck und steuerte auf das Ufer zu. Wir schwenkten um das Skelett eines alten Holzbootes herum. Nur der Kiel und ein paar hartnäckige Spanten waren noch übrig. Ich half Abbie aus dem Kanu und führte sie zwischen alten Autoreifen und unzähligen grünen Glasscherben hindurch. Im Norden des Landes besprühten Leute Eisenbahnwaggons oder die Rückseiten von Reklametafeln. Hier unten besprühte man Wassertürme und die Unterseiten der Brücken. Abbie ging zwischen den Betonpfeilern herum und las vor: »Pie sagt Hi.« und »Donna mag Robert.« Sie bückte sich und zog eine weggeworfene Dose zwischen den Steinen hervor, schüttelte sie und drückte mit dem Daumen auf den Sprühkopf. Er stotterte und sprühte dann Grün. Sie suchte sich einen »leeren« Pfeiler, hob den Arm über den Kopf und sprühte: »Abbie liebt Chris.«

Sie ließ die Dose fallen. »Weißt du, wenn du es mit Farbspray nicht sagen kannst, kannst du es gar nicht sagen.«

Sie stellte sich neben mich, hakte sich bei mir ein und raunte: »Erinnerst du dich an den Guadalquivir?«

❧

Der Guadalquivir in Spanien ist aus mehreren Gründen berühmt. Kolumbus und Cortes segelten auf diesem Fluss, und 1992 fand an seinem Ufer die Weltausstellung statt. Riesige Gebäude – einst die Avantgarde moderner Architektur, die Touristen aus der ganzen Welt anzulocken versprach – stehen heute leer, verfallen und verkommen unter Moder und rissiger Farbe. Ein Monument der Dummheit. Der Fluss wurde schon vor Jahren umgeleitet, um Sevilla herum, aber an dem verbliebenen Altarm herrscht reges Treiben. Da er lang, gerade und ohne Strömung ist, kommen rund ums Jahr Olympiamannschaften aus der ganzen Welt, um hier zu trainieren. An einer Seite säumt ihn ein 5 Kilometer langer Radweg, der breit genug ist für Autos und von Läufern, Radfahrern, Skatern, Kletterern, Anglern, kackenden Enten und Heroinsüchtigen genutzt wird. Abbie hatte mich hergebracht. Es war Teil meiner Bildungsreise. Wir hatten etwas oberhalb des Torre del Oro Tapas gegessen und eine Flasche Wein getrunken und mussten uns die Füße vertreten. Es war dämmerig und sah nicht gerade nach dem sichersten Ort der Welt aus. Ich nahm ihre Hand. »Was machen wir hier?«

In den vorangegangenen Wochen waren wir ständig durch Museen geschlendert. Ich war etwas museumsmüde. Eine Betonmauer säumte weite Teile des Altarms. Gelbe Straßenlaternen warfen seltsame Schatten an die Mauer, die an einigen Stellen mehrere Stockwerke hoch war. Graffiti bedeckten jeden Quadratzentimeter. Weite Strecken waren von 10 bis 12 Meter langen und breiten Szenen bedeckt. Sie duckte sich unter eine Unterführung und deutete auf die Wand. »Kunst ist nicht nur im Museum zu finden.«

Offenbar prägte die Drogenkultur einen Großteil der Inhalte, denn sie waren voller Gewalt, Sex und Szenen, in denen jemand einen anderen erschoss oder sich einen Schuss setzte. Es waren zornige, schmerzerfüllte Bilder, die mich an etwas erinnerten, was ich schon fast vergessen hatte: *Flucht ist ein Wunder der Kunst.*

Wenn ich etwas brauchte, wusste Abbie instinktiv, was. Zwei Mal gingen wir die Mauer in ihrer gesamten Länge ab.

༉

Ich stützte sie und half ihr, sich an einen Betonpfeiler zu setzen; in der Luft hing noch frischer Farbgeruch. Ich las ihre grüne Aufschrift und sagte: »Ja, ich erinnere mich.«

Am liebsten hätte ich einen heißen Vegetarierteller aus dem Shack By The Track geholt, aber aus Vorsicht hielten wir uns unter der Brücke versteckt.

Mit wechselndem Rückenwind fuhren wir weiter, vorbei an langen, ausgebleichten Stränden, Robinienhainen, die mit ihren purpurrosa Blüten die Luft kitzelten, üppigem grünem Hartriegel und Zwergeichen, die alles zusammenhielten.

Wir kamen unter einer weiteren Eisenbahnbrücke durch, unter der es durchdringend nach Kreosot und Diesel roch, und passierten selbstgebastelte Ortsschilder mit Namen wie »Catfish Lane«, »Pond Fork Holler« oder »UGA Beach«. Die Strände waren hier länger, manche bis zu hundert Meter lang, und voller Rotwildspuren und Treibholz.

Östlich lag Conner's A-Maize-ing Acres, eine Farm, auf der Städter auf der Suche nach dem echten »Bauernhoferlebnis« Obst und Gemüse selbst ernten konnten. Sie bauten Kürbisse, Wassermelonen und Mais an. Auf einem Schild, das im Fluss lag, stand »Geflügeldünger«.

Vorbei an Harris Creek, Johnson Cemetery und Dunn's Creek erreichten wir Toledo, das etwa auf halber Strecke zwischen St. George und Boulogne lag.

Wir kamen an dem typischen roten Lehm von Tompkins Landing vorbei, wo Müllsäcke das Ufer verschandelten und ein Mann in Badehose im Sand lag wie ein gestrandeter Wal. Nach der Menge der leeren Bud-light-Flaschen um ihn herum, seiner hummerroten Haut und seinem Schnarchen zu urteilen, war er schon eine ganze Weile dort. Der Fluss verbreitete sich hier auf gut hundert Meter. Auf der sonnigen, langsamer fließenden Georgia-Seite wuchsen Seerosen. An der Anlegestelle lehnten Möchtegern-Rapper an der zerknautschten Heckklappe eines schlammverkrusteten roten Toyota-Pick-up und rauchten billige Stumpen. Tattoos, Lippenpiercings, dicke Goldketten, verchromte Sonnenbrillen und Hosen, deren Bund bis unter die Pobacken rutschte, gehörten offenbar zu ihrer Uniform. Sie schenkten mir kaum Beachtung und sagten nichts, also zog ich meinen Hut tief ins Gesicht und paddelte still vorbei.

Vermutlich war das die nächste Generation der Flussanwohner, aber sie hatte wenig Ähnlichkeit mit der vorhergehenden.

Ein Rotschwanzbussard schoss rechts von mir aus einem Baum, segelte am Ufer entlang und zog ein argloses Eichhörnchen aus seinem Loch im Sand. Während das Eichhörnchen aus vollem Hals schrie, flog der Bussard höher, kämpfte mit dem eicheldicken, haarigen Nager, ließ sich auf einem Ast nieder und stieß seiner Beute den Schnabel in die Brust, worauf das Geschrei verstummte.

Traders Hill war früher ein blühender Binnenhafen gewesen. Britische und portugiesische Seeleute kamen so weit ins Hinterland, um ihre Fässer mit Trinkwasser zu füllen und im kühlen Wasser auszuruhen. Später diente der Ort als Umschlagplatz für Holz. Sogar ein Abkommen wurde hier einst unterzeichnet: Die USA und Spanien schlossen den Vertrag von San Lorenzo oder Pickney-Vertrag, der den St. Mary's bis zu den Okefenokee-Sümpfen als Grenze zwischen Georgia und Florida festlegte. Heutzutage bot Traders Hill vor allem eine viel genutzte Bootsrampe, denn erst ab hier war der Fluss für Fischerboote und andere Motorboote schiffbar. Von nun an bevölkerten auch Schlauchboote, Wakeboarder und Jetskier das Wasser. Es gab eine Telefonzelle und eine öffentliche Toilette sowie Anschlüsse für Wohnmobile und mehrere große blaue Müllcontainer, an denen es von Maden, Fliegen, Streifenskinks und dicken Eidechsen wimmelte. Da der Fluss hier auch tiefer war, wurden selbst die Fische und sogar die Alligatoren größer, bis zu dreieinhalb Meter lang. Angeblich gab es hier auch Störe, die bis zu zweieinhalb Meter lang wurden und es auf knapp hundert Kilo brachten. Gesichtet hatte man sie nur selten, aber im vergangenen Jahr hatte ein Stör, der einen Spielkameraden in seiner Größe suchte, zwei Mal ein Kind vom Jetski geholt. In beiden Fällen hatten die Kinder überlebt und konnten eine unglaubliche Fischgeschichte erzählen, als sie wieder aufwachten. Ab Traders Hill machte sich der Gezeitenwechsel erstmals bemerkbar. Das hieß, wenn ich die richtigen Zeiten für unsere Etappen abpasste, konnten wir uns mit der Ebbe treiben lassen und Kraft sparen. Wenn ich die falschen Zeiten erwischte, würde es mich teuer zu stehen kommen, weil ich gegen die zunehmende Flut anpaddeln musste. Vor allem aber war der Fluss ab hier »Freizeitgebiet«.

War mir schon auf der Strecke zwischen Spread Oak und St. George »mulmig« gewesen, so standen mir nun die Nackenhaare zu Berge. Ich wurde einfach das Gefühl nicht los, dass die Bäume Augen hatten.

Der Highway US1 überquerte den St. Mary's an dem kleinen Grenzort Boulogne. Benzin, Angelköder, Lottoscheine und Bier sorgten für seinen Hauptumsatz. In der Abenddämmerung erreichten wir die Brücke, wo sich Hunderte Purpurschwalben Luftkämpfe lieferten. Die Brücke ruhte auf haushohen Betonpfeilern. Am Mittelpfeiler hing eine Holzleiter. Ich band das Kanu fest, und wir kletterten die Leiter hinauf auf eine Plattform, gut drei Meter über dem Wasser. Alle paar Minuten fuhr ein Laster oder PKW über das Metallgitter und schickte ein dröhnendes Echo über das Wasser. Da es ein trockenes, geschütztes Fleckchen war, holte ich Abbies Fleece-Schlafsack und ihr Handtuchkissen herauf, wickelte sie hinein und schnupperte in die Luft. Die Rast gestern am Strand hatte für Kraftreserven gesorgt. Sie war wach und lauschte. Ich musterte die dicken weißen Wolken am Horizont. »Ich glaube, es dauert nicht mehr lange, dann ist es am Regnen.«

Sie schaute mit einem Auge zu mir herauf. »Am Regnen?« Ich nickte. Sie schob beide Hände unter ihren Kopf und zog die Knie an. »Wo hast du denn sprechen gelernt?«

Ich deutete flussauf. »Gut 80 Kilometer von hier.«

Eine Augenbraue hob sich. »Na ja, man kann einen Jungen vom Land wegholen, aber das Land kriegst du nicht aus ihm heraus.«

Unter der Brücke hatten ein paar heimische Künstler geschrieben: »BEREUE – JESUS KOMMT BALD« und »WILLST DU FUN, RUF RHONDA AN«, darunter stand ihre Telefonnummer. Am Ufer rankte sich eine schenkeldicke Glyzinie an der Unterseite der Brücke hoch und traf sich mit einem Sternjasmin von der anderen Seite. Beide blühten und hüllten uns in ihren Duft. Dutzende Bienen und fünf dreiste Kolibris flogen von Blüte zu Blüte und saugten den Nektar auf.

Die US1 hatte für uns eine besondere Bedeutung. Ich legte mich neben Abbie und nahm sie in die Arme. »Weißt du was?«

»Was?«

»Die Hälfte haben wir geschafft.«

25

Sechs Jahre vergingen. Abbie nahm nur handverlesene Einrichtungsaufträge an, die sie mit ihrem Namen verbunden wissen wollte. Ich unterstützte sie, half ihr, ihren zuweilen ungesunden Terminplan zu managen, und staubte weiter die Leinwand ab. Irgendwann kaufte ich ein 22-Fuß-Hewes Flats-Boot und brachte Abbie bei, einen Köder am Angelhaken zu befestigen. Abbie hatte zwar versucht, ihre Modelkarriere aufzugeben, aber sie ließ sie einfach nicht los. Im Gegensatz zu anderen Teeny-Models reifte Abbie zur Schönheit heran und bekam immer wieder Anrufe aus New York. Gelegentlich nahm sie einen Job an, wenn er uns die Möglichkeit eröffnete, mal aus der Stadt zu kommen. Ihr Erfolg in zwei Berufen brachte es mit sich, dass wir uns – zumindest in Charleston – nicht in die Öffentlichkeit trauen konnten, ohne das Gefühl zu haben, im Schaufenster zu sitzen. Unser Boot, *The Empty Canvas*, wurde zu unserer Zuflucht. Wir fuhren die flachen Meeresarme hinauf oder gingen auf Deweese Island an Land und tauchten ab. Oft übernachteten wir unter freiem Himmel. Ich stattete Abbie mit ihrer eigenen Angelausrüstung aus. In breitkrempigem Hut und Weste begeisterte sie sich für das Angeln wie Brad Pitt im Film *In der Mitte entspringt ein Fluss*. Bei Flut konnte sie den ganzen Nachmittag nach Roten Trommelfischen Ausschau halten. Ich stand dann auf der Stakplattform, stakte uns dicht heran, zeigte ihr die Finnen, die aus dem Wasser ragten, und sie zielte mit der Angelschnur direkt darauf. Sie rollte die Schnur ab, senkte die Angelrute und holte die Leine langsam wieder ein. Ich hörte es gern, wenn sie den Haken auswarf, die Rolle leerlaufen ließ und aus vollem Hals heulte, wenn der Fisch sich ins tiefe Wasser davonmachte. Die Angel auswerfen hieß für Abbie, knietief im Wasser zu stehen und auf Sicht zu angeln.

Mir kam es vor, als hätte ich nur einmal mit den Augen gezwinkert und schon feierten wir unseren zehnten Hochzeitstag. Abbie hatte sich als führende Innenarchitektin von Charleston und damit von South Carolina etabliert. Ich gab die geführten Angeltouren auf und widmete mich ganz der Malerei, während sie ihr Atelier mit meinen Kunstwerken dekorierte, und einmal im Monat, wenn ihr Körper ihr sagte, dass die »richtige« Zeit war, stahlen wir uns davon, um zu versuchen, eine Familie zu gründen.

Es war besser als Camelot.

Eines Tages flogen wir nach New York zu einem Routine-Fotoshooting, wie wir dachten. Eine Kosmetikmarke brauchte ihr Gesicht und ihre Schultern. Wir gingen einen Tag shoppen und schauten uns Eisbären an.

Es war Frühling, und der Central Park wogte vor Farben und war mit Pollen bestäubt. Überall wimmelte es von Enten, Vögeln, Radfahrern, Zwillingsbuggys, Joggern und Liebespärchen. Wir hatten uns zwischen zwei Fotoshootings ein paar Stunden stibitzt und machten einen Einkaufsbummel irgendwo auf der 5th Avenue, in einem der teuren Läden, die Abbies Träumen entsprachen und die ich gar nicht schnell genug wieder verlassen konnte. Abbie lehnte an der Theke, sprühte Parfüm auf ein kleines Stück Papier, wedelte es trocken und hielt es mir unter die Nase.

Mein Geruchssinn war noch nie sonderlich ausgeprägt gewesen, daher freute sie sich, etwas gefunden zu haben, was ich nicht nur riechen konnte, sondern auch noch mochte. Ich bezahlte, und wir schlenderten durch den Park, kauften uns Eis und verbrachten den Rest des Nachmittags vor der 10 Zentimeter dicken Glaswand und schauten den Eisbären beim Schwimmen zu. Ab und an bat jemand Abbie um ein Autogramm. Nachdem man sie erst einmal entdeckt hatte und sich ein Grüppchen Neugieriger um uns sammelte, wanderten wir weiter durch den Park, vorbei an der Balto-Skulptur zu dem Backsteinbrunnen, an dem Stuart Little sein Flugzeug in den Falken gesteuert hatte.

An diesem Abend entdeckten wir ihn.

Abbie war mit ihrem Shooting fertig, und wir trafen uns im Ritz. Wir hatten eine Suite im obersten Stock mit Blick auf den Park. Ich war gerade vom Laufen gekommen, und wir machten uns fertig für das Abendessen im Spice Market und die 20-Uhr-Vorstellung von *Les Miserables.* Ich band meine Laufschuhe auf und fand sie in der Badewanne. Sie drehte sich um, hob ihre Haare von den Schultern und hielt das Seifenstück über ihren Kopf. »Wäschst du mir den Rücken?«

Nach zehn Jahren Ehe brauchte ich keinen Dolmetscher. Es hieß: *Wasch mir den Rücken, massiere mir die Schultern, schrubbe mir mit diesem kleinen Bimssteinding die rauen Stellen von den Füßen und dann lass mich allein. Aber erst, nachdem du heißes Wasser hast nachlaufen lassen. Und wenn du lieb bist und nichts anderes im Schilde führst, darfst du mir meine Beine rasieren.*

Abbie war nur selten egoistisch, außer darin. Die Zeit in der Wanne gehörte ihr allein. Ebenso gut hätte sie an die Badezimmertür ein Schild hängen können – BETRETEN

VERBOTEN –, ganz gleich, wie verführerisch sie nass, schaumbedeckt, verschwitzt und mit hochgeschobenem Haar auch aussehen mochte. Ich setzte mich auf den Wannenrand und schrubbte ihr den Rücken. Dabei beweist Abby viel Ähnlichkeit mit einem Hund: Wenn sie nicht möchte, dass man aufhört, findet sie Stellen, die gar nicht jucken.

Ich muss das wohl nicht weiter ausführen.

Nach einer Weile saßen wir zusammen in der Wanne, hatten unsere Tischreservierung schon verpasst und kaum Aussicht, es rechtzeitig zum Beginn der Vorstellung zu schaffen. Ich ließ heißes Wasser nachlaufen, und sie lehnte sich an mich.

Wir ließen uns von Dampf und Hitze einlullen. Ich schlang meine Arme um ihre Taille. Ihr Rücken lag an meiner Brust. Sie legte meinen Finger an ihre Schläfe und sagte wortlos: *Streichle mich.* Ich tat es.

Und da war er.

Knapp unter der linken Brustwarze. Ich tat, als ob ich nichts gemerkt hätte, aber spätabends, nach der Vorstellung, war er wieder da. Im Schein des Weckers verriet mich meine Miene. Sie tastete sich unter meiner Hand vor, wurde kreidebleich im Gesicht, und Angst kroch mir den Rücken hinauf. Wenn ich an jenen Augenblick zurückdenke, erinnere ich mich aus irgendeinem Grund trotz der ganzen Ängste und Schrecken der folgenden Monate immer noch an den Duft ihres Parfüms.

૪

Am nächsten Tag flogen wir nach Hause, und am folgenden Vormittag ließ sie eine Mammographie machen. Nach den Aufnahmen führte man sie wieder ins Wartezimmer, und Abbie saß schweigend mit gekreuzten Beinen neben mir.

Nach zwanzig Minuten kamen drei Ärzte herein. Wegen Abbies prominenter Stellung hatte das Krankenhaus uns ein Team von drei Ärzten zugeteilt. Der Chefarzt, Dr. Ruddy Hampton, war, wie man sich einen Chefarzt vorstellt. Graues Haar und eine beruhigende Ausstrahlung am Krankenbett. Die beiden anderen, Dr. Roy Smith und Dr. Katherine Meyer, waren jünger und auf dem neuesten Stand des Fachwissens und der Technik.

Sie hängten Abbies Aufnahmen hinter uns an die Wand und daneben zum Vergleich eine Reihe Ausdrucke von gesunden Brüsten. Die Diagnose brauchten wir gar nicht erst zu hören. Dr. Hampton sprach als Erster: »Abbie …«, er deutete mit einem Stift auf das Bild. »Diese Aufnahmen bestätigen invasive Ductuskarzinome.« Die Cluster, die er umkreiste, sahen aus wie winzige Milchstraßen. Er zog eine imaginäre Linie auf den Aufnahmen. »Das sind ›Begleitprozesse‹, wie wir es nennen. Im Klartext heißt das, Ihr Krebs ist in die Milchgänge vorgedrungen.« Während er weitersprach, kämpfte ich mit dem Ausdruck *Ihr Krebs*.

Als er uns die Aufnahmen erklärte, wurde mir klar, dass der Knoten, den ich gefühlt hatte, nur einer von vielen war – und noch schlimmer –, beide Brüste waren befallen. Wer an der Bösartigkeit von Krebs zweifelt, sollte mir beantworten, wieso er dann in den Milchgängen anfängt. Abbie betrachtete die Aufnahmen und wandte dann den Kopf ab. »Es sieht aus, als hätte jemand meine beiden Brüste mit weißen Farbkugeln beschossen.«

Dr. Smith führte aus: »In der Onkologie gibt es drei Möglichkeiten, gegen Krebs vorzugehen: Operation, Chemotherapie und Bestrahlung.«

»Nennen Sie das nicht ›schneiden, vergiften und verbrennen‹?«, warf Abbie ein.

Er nickte. »Ja, aber nun zu dem, was für Sie beide wichtig ist.« Er schaute Abbie an. »In Ihrem Fall können wir nur mit Chemotherapie und Operation arbeiten.« In diesem Moment ging mir auf, dass sie an meiner Frau herumschneiden wollten.

Ich kratzte mich am Kopf. »Wieso?«

Dr. Meyer schaltete sich ein. »Abbie braucht eine beidseitige Mastektomie, um ihr die besten Chancen zu geben.«

»Die besten Chancen worauf?«

»Die Krankheit zu besiegen.«

Irgendwann merkte ich, dass die drei hier standen und über den Unterschied zwischen Leben und Tod sprachen.

Dr. Hampton hatte eine Weile nichts gesagt, aber angesichts des verlegenen Schweigens erklärte er: »Es handelt sich um eine *fortgeschrittene* Form von Krebs.«

Das Wort »fortgeschritten« hing im Raum. Dr. Smith führte weiter aus: »Vor der Operation würden wir gern eine Chemotherapie in starker, aggressiver Dosierung machen – um die Tumore vor dem Eingriff zu schrumpfen, und anschließend würde eine weitere aggressive Chemo folgen – nur um sicherzugehen.«

»Wird das den Krebs beseitigen?«

Alle nickten. »Die Überlebensrate ist 97 Prozent.«

Ich musterte die drei Ärzte, die uns anschauten. »Und was ist mit den restlichen 3 Prozent?«

Sie versicherten mir: »Wir haben ihn rechtzeitig entdeckt. Wir werden uns die Lymphknoten anschauen und uns vergewissern, dass die Ränder sauber sind, aber darüber würde ich mir keine schlaflosen Nächte machen.«

Schlaflose Nächte? Ich hatte keine Angst vor schlaflosen Näch-
ten. Ich hatte Angst, meine Frau zu verlieren.

Nachdem sie einige Möglichkeiten zur Brustrekon-
struktion umrissen hatten, ließen sie uns allein im Zimmer.

»Schatz, es tut mir so leid. Vielleicht sollten wir eine zweite
Meinung einholen. Ich meine, sie wissen schließlich nicht
alles.«

Sie nickte, aber ohne Überzeugung. Ich verglich die beiden Aufnahmesätze.

Wir brauchten keine zweite Meinung.

Sie legte ihre Stirn an meine. »Ich bin froh, dass du auf
meiner Seite stehst.«

»Ich wünschte, ich hätte einen Zauberstab.«

»Ich auch.«

26

Kurz nach Tagesanbruch erreichten wir knapp zwei Kilometer südlich von Boulogne Scotts Landing auf der Florida-Seite – eine Bootsrampe, die hauptsächlich Angler nutzten. Außerdem gab es dort einen Trailerpark, eine Seilschaukel und einen Laden für Anglerbedarf, der Grillen, Elritzen, Würmer, Kunstköder und absolut kein Bier verkaufte. An der Bootsrampe stand ein Schild: »ACHTUNG: NACH REGENFÄLLEN IST VOM SCHWIMMEN ABZURATEN, SELBST BEI RUHIGER OBERFLÄCHE TRETEN PLÖTZLICH GEFÄHRLICHE UNTERSTRÖMUNGEN AUF. ZUM ANDENKEN AN SAM COVINGTON, 12. 1. 1989 – 30. 4. 2004«

Unterströmungen traten immer dann auf, wenn zu viel Wasser zwischen den Ufern floss. Durch die erhöhte Wassermenge änderte sich die Strömung. Sobald das Flussbett voll war und der Fluss über die Ufer stieg, entstand ein Sog, der das Oberflächenwasser nach unten zog, ein Stück über den Grund trieb und wieder an die Oberfläche drückte.

Auf dem Parkplatz an Scotts Landing verglichen Leute ihre Köder und tauschten Anglerlatein aus, und da wir Wasser und etwas zu essen brauchten, band ich das Kanu an und bat Abbie, auf mich zu warten.

Irgendwo briet jemand Würstchen und Eier. Als ich den

Laden betrat, grüßten mich sofort vier Männer an der Theke. Ich winkte und verschwand zwischen den Lebensmittelregalen. An der Wand über der Kasse hingen Fotos von Einheimischen mit ihrem größten Fang, ihrem ersten Hirsch, größten Wildschwein oder dem Partner oder der Partnerin beim Schulabschlussball. Eine Art »Wall of Fame«. Gerade packte ich mir die Arme voll mit Salzcrackern, einem Glas Erdnussbutter und ein paar Flaschen Gatorade, als der Mann hinter der Theke zur Fernbedienung griff und sie in Richtung Fernseher hielt. »He, alle mal ruhig.« Er drückte mehrmals auf die Lautstärketaste. »Da kommt's.«

Auf dem Bildschirm erschien der blaue Hintergrund des Wetterkanals mit der Schrift: SONDERBERICHT – HURRIKAN ANNIE RÜCKT NÄHER.

Ein Reporter in gelber Regenjacke stand in seitlich treibendem Regen und sagte: »Vor fünf Tagen verstärkte sich Annie und erreichte den viertniedrigsten Luftdruck, der in Verbindung mit Hurrikan Camille 1969 je bei einem atlantischen Hurrikan gemessen wurde. Am 26. Mai brachte Annie es auf eine Windgeschwindigkeit von 155 Knoten oder 290 Stundenkilometern und entwickelte sich zu einem Hurrikan der Kategorie 5 mit Orkanböen von über 320 Stundenkilometern. Am 27. Mai zog Annie mit Windgeschwindigkeiten von über 290 Stundenkilometern zunächst westwärts, dann nordwestwärts, was den Gouverneur veranlasste, Florida Keys, Miami und die meisten Gebiete südlich von Disneyworld evakuieren zu lassen.« Der Wettermann zuckte lächelnd die Achseln. »Nach den von uns gesendeten Bildern und den Radarfilmen musste niemand die Leute erst sonderlich zur Evakuierung überreden.« Er hielt eine Karte des Bundesstaates hoch. »Die drei Hauptrouten aus Florida, die I-95, I-75 und I-10, haben inzwischen mehr Ähnlichkeit mit Parkplätzen, daher hat der Gouverneur veranlasst, die Fahrbahnen in Richtung Süden zu sperren und alle Spuren für den Verkehr in Richtung Norden freizugeben.« Die Moderatorin im Studio in Virginia stellte dem Reporter einige Fragen, auf die er nickend antwortete: »Annie sammelt Energie und Masse wie ein Tasmanischer Teufel. Durch Verdunstung und Gischt saugt ein Hurrikan in diesem Stadium über zwei Milliarden Tonnen Wasser am Tag auf. In jeder Sekunde saugt er gut zwei Millionen Tonnen Luft in sich hinein und wirbelt sie wieder hinaus. Die Energie, die er dabei an einem Tag freisetzt, entspricht vierhundert Zwanzig-Megatonnen-Wasserstoffbomben. Wenn Wissenschaftler diese ganze Energie in Strom umwandeln könnten, ließe sich damit der Bedarf der Vereinigten Staaten für ein halbes Jahr decken.« Zufrieden mit seiner naturwissenschaftlichen Lektion legte er eine Pause ein, um dann eine weitere Frage zu beantworten. »Südflorida ist größtenteils wie eine Geisterstadt und wird es noch tagelang bleiben, bis die Menschen wieder nach Hause zurückkehren wollen. Das Problem dabei ist nur, dass Annie noch nicht mit uns fertig ist. Vom Mittag des 27. bis zum Morgen des 29. tobte Annie über Florida, suchte die Westküste heim und brachte den gesamten Verkehr auf den Highways zum Erliegen. Weite Teile des Landes sind überflutet. Und es kommt noch mehr …«

Der Mann hinter der Theke schaltete auf einen anderen Kanal um und winkte seinen vier Freunden zu: »Seid doch mal still! Da kommt's. Vier zu eins, dass der Kerl sie umgebracht und die Leiche weggeschafft hat und jetzt in Südamerika am Strand sitzt und ihr Geld zählt.«

Ich schaute auf, aber etwas in mir sagte mir, dass ich es eigentlich gar nicht sehen wollte.

Die Werbung endete, und die blondierte Nachrichtensprecherin schaute in die Kamera: »Zu den landesweiten
Nachrichten: Abbie Eliot, ehemaliges Supermodel und
Charlestoner Innenarchitektin, wird vermisst.« Auf dem
Bildschirm erschien Abbies Bild, gefolgt von einigen Aufnahmen aus ihrer Karriere. »Ihr Mann, der lokale Charlestoner Porträtmaler Chris Michaels, wird zur polizeilichen
Befragung gesucht; er wird eines ›möglichen Verbrechens‹
verdächtigt, wie es heißt.« Abbies Bild rückte auf dem Bildschirm nach links, um Platz für mein Gesicht zu machen.
Ich hatte keine Ahnung, wo sie mein Bild herhatten, aber
es sah sehr nach Verbrecheralbum aus. »Abbie Eliot, die früher als eine der zehn schönsten Frauen der Welt galt, wurde
nach einer beidseitigen Brustamputation vor vier Jahren, als
sie die Öffentlichkeit an ihrer Bestrahlung und Chemotherapie teilhaben ließ, zur inoffiziellen Sprecherin der Brust-
krebsüberlebenden. Vor zwei Jahren kehrte der Krebs zurück. Dieses Mal in ihrem Gehirn. Wir schalten nun zu
einer Pressekonferenz ihres Vaters, des ehemaligen Gouver-
neurs von South Carolina, der nun schon in der vierten Legislaturperiode Senator der Vereinigten Staaten ist. Senator
Coleman.« Auf dem Bildschirm erschien eine Live-Auf-
nahme vom Haus der Colemans an der Battery Road. Senator Coleman öffnete in lässiger Jeans und weißem Ox-
ford-Hemd die Haustür, trat auf die Veranda und sprach
über die Brüstung in die Kameras hinunter. »Guten Morgen. Danke, dass Sie gekommen sind.« Er ließ den Blick
über die Reporter schweifen. »Vor zwei Jahren hat man
festgestellt, dass Abigail Grace' Krebs gestreut hatte.« Es war
ihm immer peinlich, dass Abbie so öffentlich über ihre
Brüste beziehungsweise deren Fehlen gesprochen hatte. Er
drehte sich um und deutete an seinen Hinterkopf. »Der

Krebs wanderte nach oben und siedelte sich hier irgendwo an. Sie hat so genannte Metastasen der Stufe IV im Zentralnervensystem. Mehrere davon befinden sich im Hinterkopf oder im Stammhirn, an einer so heiklen Stelle, dass eine Operation ausgeschlossen ist. Abigail Grace ist eine Kämpfernatur, daher hat sie sich ihrer Krankheit entgegengestellt wie allen Herausforderungen in ihrem Leben.« Er wischte sich mit einem Taschentuch übers Gesicht. »Wie viele von Ihnen wissen, war ich der Spender bei ihrer zweiten Knochenmarkstransplantation. Aber auch die … hat nicht angeschlagen. Daran muss ich jeden Tag denken.« Er faltete die Papiere zusammen, die vor ihm lagen. »Vor zwei Wochen waren wir mit unseren Möglichkeiten am Ende, wir holten sie nach Hause in den Kreis der Familie und sorgten für eine Hospizpflege.« Er atmete tief durch. Der mitfühlende Vater stand wieder im Rampenlicht, hielt Hof und zählte die Wählerstimmen. Er winkte seine Frau, Abbies Stiefmutter, zu sich; sie trat an seine Seite und legte den Arm um ihn. »Wir wissen, dass Abigail Grace gern hier bei ihrer Familie wäre.« Sein routinierter Tonfall und der gemessene Sprechrhythmus klangen nahezu perfekt. »Sie muss unter ständiger ärztlicher Aufsicht sein. Wir wissen nicht, was Chris vorhat …« Wieder erschien mein Foto auf dem Bildschirm, dieses Mal in der oberen rechten Ecke. »Er ist unser Schwiegersohn, und das seit nahezu vierzehn Jahren, aber sein Handeln kann sicher nicht zu ihrem Besten sein, wenn er sie von ihrer Familie und ihren Ärzten wegbringt, und das in Tagen, die durchaus die letzten ihres Lebens sein könnten.« Senator Coleman schaute direkt in die Kamera und winkte mit dem rechten Arm jemanden heran, der hinter der Kamera stand. Ein kleiner Mann im Ärztekittel kam mit ernster Miene ins Bild. Der Senator legte den Arm um ihn und räusperte sich. »Das ist Dr. Wayne Massey.«

Ich brauchte einen Moment, ihn zu erkennen. Im Fernsehen wirkten Menschen seltsam fremd. Der Senator hatte Recht. Wayne Massey war ein guter Arzt. Hatte mehr Auszeichnungen, als an seiner Wand Platz fanden. Er war auf die Erforschung der Blut-Hirn-Schranke spezialisiert und hatte sich mit uns in Verbindung gesetzt, in der Hoffnung, dass Abbie an seiner Studie teilnehmen würde. Der Senator beugte sich vor. »Dr. Massey ist einer der führenden Forscher des Landes, die sich mit Fällen wie Abigails befassen.« Mir fiel auf, wie sorgsam er seine Worte wählte.

Im vergangenen Monat hatten wir Dr. Massey angerufen. Er hatte uns zugehört, gründlich befragt und letzten Endes nur eine Behandlung empfehlen können, die nichts am Ausgang ändern, sondern ihn nur um einige Wochen hinauszögern würde. Und selbst das hatte er nicht garantieren können. Diese Formulierung hatte er gewählt, nicht ich. Und die Entscheidung, diese Behandlung NICHT zu versuchen, hatte Abbie allein getroffen. Das Telefongespräch hatte etwa mit dem Satz geendet: »Die Ärzteschaft, die ich vertrete, kann ihr einfach nicht helfen. Es tut mir leid.«

An welchem Punkt gibt man den Kampf auf? An welchem Punkt bekommt eine gewisse Lebensqualität Vorrang vor der Möglichkeit, noch einige Wochen länger in einem benebelten Schmerzzustand oder zumindest mit noch stärkeren Schmerzen zu leben? Ich habe darauf keine Antwort, aber zumindest begreife ich die Frage.

Der Senator wusste, dass wir Dr. Massey kannten. Und uns war klar, dass er es wusste, denn er hatte den Kontakt über sein Büro vermittelt. Er wusste auch, dass Dr. Massey uns keine Hilfe bieten konnte. Vor der Kamera war er kaum mehr als ein Statist. Aber das wusste die Öffentlichkeit nicht. Deshalb war er da.

Der Senator erklärte mit schmerzerfüllter Miene: »Dr. Massey hätte gern noch einmal Gelegenheit, Abigails Zustand zu untersuchen und eine neue Behandlung in Erwägung zu ziehen. Möglicherweise …« Er hielt die Hände wie die Waagschalen der Justizia. »Nun ja … Wir wissen einfach nicht, was noch geht oder in Zukunft gehen könnte.« Er klopfte Dr. Massey auf die Schulter. »Wir haben den Kampf noch nicht aufgegeben.«

Er war gerissen. Innerhalb von Sekunden hatte der Senator eine unausgesprochene Frage in den Raum gestellt: Hielt ich – der unzulängliche, eifersüchtige Schwiegersohn, der vom Erfolg des weltberühmten Models lebte – Abbie von einer möglichen Behandlung oder Heilungschance fern? Standen hinter meiner Entführung – denn darauf lief es hinaus – Mordabsichten? Mit dieser Unterstellung hangelte er sich knapp am Rand einer frechen Lüge entlang, aber was scherte ihn das schon? Er wusste, dass sich die Unterstützung der Öffentlichkeit am besten gewinnen ließ, indem man eine Frage in den Raum stellte und einen bestimmten Eindruck erweckte. Denn im Urteil der öffentlichen Meinung war ein solcher Eindruck gleichbedeutend mit der Wirklichkeit. Ich hatte sozusagen schon den Strick um den Hals.

Der Senator rang um Fassung. »Chris … bitte bring meine …«, er legte Abbies Stiefmutter den Arm um die Schulter, »unsere Tochter zu uns zurück … solange noch Zeit ist.«

Die Regie schaltete zurück zu der Nachrichtensprecherin, die mit ihrem Stift auf den Schreibtisch klopfte. Sie wandte sich an ihren Comoderator, der während des gesamten Berichts geschwiegen hatte. »Als ich mit meinem Brustkrebs zu kämpfen hatte, war Abbie Eliot für mich eine große Ermutigung. Sie …«, die Augen der Frau schimmerten feucht, »schrieb mir sogar und machte mir Mut, als ich mein Haar verlor.« Der Mann hinter der Theke schaltete den Ton aus und warf die Fernbedienung auf die Arbeitsplatte. »Ich hoffe, sie kriegen den Mistk…« Die Eismaschine warf eine Ladung Eiswürfel aus und übertönte ihn, aber ich hatte schon verstanden. Die öffentliche Meinung würde kurzen Prozess mit mir machen. Leise legte ich meine Einkäufe ab, während das Gespräch weiter in Fahrt kam. Ich schlüpfte zu einer Seitentür hinaus, ging die Bootsrampe hinunter, band das Kanu los und stieß ungewöhnlich heftig ab.

Abbie richtete sich auf. »Alles okay?«

Ich tauchte meinen Hut bis zur Krempe ins Wasser, setzte ihn auf und ließ mich von oben abwärts abkühlen. Dann nickte ich.

»Was ist?«, hakte sie nach.

»Dein Dad.«

»Was macht er jetzt schon wieder?«

»Das, was er gut kann.«

»Pressekonferenz?« Ich nickte. Sie kaute auf ihrer Lippe. »So schlimm?«

»Jeans. Veranda vor dem Haus. Katherine hinter ihm.«

»Das ist nicht dein Ernst.«

»Doch.«

»Weißt du, er kann dich wirklich nicht leiden.«

»Was du nicht sagst.«

Um ehrlich zu sein, ich hätte es genauso gemacht, wenn irgendein Kerl, den ich nicht ausstehen könnte, meine Tochter auf irgendeinen Fluss verschleppt hätte, obwohl sie bei mir zu Hause hätte sein sollen. Der einzige Unterschied war, dass ich wusste, was für Abbie das Beste war. Er nicht. Tief im Inneren war es ihm allerdings schon bewusst. Aber das würde er natürlich nie zugeben.

Sollte der Senator uns ausfindig machen, würde er uns seinen Willen aufzwingen. Er würde Abbie in einer Umgebung, die sie nicht mochte, in ein steriles Bett stecken, umgeben von Fremden. Seit 32 Jahren hatte er die Stimmen von Leuten gezählt, die ihm sagten, er wisse alles am besten. Nachdem er so lange in der Politik war, hatte er sich daran gewöhnt zu glauben, wenn er wisse, was für seine Wähler das Beste sei, müsse er offensichtlich auch wissen, was für alle das Beste sei. Und das schloss seine Familie mit ein. Keine Macht der Welt würde ihn vom Gegenteil überzeugen können. Ich zweifelte nicht an seinen guten Absichten. Der Senator war nicht böswillig. Eigentlich hatte er keinen Funken Bosheit in sich. Er war arrogant, aber ich wusste, dass er seine Tochter liebte. Sie zu lieben und zu wissen, was das Beste für sie war oder was sie wollte, waren allerdings zwei völlig verschiedene Dinge. »Schatz, ich glaube, er will dich nur beschützen.«

»Wovor?«

Das war einfach zu beantworten. »Vor mir.«

⁂

Nach einem langen, geraden Stück veränderte sich der Fluss erneut. Ganz subtil. Wenn man die Augen nicht offen hielt, merkte man es gar nicht. Die langen weißen Sandstrände wurden immer weniger und kürzer und wichen dunklem Schlamm und vereinzelten Winkerkrabben. Zwergpalmen und Pappeln reckten sich über den Fluss, tauchten ihre Zweige ins Wasser, schützten das Ufer und machten es so unzugänglich, dass man sich einen Weg an Land bahnen musste. Eine Hochspannungsleitung mit zwölf Kabeln, die über den Fluss führten, summte vom Starkstrom, der ausreichte, einem die Armbanduhr zu verstellen und die Haare zu Berge stehen zu lassen, wenn man darunter durchfuhr.

Einen knappen Kilometer südlich von Scotts Landing begann der Ralph Simmons Memorial State Forest, der sich über gut elf Kilometer am Fluss entlangzog. Auf 28 Quadratkilometern wuchsen hier Sassafras, Wasser-Hickory, Tulpenbäume und bedrohte Pflanzenarten wie Hartwrightia, Amerikanisches Zitronengras und purpurrote Balduina. Zwischen Sumpfkiefern und Zwergeichen wucherten Blaubeeren, Brombeeren, Zimterle, Zimtfarn, Orchideen und am Flussufer Kannenpflanzen. Der Wald bot vielen Tieren Schutz. Von Ottern über Gopherschildkröten, Hirsche und Rotluchse bis hin zu Truthähnen und Bandnattern, ganz zu schweigen von Wassermokassinschlangen und Diamantklapperschlangen. Einheimische behaupteten, sie hätten Schwarzbären und sogar bedrohte Floridapanther gesehen. Abseits vom Ufer war der Boden sandig mit vereinzelten Flecken dunkler, würziger Erde, auf der Gardenien und Wildrosen gediehen und es nach Terpentin roch.

Uns brachte der Ralph-Simmons-Wald etwas Ruhe, weil an den Ufern weniger Leute zu finden waren. Wir ließen uns von der Strömung treiben, so schnell die Gezeiten es zuließen.

ᔰ

Die Bootsrampe Camp Pigney auf der Georgia-Seite lag fernab von allem. Zu ihren Stammgästen zählten Jugendliche, die sich mit ihren Allradfahrzeugen ein Fleckchen suchten, um Steine springen zu lassen oder Dope zu rauchen. Die Gezeiten machten sich hier stärker bemerkbar. Und auf dem Fluss hatte ihre Wirkung Ähnlichkeit mit einer Klospülung: Das Wasser floss schnell ab, aber nur langsam wieder nach. Da wir flussab paddelten, konnten wir locker 6 bis 7 Stundenkilometer schaffen. Über kürzere Strecken sogar acht, aber nur, wenn ich mich konzentrierte. Gegen die steigende Flut waren mit Glück nur 2,5 Stundenkilometer drin, 3,5 kämen schon einem Wunder gleich. Und bei Gegenwind würden wir sogar zurücktreiben.

Abbie schlief, während ich das Paddel ins Wasser hielt und das Kanu auf die Flussseite lenkte, an der die Strömung am stärksten war. Je weniger Zeit ich auf das Steuern verschwendete, umso mehr konnte ich paddeln. Wir passierten Cooney's Landing, Elbow Landing und Horeseshoe Island, bevor wir um die letzte Biegung knapp nördlich von Prospect Landing kamen.

Ich schob meinen Hut zurück und beobachtete, wie der Fluss unter uns dahinglitt.

Wenn man den Fluss lange genug kennt, merkt man, wann die Strömung das Boot schiebt und wann die Ebbe es zieht. Wenn man um eine Biegung kommt und das Heck herumschwingt, wird das Boot geschoben. Wenn der Kiel an derselben Biegung wie auf Schienen durchs Wasser pflügt, wird das Boot gezogen. Der Unterschied war entscheidend: Gegen das Schieben ließ sich ankämpfen, aber vom Sog konnte man sich nur mitreißen lassen.

Der Fluss war ein magischer Ort. So oft ich schon hier war, begriff ich ihn immer noch nicht vollständig. Man konnte sich beeilen und paddeln, so viel man wollte, letztlich bestimmte der Fluss das Tempo. Er zog jede Minute in die Länge und stahl sich jede verlorene Sekunde zurück.

Das machten Flüsse ganz natürlich. Das Ziel war ihnen völlig gleichgültig, nur der Weg zählte. Deshalb waren sie auch so gewunden. Ein gerader Fluss war mit Sicherheit ein von Menschen angelegter Kanal. Leute machten viel Wirbel um eine Armbanduhr, die sich automatisch nach der Atomzeit in Colorado, Greenwich oder sonst wo auf der Welt stellte, aber wenn wir schlau wären, würden wir unsere Uhren nach der Flusszeit stellen. Dann bekämen wir weniger Falten und würden nicht so schnell alt.

Abbie wusste das. Es war vielleicht das Einzige, was ich ihr beigebracht hatte. Sie hatte auf ihre Liste geschaut und den Fluss ausgesucht, nicht weil es ihr Lieblingsplatz oder sie eine ausgesprochene Wasserratte war, sondern weil es der einzige Ort auf Erden war, wo die Zeit langsamer verging. Wo jede Sekunde zählte. Wo, wenn man aufpasste, die Sonne lange genug innehielt, dass man Atem holen konnte.

Um die Mittagszeit zog ich das Paddel aus dem Wasser, legte mich neben Abbie und zählte die Wolken, die über uns dahinzogen.

Und dann versuchte ich, die Sonne zum Stillstand zu bringen.

27

Zwei Tage später fuhren wir ins Onkologiezentrum – es war der letzte Tag der Sommerferien vor Schulanfang. Wir gingen durch die elektronisch gesteuerte Eingangstür und betraten das Wartezimmer für die Chemotherapie. Schon die erste Sekunde bewirkte einiges gegen das Selbstmitleid, dem wir uns zwei Tage lang hingegeben hatten. Menschen aller Art warteten hier. Alte, Junge, Hübsche, Dicke, Hagere, Gesunde, Kränkliche, Kahlköpfige – ganz Amerika saß in diesem Wartezimmer. Der Chemoraum war ein großer runder Saal mit bequemen Sesseln, bunten Kissen, farbenfrohen Wänden, farbenfrohen Schwestern und bleichen, gelblich wirkenden Patienten. Die Gesunden und die Verdammten. Es war eine seltsame Parallelwelt. Die Kranken lebten mit einem Fuß hier und mit dem anderen draußen.

Chemotherapie ist eine systemische Behandlung, das heißt, sie greift schnell wachsende Zellen im ganzen Körper an. Also nicht nur den Krebs, sondern auch die Zellen, die Haare wachsen, Wunden heilen oder die Haut bräunen lassen und so weiter. Deshalb sehen so viele Chemopatienten aus wie der wandelnde Tod. Und in Teilen sind sie das auch.

Wir meldeten uns an und setzten uns neben eine Frau in Abbies Alter. Die beiden kamen ins Gespräch und hatten die gleiche Geschichte. Das war noch etwas, was wir sehr bald lernten. Art und Stadium des Krebses variierten, aber die Geschichten waren bei allen gleich. Die Diagnose hatte sie überrascht und ihnen Angst eingejagt, die je nach unterschiedlichen Faktoren anhielt. Angst war der primäre Übertragungsweg von Krebs, denn dieses Wort wollte keiner von uns jemals hören. Und falls ich noch Zweifel gehegt haben sollte, bestätigte mir ein flüchtiger Blick in das Wartezimmer, was ich schon geahnt hatte. Krebs raubte den Menschen ihre Identität. Er ist ein Aasgeier – ihm ist es völlig egal, wie alt du bist, woher du kommst, wer dein Vater ist, wie viel Geld du hast oder für wie wichtig du dich hältst. Er hat keinen Respekt vor Personen.

Etwa die Hälfte der Frauen trug einen Hut, ein Kopftuch oder eine Perücke, von der ein lieber Mensch, der ihnen nahestand, behauptet hatte, sie sähe nicht unecht aus. Die meisten hatten gelogen. Die noch Haare hatten, schauten sich im Raum um, als hätten sie Angst, die Nächsten zu sein. Und da der Krebs ein Aasgeier ist, stimmte das meist auch. Einige der Frauen trugen sackartige Blusen, die nicht zu weit gewesen waren, als sie sie gekauft hatten. Manche trugen leuchtende Farben, andere neutrale. Alle wünschten, sie wären woanders.

Erst als wir schon einige Wochen hergekommen waren, fiel es mir schlagartig auf. Zugegeben, manchmal bin ich etwas schwer von Begriff. Ich dachte: Wo sind alle die Freunde und Ehemänner?

Schließlich fragte ich Abbie. Sie schüttelte den Kopf. Sie wusste es intuitiv, ohne fragen zu müssen. »Weg.«

Offensichtlich hatten sich einige wirklich aus dem Staub gemacht. Nicht alle, nicht die meisten, aber einige. Ich traf ein paar Superväter, die sich neben ihrem Beruf um Haushalt und Familie kümmerten und Aufkleber vom Fußballverein ihrer Tochter hinten auf ihrem Suburban hatten, aber ich gewöhnte mich nie an den Anblick bleicher, abgemagerter Frauen in Kopftuch und sackartigen Kleidern, die allein neben einem leeren Stuhl lagen und an Plastikschläuche angeschlossen waren. Das besagte viel über ihre Kraft und über die Jämmerlichkeit der Männer, die sie verlassen hatten.

Ich fragte Abbie danach. »Na ja …« Sie schaute sich im Wartezimmer um. »Wenn du ein Gesicht, Titten und Kurven geheiratet hast«, sie schaute mich an, »und die sind weg …« Sie zuckte die Achseln.

Hinter Abbies Erklärung stand eine viel wichtigere Frage. Eine, die sie nicht zu stellen wagte. Ich hatte das Gefühl, dass die Antwort, die sie suchte, Monate, vielleicht sogar Jahre auf sich warten lassen würde und Worte dafür nicht genügten.

28

Das Markante an Prospect Landing war nicht die elegant geschwungene Bootsrampe aus Beton, die typischen Florida-Holzhäuser zu beiden Seiten, die Kühe und die Weiden, die an sie heranreichten, oder die Reihen gestutzter Rotkiefern, deren zusammengeharkte Nadeln als Mulch verkauft wurden, sondern das Heck des gelben Chevrolet-Kombis, Baujahr 1957, das wie eine Boje aus dem Wasser ragte. Es hieß, eine wütende Ehefrau habe ihren Mann mit der Nachbarin erwischt, aus Rache den 57er-Chevrolet aus der Garage geholt, aufs Gas getreten und versucht, ihn über den Fluss zu katapultieren wie Sally Field in *Das ausgekochte Schlitzohr ist wieder auf Achse*. Der Wagen war sein ganzer Stolz gewesen, und das war die Rache. Aber sie hatte keine Brücke gehabt, die sie himmelwärts katapultieren konnte. Nur einen Erdhaufen neben der Bootsrampe. Den raste sie mit hundert oder hundertzwanzig Sachen hinauf, sodass die Schnauze himmelwärts zeigte, aber sobald das Heck oben auf dem Höcker angekommen war, kippte der Vorderteil des Wagens sofort nach unten. Der Chevy pflügte ein kurzes Stück durch die Luft, landete im Wasser und grub sich in den Treibsand am anderen Ufer wie eine verirrte sowjetische Rakete. Seitdem steckte er da. Die Einheimischen nannten ihn den »hässlichen Hintern«, was sie aber nicht daran hinderte, aus dem Unglück ihres Nachbarn Kapital zu schlagen und den Wagen auszuschlachten. Mittlerweile war nur noch die verrostete Karosserie ohne Scheiben, Rücklichter, Radkappen, Reifen und Motor übrig. Irgendjemand hatte sogar das Lenkrad herausgeholt. Im Laufe der Jahre war der Wagen durch sein Gewicht tiefer in den Schlamm gesunken.

Für mich war er eine Markierungsboje. Denn staatliche Wild- und Fischaufseher ließen in Prospect Landing regelmäßig ihre 22-Fuß-Pathfinder-Boote zu Wasser, weil die Rampe ansonsten wenig genutzt wurde, etwas abseits lag und sie von hier aus rasch flussauf und flussab auslaufen konnten. Langsam trieben wir um die Biegung; ich steuerte dichter ans Ufer und ließ das Boot über tellergroße Seerosenblätter gleiten, um es noch stärker abzubremsen. Zuerst war das rostige Auspuffrohr des Kombis zu sehen, gleich darauf die Bootsrampe. Truck und Hänger des Wildaufsehers standen am Zaun geparkt. Er war nicht zu sehen, aber da sein Wagen leer war, musste er mit seinem Boot auf dem Fluss unterwegs sein. Abbie sagte ich nichts davon, überlegte aber schon mal, wo wir die Nacht verbringen könnten.

Wir passierten Walker's Landing, McKenzie Landing, Colerain, Gum Stump Landing, Orange Bluff, Mallets Landing und die Bootsrampe Flea Hill. Das Problem war nicht unser Tempo – nach den Maßstäben des Flusses flogen wir geradezu dahin –, sondern die Menge an Leuten, die ich gesehen hatte. Fast überall am Flussufer standen Häuser auf Pfählen oder am Steilhang. Und hier unten erwarteten die Anwohner, dass man winkte. So, wie wenn zwei Autos sich auf einem Schotterweg begegneten. Man winkte, das war einfach so. Und bei Booten auf dem Fluss war es genauso. Wenn man winkte, wurde man kaum wahrgenommen.

Winkte man nicht, fiel man auf. Ich winkte, ohne Aufmerksamkeit zu erregen, aber früher oder später würde jemand uns mit den Nachrichtenmeldungen in Verbindung bringen. Wenn wir die Ebbe nutzten und meine Kräfte mich nicht im Stich ließen, konnten wir in 36 bis 48 Stunden St. Marys erreichen. Wenn wir die Ebbe verpassten, stand in den Sternen, wie lange wir brauchen würden.

↬

Kings Ferry ist genau wie Trader's Hill sehr beliebt bei Wassersportlern und Campern. An der breitesten Stelle ist der Fluss fast 150 Meter breit. Es gibt ein großes schwimmendes Betondock – weil der Wasserstand bei Ebbe und Flut um bis zu 1,50 Meter schwanken kann –, einen Laden und mehrere Häuser in der Nähe der Anlegestelle. Ich wollte nicht bei Tageslicht vorbeifahren. Daher ließen wir uns bis zum Einbruch der Dunkelheit treiben und passierten Kings Ferry dicht am gegenüberliegenden Ufer, als der Mond gerade noch hinter den Baumwipfeln lauerte. Das war gut und schlecht. Gut, weil niemand uns sah. Schlecht, weil wir den Laden und damit die Chance auf Essen verpassten.

Das war umso problematischer, als meine Kräfte rasch nachließen. Ich hatte nur sporadisch gegessen, aber vermutlich sechs- bis achttausend Kalorien am Tag verbrannt. Schon lange hatte ich meine Fettreserven angegriffen. Und ich wurde nicht nur schwächer, sondern hatte auch riesige Blasen an den Handflächen, die aufgegangen waren und nun nässten. Schweiß und Wasser drangen in die offenen Wunden. Und das Brackwasser war salzig. Jedes Mal wenn ich das Paddel ins Wasser tauchte, rann das Wasser vom oberen Paddel herunter und floss über meine Hände.

Das Salzwasser tat zwar weh, hatte aber nicht nur Nachteile. Es bedeutete Krabben. Blaukrabben. Und wo Blaukrabben waren, gab es hier in der Gegend auch Krabbenreusen. Es war eine Todsünde, die Reusen eines anderen zu plündern. Dafür war schon manch einer erschossen worden. Ich entdeckte mehrere nummerierte weiße Schwimmer in der Flussmitte, zog die Reusen ins Boot und stahl jedes Schalentier, das ich bekommen konnte. Nach fünf Reusen hatte ich 28 Krabben. Abbie machte ein Auge auf und sagte: »Ist das nicht verboten?«

»Doch.«

»Wenn die Dinger mir in den Zeh kneifen, springe ich aus dem Kanu.«

Ich zog meine Shorts aus, wickelte die Krabben hinein und stopfte sie hinter meinen Sitz. Bis zur Bootsrampe White Oak bei Brickyard Landing würden sie sich halten.

Wir passierten Blood Landing und sahen den Vollmond hoch über Cabbage Bend stehen. Er tauchte das Wasser in ein dunstig bläuliches Licht und warf lange Schatten der Bäume darauf. Das Licht lockte die Wasserwanzen hervor, die wiederum Hunderte von Fische anzogen. Wir paddelten durch eine Fressorgie nach der anderen. Es war einer jener Momente, die unter anderen Umständen hätten schön sein können. Abbie richtete sich auf, lehnte sich an die Seitenwand des Kanus und hielt die Finger ins Wasser. Überall am Ufer quakten die Laubfrösche im sommerlichen Chor, dem gelegentlich ein Alligator oder ein entferntes Hundegebell antwortete.

Vor Jahren hatte ein Mr Gilman von der Gilman Paper Company mehrere hundert Hektar Land für die White Oak Plantation gestiftet. Die Anlage war mehr als exklusiv. Es gab einen Golfplatz, auf den kaum jemand einen Fuß setzen durfte. Zutritt hatten nur Konzernchefs und echte

Promis. Wer einfach so vor dem Tor vorfuhr, den lehrte man die Feinheiten eines knappen Wendemanövers. Einladungen waren rar und mit Geld nicht zu erkaufen.

Wie es hieß, hatte Mr Gilman irgendwann in den 1980ern den Tänzer Mikhail Baryshnikow kennengelernt. Die beiden hatten sich angefreundet, und Gilman hatte ihm ein Tanzstudio eingerichtet, aus dem das White Oak Dance Project hervorging. Es bestand aus den besten Tänzern der Welt und war vermutlich die beste Balettruppe, die je auf der Bühne stand, was sie bislang gut sechshundert Mal weltweit getan hatte. Ich hatte es immer seltsam gefunden, dass die Ballettelite auf einer Plantage am Ende der Welt in Nordflorida trainierte.

Aber mein Interesse an White Oak hatte wenig mit Gilman oder den Tänzern zu tun. Mir ging es vielmehr um Brickyard Landing. White Oak fiel vom Eichenwald sanft ab und stieg leicht zum Flussufer hin wieder an, wo sich hinter einem Betreten-verboten-Schild eine kleine Betonrampe und eine gepflegte Anlegestelle im Wald versteckten. Einzelne schlanke Kiefern ragten fast zwanzig Meter hoch auf und schwankten leicht im Wind, aber das eigentliche Erkennungsmerkmal war der Marschgeruch. Denn hier änderte sich der Fluss erneut. Sandstrände, Zwergeichen und Pappeln wichen Rispengras, Marschschlamm und Austernbänken. Ab hier hinterließen die Gezeiten zum ersten Mal Spuren am Ufer. Es waren nur sechzig bis neunzig Zentimeter, aber näher am Highway 17 und der I-95 verfärbten die Gezeiten die Uferböschung fast zwei Meter hoch. Der Geruch streifte meine Nase, die Bäume ragten hoch in den Nachthimmel empor, und gleich darauf tauchte rechts von uns Brickyard Landing auf.

Ich hielt das Paddel wie ein Ruder ins Wasser, zog das

Kanu auf die Betonrampe hinauf und half Abbie beim Aussteigen. Als ich noch für Gus gearbeitet hatte, war jeden Morgen ein alter Mann – er war vielleicht achtzig – namens Russ mit Pfeife, Zeitung und Kaffee vorbeigekommen. Er war einsam, hatte Frau und Hund überlebt und unterhielt sich mit uns, während wir die Boote, Schwimmwesten und Paddel fertig machten. Seine Haut war ganz dünn, und Seemannstätowierungen zierten seine beiden Unterarme. Er hatte sie sich in der Normandie machen lassen und erzählte sein Leben lang davon. Da seine Haut mittlerweile schlaff und faltig war, hing auch am Körper der üppigen Frau auf seinem Arm alles herunter. Jedenfalls war Russ fast jeden Morgen da, spann sein Seemannsgarn und lebte stellvertretend durch uns. Jeden Morgen, wenn wir uns vom Ufer abstießen, rappelte er sich aus Gus' Schaukelstuhl hoch, winkte uns hinterher und lehnte sich mit zittrigen, arthritischen Knien an die Mauer. Dann schlenderte er nach Hause und freute sich auf den Morgen des nächsten Tages.

Als Abbie mit zittrigen Knien aufstand und sich an mir festklammerte, musste ich an Russ denken.

Hinter uns auf dem Rasen wuchs knöchelhoch Bermudagras. Links von uns stand ein dunkles Bootshaus mit Anlegestelle, überdachter Veranda mit Fliegengittern und Badezimmer.

Der Strom war abgeschaltet, aber ich fand eine Kerze, suchte die Veranda ab und stolperte über einen großen Topf und einen Propangaskocher. Ich kochte Wasser und warf die Krabben hinein, dann breitete ich eine alte Zeitung auf dem Picknicktisch aus, während Abbie zwei Packungen Shasta-Zitronen-Limonen-Saft aus einer Abstellkammer ausgrub. Nachdem ich die Krabben gekocht und auf die Zeitung geschüttet hatte, fielen wir darüber her. Ich musterte den wachsenden Schalenhaufen und schaute Abbie zu, wie sie an einen Krabbenbein sog.

Während ich aufräumte, schaute sich Abbie die Dusche an. Das Bad war neu und relativ sauber, und die Dusche sah aus, als könnten vier oder fünf Kids gleichzeitig darin duschen. Über einer Fläche von 1,20 mal 2,40 Meter waren sechs Duschköpfe angebracht, alle auf den Abfluss in der Mitte ausgerichtet. Als ich die Dusche aufdrehte, floss erstaunlicherweise warmes Wasser heraus. Abbie nahm die Seife aus einer Schale in der Wand, setzte sich in die Nähe des Abflusses und klopfte auf die Fliesen neben sich.

Ich schnupperte an meinem Shirt. »So schlimm, ja?«

»Du ahnst ja nicht, wie schlimm.« Wir duschten, bis die Seife dahinschmolz und das Wasser kalt wurde.

Den größten Teil des Bootshauses nahm ein großer Raum mit Gewölbedecke ein. In der Mitte war ein offener Kamin mit einem Elchkopf am Rauchfang. Ich holte Kissen von den Bänken auf der Veranda und machte uns ein Lager auf dem Boden, während Abbie sich abtrocknete. Anschließend half ich ihr, das trockene T-Shirt und Socken anzuziehen und sich in den Fleece-Schlafsack zu legen. Es dauerte nicht lange, bis sie einschlief. Ich wusch unsere Kleider aus, so gut es ging, und hängte sie zum Trocknen über das Verandageländer. Danach war ich nackt und müde, aber nicht schläfrig. Also machte ich mir Kaffee und trank schweigend, während Abbie neben mir schwer atmete. Da es auf dem Betonboden überraschend kühl und feucht war, zündete ich ein kleines Feuer im Kamin an und schaute gedankenverloren in die Glut.

Irgendwann nach Mitternacht wehte Zugluft durch den Raum, schürte die Glut und ließ ein Flämmchen aufzüngeln. Ich starrte in die Dunkelheit, um meine Augen daran zu gewöhnen. Hinter mir ging eine Tür auf und schnell wieder zu. Gleich darauf hörte ich Schritte und ein gedämpftes Flüstern. Ich schnappte mir den Revolver, drückte mich an die Wand und lauschte.

Der erste Mann kam herein, als ob er es eilig hätte. Er stand gut 1,20 Meter von Abbie entfernt und schaute sie an. Falls sie merkte, dass er da war, ließ sie sich nichts anmerken. Der Feuerschein spiegelte sich in seinen Brillengläsern und seinem ölig schimmernden Gesicht. Der zweite Mann war größer und hinkte offenbar. Der dritte war breitschultrig, dickbeinig und ging wie ein Troll. An ihren Umrissen sah ich, dass es die uns bereits bekannten Mistkerle waren.

Ich umklammerte mit der rechten Hand fest den Revolvergriff und stützte sie mit der linken ab.

Als der erste Mann die Hand ausstreckte und an der Plane über Abbies Füßen zog, hob ich den Revolver und drückte auf den Abzug. Der Hahn war halb gespannt, als mich etwas Hartes über dem linken Auge traf. Der Schlag ließ mich rückwärts gegen die Wand prallen und die Kugel über mir in die Decke einschlagen. Ich fiel hin und landete auf dem Rücken, vermutlich in einer Abstellkammer.

Ich versuchte aufzustehen, schaffte es aber nicht. Mit dem linken Auge sah ich gar nichts, mit dem rechten nicht viel mehr, und etwas Warmes rann mir übers Gesicht. Ich versuchte zu kriechen, brachte meine Hände aber nicht dazu, mein Gewicht zu tragen. Der erste Mann schaltete eine Stirnlampe ein wie ein Bergmann und riss die Plane weg, während der zweite an dem Schlafsack zerrte. Hinkebein stand da und lachte schrill und teuflisch. Im Licht der mittlerweile zwei Stirnlampen und des Feuers sah ich neben mir einen vierten Mann stehen, der mich eben mit dem Griff meiner eigenen Waffe geschlagen hatte. Nun trat er mir fest in die Rippen.

Der Bergmann sagte: »Schaut mal, was wir hier haben.« Abbie hatte die Augen geöffnet, regte und wehrte sich aber nicht. Mühsam rang ich nach Atem. Der Bergmann kniete sich zwischen ihre Beine, während der Troll ihren Kopf packte und ihr Kopftuch herunterriss. Er hielt es hoch wie einen Skalp und schaute Abbie fassungslos an. »Bufort, sie ist kahl wie ein Pfirsich. Kein einziges Haar auf dem Kopf.«

Der Bergmann kniete sich auf sie und fummelte lachend an seinem Gürtel herum. »Die braucht sie auch nicht.« Hinkebein packte ihr T-Shirt am Halsausschnitt und riss es mittendurch. Alle drei Männer wichen zurück und starrten auf Abbies bleichen, busenlosen Brustkorb. Die Stirnlampe des Bergmanns beleuchtete sie wie ein Bühnenscheinwerfer. »Also, da soll mich doch …« Der zweite Mann tippte ihm an die Schulter. »Die hat auch keine Titten.«

Hinkebein beugte sich vor. »Die ist platter als du, Buf.« Ihr Gelächter hallte von der Gewölbedecke wider. Der Troll legte den Kopf schief wie ein Hund. »Sieht aus wie zwei runzelige Arschlöcher.«

Die drei Männer hatten sich verdoppelt, jeder war zwei Mal da. Wieder wehte Zugluft herein und fachte die Flammen an, die nun fast den ganzen Raum erhellten. Mit einem Satz stürzte ich mich auf den Mann über mir, packte das Gewehr und hörte, wie er es entsicherte. Als ich daran zerrte, drückte er reflexartig fest auf den Abzug. Eine zwei Fuß lange Flamme schoss aus der Mündung, und der Knall zerriss mir fast das Trommelfell. Das Krachen des Vogelschrots hallte durch das Haus mit dem Betonboden. Gerade drehte ich mich zu Abbie um, als der Gewehrgriff mich ein zweites Mal am linken Auge traf. Ich landete auf dem Betonboden in einer Pfütze, die nach Öl roch, und hörte das Nachladen einer Patrone. Mir wurde schwarz vor Augen, kurz sah ich alles verschwommen, dann wieder nur noch schwarz. Der vierte Mann saß auf mir und hielt mir den Gewehrlauf vors Gesicht. Das Weiß seiner Augen reflektierte den Feuerschein.

Der Bergmann begrapschte Abbie von oben bis unten. Hinkebein beugte sich vor, blinzelte, legte dem Troll die Hand auf die Schulter und sagte: »Schau mal her, Verl ...« Er deutete auf Abbie. »Mit der stimmt was nicht.«

Der Bergmann setzte sich zurück. »Was redest du da?«

»Guck sie dir doch mal an. Die ist ja halb tot.«

Der Bergmann rückte seine Stirnlampe zurecht, was ihn aussehen ließ wie einen Zyklopen, und schob seine Shorts herunter. »Die ist lebendig genug.«

Aus dem Winkel meines rechten Auges sah ich etwas Bläulich-Rötliches aufblitzen und hörte das Geräusch von Flipflops. Eine halbe Sekunde später schnellte der Kopf des Mannes mit dem Gewehr nach hinten und er fiel stöhnend auf mich, sodass mein Kopf wieder hart auf den Beton prallte und in der Öllache lag.

Der Mann, der nun über mir stand, trug rot-blaue Hawaii-Shorts, Flipflops, kein Hemd und hielt ein abgebrochenes Kantholz in der Hand. Hinkebein sprang auf, bekam aber sofort das Ende des Knüppels an den Kopf. Bruchstücke von Zähnen flogen durch die Luft und prasselten auf den Betonboden. Etwas Kleines, Pelziges, Knurrendes mischte sich ein, sprang hoch – seine Krallen schabten über den Beton –, verbiss sich in den Hintern des Bergmanns und blieb daran hängen. Hinkebein sackte lautlos zu Boden wie eine Nudel. Der Bergmann hatte gerade die Hose über seinen stark behaarten Hintern hinuntergeschoben. Unter-

wäsche trug er, glaube ich, nicht. Der Troll sprang den Hawaii-Mann an wie eine Katze und packte ihn am Hals, aber
ein Hüftschwung beförderte ihn quer durch den Raum in
meine Richtung. Er landete an der Wand, und ich schlug
ihm mit meinem Revolver auf den Kopf. Als er stöhnte,
schlug ich noch mal zu. Und als er den Kopf hob, ein drittes Mal. Danach lag er stöhnend am Boden, rührte sich aber
nicht mehr. Ich kroch zu Abbie hinüber. Der Bergmann
drehte sich gerade noch rechtzeitig um, dass er Mr Hawaii
auf sich zukommen sah. Seine Stirnlampe blendete den Hawaii-Mann, nicht aber das knurrende kleine Biest, das am
Hintern des Bergmanns hing. Mit den Hosen um die Knöchel sackhüpfte er seitlich, ging drei Schritte zurück und
versuchte, den Teufel von seinem Hintern abzuschütteln.
Dabei stolperte er und landete auf dem Hund, den er so
vorübergehend loswurde. Aber sobald er aufstand, sprang
das Tier wieder vom Betonboden hoch und verbiss sich in
den Schritt des Mannes. Der Bergmann schrie aus vollem
Hals.

So unglaublich es war, schaffte er es zur Tür und verschwand nach draußen. Ich sah den Schein seiner Lampe,
als er von der Veranda sprang, stolperte und den Rasen hinunter zum Fluss rollte. Mr Hawaii schaute mich an, grinste
und verschwand durch die Tür in Richtung der Lampe
und des Knurrens. Mit dem linken Auge sah ich nichts, die
Welt drehte sich zu schnell, und die Ränder kamen auf
mich zu. Ich kroch neben Abbie, und mir wurde in Wellen
übel. Als ich mich auf sie legte, spürte ich, wie ihr Bauch
sich unter meinem hob und senkte. Ich zwang mich, die
Augen zu öffnen, wusste aber, dass mir nicht viel Zeit blieb.
Ich kroch zurück zu dem Gewehr, prüfte mit dem Finger,
ob es geladen war, und kroch zu Abbie zurück. Dann zog

ich sie an die Wand und kniete mich neben sie und die anderen Körper im Raum. Der Troll stöhnte, aber da seine Nase schief im Gesicht hing, bezweifelte ich, dass ihm danach war, sich zu rühren. Hinkebein hatte bis jetzt noch nicht einmal gezuckt.

Sechzig Sekunden später hörten wir draußen ein Krachen, gefolgt von einem lauten Platschen. Eine Lampe kam den Hang hinauf und durch die Tür. Ihr Träger pfiff und trug etwas auf dem Arm. Ich hob das Gewehr und zielte zwischen Vorder- und Hintertür hin und her. Meine Arme zitterten, aber ich krümmte meinen Zeigefinger um den Abzug. Der Mann mit der Lampe kam mitten in den Raum, schaltete das Licht aus und setzte den Hund neben sich auf dem Boden ab. Das Tier schnüffelte sich auf dem Boden zu uns vor, leckte an meinem Fuß und wand sich hinter mir zu Abbie durch. Der Mann schaute auf mich herunter, aber ich hatte Mühe, klar zu sehen. Schließlich zog er ein Päckchen Zigaretten aus seiner Tasche, steckte sich eine zwischen die Lippen und zündete sie mit einem glänzend silbernen Zippo-Feuerzeug an. Er inhalierte tief und klappte das Feuerzeug an seinem Oberschenkel zu. »Wie's aussieht, hattet ihr beide ein bisschen Ärger.«

Ich sicherte das Gewehr und tastete nach der Pelican-Box. Dann holte ich zwei Spritzen heraus, rieb Abbies Schenkel sauber, brach die Kappe der Dopaminspritze ab und injizierte sie, gefolgt von dem Dexamethazon. Anschließend lehnte ich mich an die Wand. Meine Lider waren zu schwer, um die Augen offen zu halten. Das Letzte, was ich sah, bevor mir die Augen zufielen, war die rote Glut seiner Zigarette. Nach einer Weile spürte ich, wie mein Magen mir in die Kehle hüpfte, meine Schultern in einen harten Sitz gedrückt wurden und Abbie ihre Arme fest um

mich schlang. Ich versuchte, wach zu werden, aber der Nebel in meinem Kopf war zu dick. Abbie hielt mich, schlang
die Beine um meine und zog mich an sich. Sie zitterte.
Ganz nah hörte ich einen Motor dröhnen und vibrieren
und jemand schaltete einen Ventilator ein.

29

Die Chemo war eine tägliche Plackerei – drei Wochen am Stück, eine Woche Pause, vier Tage in der Woche, acht Beutel pro Tag, sechs Stunden täglich. Es war, als hätte man unendlich lange eine Erkältung. Außerdem bewirkte sie noch andere Dinge. Abbie hatte Zahnfleisch- und Nasenbluten, ständig Durchfall, verlor den Appetit und die Haare, lebte mit Übelkeit und Kribbeln in den Fingern und Zehen und musste sich jeden Monat drei Wochen lang ständig übergeben.

Die erste Runde der Chemo bewirkte das, was die Ärzte erhofft hatten. Die Tumore schrumpften, aber das änderte nichts an ihrer Empfehlung. An einem Freitagmorgen meldeten wir uns um 6 Uhr früh im Krankenhaus für eine Operation um 10 Uhr. Kurz bevor man sie den Gang hinunterschob, schaute sie mich durch den Nebel der Beruhigungsmittel an, die in ihre Venen tropften, und fragte: »Bist du hier, wenn ich aufwache?«

»Ja.«

»Versprochen?«

Ich nickte. »Morgen auch.«

Sie schloss die Augen, man schob sie den Gang hinunter, und ich ging ins Wartezimmer der Chirurgie, wo ihre Stiefmutter und ihr Vater saßen. Nachdem ich seit über zehn Jahren mit ihrer Tochter verheiratet war, hatten wir einen einmütigen Waffenstillstand erreicht. Sie sprachen nicht mit mir, und ich sprach nur mit ihnen, wenn sie mich ansprachen.

Früher hatte ich gedacht, ich könnte sie für mich gewinnen, hatte aber kaum Fortschritte erzielt. Eigentlich gar keine. Katherine saß da und las im *Architectural Digest*, und Abbies Vater telefonierte mit seinen Büros in Charleston und Washington.

Während der fünfstündigen Operation hielt uns eine Krankenschwester immer wieder auf dem Laufenden. »Wir sind mit der rechten Seite fertig, die Ränder sind sauber, die Lymphknoten sind in Ordnung. Jetzt fangen wir mit der linken Seite an.« Mir fiel auf, dass sie nichts von einer Rekonstruktion sagte.

Um 16 Uhr kam der Chirurg, Dr. Dismakh. Er zog seine Maske aus und bedeutete uns, ihm in das Sprechzimmer zu folgen. »Wir sind fertig. Abbie schläft, ich bringe Sie gleich zu ihr«, sagte er. Seine Pause sagte mir, dass ich nicht hören wollte, was er uns gleich mitteilen würde. »Ihre Lymphknoten lassen vermuten, dass der Krebs sich ausgebreitet hat. Wir haben keine Rekonstruktion vorgenommen.«

»Okay.« Ich wusste nicht recht, was ich sagen sollte. Es kam mir unsensibel vor, nach dem Warum zu fragen, wenn der Krebs noch immer in ihr herumschwamm.

»Der Krebs ist ... extensiv. Wir haben bei der Operation herausgeholt, was wir konnten. In den kommenden Monaten müssen wir ihn abwechselnd mit Chemo und Bestrahlung angreifen.« Die Worte *Monate, Chemo* und *Bestrahlung* hüpften in meinem Kopf herum wie Flipperkugeln. »Eine Rekonstruktion würde uns zukünftig daran hindern, ein Wachstum von Tumoren oder eine Wiederkehr der Erkrankung zu erkennen«, erklärte er weiter. »Außerdem würde sich durch den erforderlichen Heilungsprozess der Rekonstruktion der Beginn der weiteren Behandlungen verzögern, die so bald wie möglich anfangen sollten. Wie es jetzt aussieht, kann sie bald damit anfangen.«

Sie hatten Abbie in einen Aufwachraum gebracht und sagten mir, ich könne sie sehen. In der Zwischenzeit warteten wir auf ein Zimmer oben auf der Station. Vor der Operation war es nicht selten vorgekommen, dass auf Veranstaltungen oder in größeren Gesellschaften irgendeine andere Frau Abbie diskret beiseitegezogen und mit einem Blick auf ihre Brüste gefragt hatte: »Sagen Sie mal ehrlich, wer ist Ihr Schönheitschirurg?« Als ich in den Aufwachraum ging und einen Blick auf ihre mullbedeckte Brust warf, war mir klar, dass ihr niemand mehr diese Frage stellen würde.

Das war der Punkt, an dem es bei mir klickte. Die Brust ist nicht nur ein Körperteil. Sie ist Teil eines Ganzen, das besagt: *Ich bin eine Frau und ich bin schön*, aber sie ist den anderen Körperteilen nicht gleichgestellt. Als ich in diesem Raum saß, wurde mir klar, dass man einer Frau einen Finger, eine Hand und sogar ein Bein abnehmen konnte, aber wenn man ihr die Brust amputierte, nahm man ihr mehr als nur einen Körperteil.

Es war gewöhnungsbedürftig.

Ich schob meine Hand unter ihre und wartete. Als sie aufwachte, war es mitten in der Nacht. Sie hatte starke Schmerzen.

Ich sagte es ihr erst am nächsten Morgen, als die Wirkung der Medikamente nachließ und die Sonne durch die Jalousien brach. »Schatz, der Krebs war mehr … hatte sich weiter ausgebreitet, als sie anfangs gedacht hatten. Sie haben weggenommen, was sie konnten. Jetzt reden sie von noch mehr Chemo, abwechselnd mit Bestrahlung.« Sie schaute auf ihre flache Brust. Ich schüttelte den Kopf. »Noch nicht.

Sie wollten keine Verzögerung …« Ich verstummte. Was wusste ich schon? Abbie hatte starke Schmerzen und drückte immer wieder auf den Schmerzmittelknopf, wenn er nach einer Viertelstunde wieder freigeschaltet war.

Die Ärzte, Dr. Hampton, Dr. Smith und Dr. Meyer, standen mit dem Chirurgen, Dr. Dismakh, im Halbkreis am Fuß ihres Bettes. Dr. Hampton fing an: »Abbie, die Lymphknoten, die wir Ihnen herausgenommen haben, zeigen, dass Ihr Krebs sich über das Ursprungsorgan, wie wir es nennen, die Brust, hinaus ausgebreitet hat. Mittlerweile ist er systemisch, das heißt, er kann überall sein. Wir wissen von einem Geschwulst an Ihrem Lungenfell.« Wir warteten und hörten zu, ohne recht zu verstehen. »Wir möchten Sie gern in die M. D.-Anderson-Klinik in Houston schicken. Oder vielleicht in die Sloan-Kettering-Klinik. Beide sind auf dem neuesten Stand, was diesen Krebstyp angeht.«

Ich schluckte und brachte mit gepresster Stimme heraus: »Was für ein Krebstyp ist das?«

Nun war Dr. Smith an der Reihe: »Er ist aggressiv, schnell wachsend und bekannt für seinen unersättlichen Appetit. Die gute Nachricht ist, da er schnell wächst, ist er auch leicht abzutöten. Aber das ist gleichzeitig auch die schlechte Nachricht. Er wächst schnell.«

Inzwischen war mir egal, ob ihre Brüste jemals rekonstruiert würden. Wir konnten auch ohne sie leben.

Die Ärzte ließen uns allein. Als ich aufschaute, war Dr. Hampton noch einmal zurückgekommen. Er setzte sich zu uns und fragte: »Tanzen Sie gern?«

Die Frage kam aus dem Nichts. »Was?«

Er grinste. »Tanzen Sie gern?«

Ich schüttelte den Kopf. »Was soll die Frage?«

»Das hier …«, er machte eine alles umfassende Handbewegung und schaute Abbie an, »ist wie ein schwieriger Tanz. Denn wir müssen den Krebs töten, ohne Sie umzubringen ... und bevor er Sie tötet.«

Zwei Tage später schickten sie uns nach Hause.

30

Die Sonne schien durch die Baumwipfel, als ich die Augen aufschlug. Ich hob den Kopf und sah, dass Abbie neben mir schlief und Kleider trug, die ich noch nie gesehen hatte. In ihren Armen lag ein zusammengerollter Jack-Russel-Terrier.

Als ich Zigarettenrauch wahrnahm, wandte ich den Kopf. Mr Hawaii saß in einem Adirondack-Sessel an der gegenüberliegenden Wand, ein Häufchen Kippen und Asche zu seinen Füßen. Wir befanden uns auf einer Art Veranda, die rundum mit Fliegengittern versehen und mindestens so hoch oben lag wie die Baumwipfel, denn sie streiften sanft über die Fliegenfenster. Der Fremde war groß, sah gut aus, hatte schulterlanges schwarzes Haar, blaue Augen, einen Schnurrbart und war ansonsten glatt rasiert, muskulös und vielleicht Ende vierzig.

In einer Hand hielt er eine Zigarette, in der anderen ein Eis am Stiel. Er schwenkte die Zigarette in meine Richtung. »Ich habe ihr Kleider gegeben, angezogen hat sie sich selbst. Ist vor einer Weile wieder eingeschlafen.«

»Wie sind wir hergekommen?«

Er lachte, rauchte und lutschte an seinem Eis. »Na ja, du hast sie in die Stearman getragen und bist dann umgekippt.«

»Was ist eine Stearman?«

285

»Mein Flugzeug.«

»Wir sind in einem Flugzeug geflogen?«

Er nickte und drehte das Eis am Stiel in seinem Mund.

»Daran erinnere ich mich gar nicht.«

»Da du nichts anhattest, werde ich den Anblick nicht so schnell vergessen.«

»Tut mir leid, ich hatte unsere Sachen gewaschen und …«

Er winkte grinsend ab. »Du hast ganz schön was abbekommen. Sie hat sich Sorgen um die Schwellung an deinem Kopf gemacht und dir eine davon gespritzt.« Auf dem Tisch neben uns stand die offene Pelican-Box. »Sagte, das hilft gegen die Schwellung.«

Eine leere Dexamethazon-Spritze lag auf dem Tisch. Zwei waren noch übrig. Mir rutschte das Herz in die Knie.

Das rhythmische Klicken des Deckenventilators klang wie ein einsames Metronom. Das Hämmern in meinem Kopf war schlimmer, als ich es je erlebt hatte. Ich hob die Hand, um mein Auge abzutasten, aber Abbie hielt mich davon ab. »Nicht.«

»Schatz, bist du …?«

»Sie haben mir nichts getan.« Sie tätschelte meinen Kopf. »Vorsichtig, du reißt den Kleber kaputt.«

»Kleber?«

Sie legte mir ein kühles Tuch auf mein Gesicht. »Superkleber. Wir haben unser Bestes versucht, aber schön ist es nicht.«

»Wir?«

Sie flüsterte nur noch. Falls er uns hören konnte, ließ er sich nichts anmerken. »Wenn er uns etwas tun wollte, hätte er es schon getan. Nachdem wir hier angekommen sind, ist er für eine Weile verschwunden, um nachzusehen, was von dem Kanu noch übrig ist.«

»Und?«

»Weg.«

Im Geiste machte ich eine flüchtige Bestandsaufnahme, die ergab, dass wir die Kleider besaßen, die wir am Leib trugen, ein Gewehr, einen Revolver und die Pelican-Box.

Ich brachte ein Flüstern heraus: »Warum hast du mir eine von deinen Dex gegeben?«

Sie zögerte. »Ich war mir nicht sicher, was mit der Schwellung in deinem Kopf ist.«

»Du hättest es besser wissen müssen, als sie an mich zu verschwenden.«

Sie legte mir ihre Finger auf die Lippen. »Schlaf. Wir reden später. Mach dir keine Gedanken.«

Sie streckte sich neben mir aus und legte den Kopf auf meine Brust.

Ich schlang den Arm um sie und fühlte das Pflaster. »Wie geht es dir?«

»Ganz okay. Um mich kümmern wir uns später.«

Irgendwann wachte ich vom Geruch meines Blutes und einem warmen Waschlappen auf meinem Gesicht auf.

Als ich das dritte Mal wach wurde, war es dunkel und die Schmerzen in meinem Kopf fühlten sich an wie ein nahender Güterzug. Komplett mit Signalhorn. Abbie und ich lagen nebeneinander auf etwas, das sich nach zwei Feldbetten anfühlte. Als ich stöhnte, fiel ein Schatten auf mich, und eine große Hand legte mir Tabletten in die Handfläche. »Das ist Ibuprofen.« Ich starrte auf meine Hand, sah zehn Tabletten, schluckte sie und kämpfte gegen den Drang an, sie quer über die Veranda zu spucken. Er beugte sich mit einer kleinen Taschenlampe zwischen den Zähnen über mich, leuchtete mir mehrmals ins Auge und schaltete sie dann aus. »Sie wollte nicht, dass ich dich ins Krankenhaus bringe oder die Polizei rufe, aber ihr solltet hingehen. Alle beide.« Er stockte. »Ich habe allerdings das Gefühl, dass ihr das selbst wisst.«

Abbies Hand tastete sich unter der Decke zu mir vor. Sie legte sich auf meinen Bauch, glitt höher und blieb auf meinem Herzen liegen.

31

Das Ärzteteam in Charleston überwies uns in die Mayo-Klinik in Jacksonville. Die Chemo machten sie wie alle anderen, hatten aber ein weit überlegenes Bestrahlungsgerät. Die Strahlen ließen sich auf Tausendstelzentimeter genau ausrichten und kompensierten die Atembewegung. Wenn man tief einatmete und die Brust sich um einen knappen Zentimeter bewegte, wurden die Strahlen nachgeführt. Daher konnten sie mit aggressiveren Strahlen gegen den Tumor vorgehen. Ähnliche Geräte hatten auch die Sloan-Kettering- und die M. D.-Anderson-Klinik, aber die Mayo-Klinik war für uns näher.

Mittlerweile waren wir seit sechs Monaten in Behandlung. Abbie hatte ihre Haare verloren, gut zwanzig Pfund abgenommen und lebte rund um die Uhr mit Übelkeit. Sie sagte, es sei, als wäre sie nonstop im Sturm auf dem Ausflugsboot aus *Gilligans Insel* unterwegs. Die Behandlungen dauerten von montags bis donnerstags täglich vier Stunden. Meist war es ihr schon am Dienstagabend so schlecht, dass sie fast die ganze Nacht neben der Toilette verbrachte. Wir beide.

Es war an einem Freitag gegen 5 Uhr morgens. Den Monat weiß ich nicht mehr. Irgendwann flossen die Monate ineinander. Sie hatte so lange gebrochen, bis nur noch ein trockenes Würgen und Krämpfe in den Beinen blieben. Da sie schwächer war, als ich sie je erlebt hatte, war es durchaus verständlich, dass ihr Magen weitgehend aufgegeben hatte.

Ich stand mit einem feuchten Tuch neben der Toilette, während sie würgte, aber nichts mehr herauskam. Ich half ihr in die Dusche, drehte das Wasser auf und ließ sie sich unter dem heißen Strahl ausruhen. Dann machte ich sie sauber und brachte sie ins Bett. Fast zwei Tage lang tat ich kaum etwas anderes, als Laken zu wechseln.

Am Sonntagnachmittag rief ich den Arzt an und sagte ihm, wir würden in Charleston bleiben – sie sei nicht in der Verfassung, am Montag wieder mit der Behandlung anzufangen. Sie brauchte ein paar Tage Ruhe. Er willigte ein. Am Sonntagabend deckte ich sie zu, stellte ein paar Salzcracker und etwas Gatorade auf den Tisch und rückte das Bett so, dass sie auf den Hafen schauen konnte.

Trotz der Medikamente gegen die Übelkeit – sieben Tabletten für 500 Dollar – konnte sie nichts essen und trinken. Ich achtete darauf, dass sie nicht austrocknete, indem ich beobachtete, wie oft sie urinierte und welche Farbe ihr Urin hatte. »Klar« bedeutete, dass sie genug Flüssigkeit bekam. »Gelb« hieß, dass es heikel wurde. Für die Chemo hatten die Ärzte ihr einen Zugang in die Brust gelegt. Die Medikamente konnten darüber direkt in die Blutbahn gelangen. Der Zugang half auch, sie vor dem Austrocknen zu bewahren. Ich war der reinste Hydrier-Meister geworden und konnte einen Beutel Salzlösung schneller wechseln als die meisten Krankenschwestern. Ich bin mir nicht sicher, was wir sonst gemacht hätten. Also wechselte ich ihren Beutel und hängte ihn an den Edelstahlständer auf Rädern, den Abbie liebevoll Georgie nannte. Er war der 1,80 Meter große, schlanke, stille Freund an ihrer Seite. Sobald sie »trank«, gönnte ich mir eine Pause. Nach meinen Pflegepflichten brauchte ich dringend eine Dusche und zwölf Stunden ungestörten Schlaf.

Ich drehte die Dusche auf, zog mich aus und stellte mich auf die Waage. 77 Kilo. Nicht nur Abbie hatte Gewicht verloren. Auch ich hatte fünf Kilo abgenommen. Ich stieg in die Dusche und ließ mir das heiße Wasser auf den Nacken prasseln. Wir hatten einen Gasdurchlauferhitzer und einen 500-Liter-Flüssiggastank. Ich konnte also heiß duschen, so lange ich wollte.

Nach etwa einer halben Stunde drehte ich das Wasser ab und stieg aus der Dusche. Abbie saß auf dem Boden, Georgie neben sich. Ich stand tropfend da.

Die vergangenen sechs Monate waren ein monumentales Rodeo gewesen. Abbie hatte entweder flachgelegen und versucht zu verhindern, dass die Erde sich um sie drehte, oder sie hatte über der Kloschüssel gehangen und sich ihre Zehen aus dem Leib gekotzt. Viel Zeit für uns war nicht geblieben. Eigentlich gar keine. *Nada.* Einmal hatten wir es versucht, aber es hatte zu sehr wehgetan, und wir hatten einfach aufgehört. Als ich nun aus der Dusche stieg, war unverkennbar, dass ich seit geraumer Zeit nichts mehr mit meiner Frau gehabt hatte. Ich will das gar nicht sonderlich betonen – ich bin nichts Besonderes. Es war, wie es war. So sah unser Leben nun mal aus.

Wahrscheinlich sah sie mich seit Wochen zum ersten Mal ohne Kleider. Sie schaute auf, nahm das Tuch von ihrem Mund und blinzelte mich an. »Vielleicht … vielleicht könntest du dir für eine Weile eine Freundin suchen.«

»Was?«

Sie nickte. »Schon gut. So kannst du schließlich nicht herumlaufen.«

»Wovon redest du?«

Sie deutete auf mich. »Du könntest dir einfach … du

weißt schon, eine Freundin nehmen. Ich weiß, du brauchst ...«

Es war einer ihrer Tiefpunkte. Ich setzte mich neben sie, nahm sie in den Arm und zog sie vorsichtig an mich, damit ihr nicht noch übler wurde. »Ich habe eine Freundin.«

Sie fing an zu weinen und schüttelte den Kopf. Dann zog sie ihren Morgenmantel aus und setzte sich im Schneidersitz vor mich hin. Sie war kahl – am ganzen Körper. Ihre Haut war bleich, gelblich, und die Narben auf ihrer Brust waren zwar verheilt, hatten sich aber zusammengezogen und ihre Haut gestrafft, wodurch ihre Brust noch eingefallener wirkte. Sie lehnte sich an die Wand, tippte sich an die Brust und brachte mühsam heraus: »Wie kannst du das lieben?«

»Schatz, ich habe dich nicht wegen deiner Titten geheiratet. Versteh mich nicht falsch. Ich vermisse sie, und wenn wir diese Sache besiegt haben, können wir sie vielleicht wiederkriegen, aber ... ich habe es dir doch schon mal gesagt. Ich habe nicht die Frau von den Zeitschriftencovern geheiratet.«

Schluchzend sagte sie: »Aber wieso machst du das, was du tust? Wieso? Das ist doch kein Leben für dich.«

Ich hielt ihre Hand und drehte ihren Ring an ihrem knochigen Finger.

Was Frauen und ihre Gefühle angeht, bin ich zwar kein Experte, aber ich glaube, sie haben zwei unausgesprochene, grundlegende Bedürfnisse, die sich melden, sobald sie die Augen aufmachen. Sie wollen umworben werden und wissen, dass sie schön sind. Abbie war immer von den meisten Männern umworben worden und hatte von allen gehört, dass sie schön war. Sie war nie etwas anderes gewesen. Und dann Krebs. Operation, Bestrahlung, Chemotherapie.

Schneiden, verbrennen und vergiften. Aus ihrer Sicht war das, was auf dem Badezimmerboden saß, nur ein trauriger Rest ihres früheren Ichs. So sah ich es aber nicht. Aber wie sollte ich sie davon überzeugen? Wie sollte ich ihr klarmachen, dass sie nicht nur das war, was sie im Spiegel sah? Angefangen bei Rosalia hatte Abbie mich gelehrt, hinter die Oberfläche zu schauen. In den nächsten Tagen blätterte ich ihre Fotoalben durch. Abbie hatte nicht sämtliche Fotos gesammelt, die je von ihr gemacht wurden, aber für meinen Zweck reichten sie aus. Ich suchte 18 meiner Lieblingsbilder heraus, ließ einige zu lebensgroßen Postern und den Rest im Format 20 x 25 vergrößern. Die Fotos klebte ich auf jeden Spiegel im Haus, die Poster hängte ich an die Flurenden, damit sie jedes Mal, wenn sie um eine Ecke bog, daran erinnert wurde, wie ihr Körper einmal ausgesehen hatte. Anschließend führte ich sie durchs Haus. Abbie fand es grässlich. Sie hasste es, Bilder von sich zu sehen. Sie hatte sie sich auch vorher nie angeschaut, und nun winkte sie ab.

»Nimm sie alle weg, ich will sie nicht.«

»Abbie, es ist mir egal, ob du sie willst oder nicht. Sie bleiben hängen.«

»Aber … warum?«

»Der Spiegel lügt.«

32

Ich roch gebratene Eier und hörte Speck brutzeln, aber das hatte mich nicht geweckt. Es war das Lachen. Abbies Lachen. Ich blinzelte, und das warme Fellknäuel neben mir kroch unter der Decke hervor, sprang auf meine Brust und leckte mein Gesicht ab. Es war so groß wie ein Laib Brot, hatte eine kalte Nase, lange Barthaare und grub seine Pfoten in meine Rippen. Ich setzte mich auf, stellte beide Füße auf den Boden und wartete, bis sich die Welt um mich herum langsamer drehte.

Der Raum maß etwa dreieinhalb Meter im Quadrat, war rundum mit Fliegenfenstern versehen, hatte ein Blechdach, einen Deckenventilator, und in einer Ecke lehnten Angelruten. Zwischen den Dachsparren hingen Spinnweben und zwei Gaslampen, die im Wind schaukelten. An zwei Seiten rankten sich spindeldürre Zwergeichenäste hoch, die Schutz und Schatten boten. Es war eine Art Sommerlaube. Durch die Ritzen zwischen den Dielenbrettern konnte ich knapp zehn Meter unter mir den Boden sehen. Eine Treppe wendelte sich zum Fluss hinunter, und ein Gang führte zum Haupthaus, dem Geruch und dem Lachen. Ich tastete mein linkes Auge ab. Geschwollen und wund. Ich zwang mich, es zu öffnen, und konnte damit sehen, wenn auch nur verschwommen. Die Pelican-Box stand am Fußende meines Feldbetts. Der Revolver war ebenfalls da. Ich setzte den Hund aufs Bett, öffnete die Trommel und sah, dass er geladen war. Ich schob ihn mir hinten in meinen Hosenbund, hörte Abbie wieder lachen und legte die Waffe zurück aufs Bett.

Der Hund sprang herunter, drehte drei Kreise um seinen Stummelschwanz und tappte bis zur Hälfte des Gangs, der ins Haupthaus führte. Nach zwei weiteren Drehungen im Uhrzeigersinn und einer gegen den Uhrzeigersinn verschwand er im Haus. Mit Hundesprache war ich nicht sonderlich vertraut, aber ich hatte den Eindruck, dass er sagen wollte: »He, zum Essen geht's da lang. Komm mit.«

Abbie saß an einem kleinen Tisch und trank etwas Heißes. Um den Kopf hatte sie ein blaues Tuch gebunden, das aber ihre Ohren nicht bedeckte, und sie trug einen Frotteemantel, der aussah, als ob er Mr Hawaii passte. Er stand am Herd und sprach mit einer Pfanne voller Eier und einem Vogel, der nach einem Papagei aussah und auf seiner Schulter hockte. Als ich die Küche betrat, schauten alle drei mich an. Der leuchtend rot-blaue Vogel flog von der Schulter des Mannes weg, landete auf dem Tisch und kletterte auf Abbies Arm, wobei er sich mit dem Schnabel auf ihre Schulter hochzog.

Neben Abbie stand ein kleines, stumm geschaltetes Fernsehgerät auf dem Tisch. Ein Nachrichtensprecher rasselte offenbar die Nachrichten des Tages herunter. Der Mann drehte sich zu mir um, hängte sich ein Handtuch über die Schulter und reichte mir die Hand. »Bob Porter.« Er deutete auf den Papagei. »Das ist Petey. Und das ist Rocket.« Er zeigte auf den Hund.

»Ich habe dir viel zu verdanken.«

Er verteilte die Eier auf zwei Teller und bedeutete mir,

mich zu setzen. Auf einer zweiten Herdflamme bräunte er gehackte Zwiebeln. Und auf einer dritten Flamme briet er Maisgrütze. »Wie geht es dir«, fragte ich Abbie.

»Gut. Ich habe sogar richtig geschlafen.«

Der gelbliche Hautton auf ihren Wangen war einer Farbe gewichen, die ich lange nicht an ihr gesehen hatte. Sie stand auf und legte mir die Hand auf die Schulter. »Ihr beiden unterhaltet euch, und ich nehme ein Bad.«

Bob zeigte auf den Flur. »Handtücher sind im Wandschrank. Und sei vorsichtig, das Wasser ist heiß.«

Sie schloss die Tür, und ich hörte Wasser plätschern. Nach einer Weile rief sie mich. »Chris?«

Ihr Ton sagte nicht: »Ich brauche dich«, sondern eher »He, komm und sieh dir das an« oder »Ich möchte was«. Wenn man lange genug mit einer Innenarchitektin gelebt hat, hört man solche Feinheiten heraus. Als ich die Tür aufstieß, saß sie bis zum Kinn in einer großen elfenbeinfarbenen Metallwanne mit riesigen Löwenfüßen. Der Wannenrand war nach außen gebördelt und das Kopfende so hoch, dass es eine gute Kopfstütze abgab. Ihr linker Arm lag auf dem Wannenrand. Sie strahlte, machte sich aber nicht die Mühe, die Augen zu öffnen. »Wenn wir nach Hause kommen, möchte ich auch so eine haben.«

Ich fühlte, wie heiß das Wasser war, und sagte: »Abgemacht.«

Als ich wieder in die Küche ging, fütterte Bob den Hund mit Ei. »Danke für das, was du getan hast. Wenn du nicht vorbeigekommen wärst, säße ich ganz schön in der Tinte.«

Er nickte, während Rocket seine Hand ableckte. »Rocket mag sie gesalzen. Petey rührt sie nur an, wenn ich ganz viel Cheddarkäse darübergebe.«

»Wieso bist du eigentlich gerade in diesem Augenblick aufgetaucht?«

»Gus.« Er zuckte die Achseln. »Ich kenne ihn schon lange. Er war nett zu mir, als andere es nicht waren.«

»Das sieht Gus ähnlich.«

»Er weiß, dass ich mich auf dem Fluss auskenne«, erklärte er, »und durch meinen Beruf kann ich ihn schneller als die meisten von einem Ende zum anderen absuchen.«

»Beruf?«

»Ich ... fliege ein bisschen.«

Nun schaute ich ihn mir genauer an und zählte zwei und zwei zusammen. »Das warst du an der Tankstelle, im Regen?«

Er lachte. »Ja, danke fürs Schieben. Gus hat mich am nächsten Tag angerufen. Hat mich gebeten, von Zeit zu Zeit mal von oben ein Auge auf euch beide zu werfen. Zu sehen, ob ihr klarkommt. War nicht sonderlich schwer, ein mangofarbenes Kanu ausfindig zu machen.«

»Ich schätze, das erklärt, wieso du seit einer Woche jeden Tag über uns weggebrummt bist.«

Er nickte. »Als ich erst mal raus hatte, wie schnell du paddelst, konnte ich auf zwei Kilometer genau abschätzen, wie weit du gekommen bist. Du paddelst gut.«

»Übung.«

»Das habe ich gehört.«

Noch mehr Gerede über uns. »Das habe ich befürchtet.«

Er hob eine Augenbraue. »Kennst du Fisher's?«

Bei Fisher's General Store war eine öffentlich zugängliche Bootsrampe auf der Florida-Seite. Der Laden verkaufte Bier, Mineralwasser, Schokoriegel, Grillen, Würmer, Schwimmwesten, eben alles, was man auf dem Fluss brauchte. Ein praktischer kleiner Laden. Da gab es auch eine öffentliche Toilette, die zwar nicht die sauberste der Welt war, aber wenn man Gruppen auf dem Fluss führte, besonders Frauen, die sich noch nie in den Wald gehockt hatten, war es eine nützliche Anlaufstelle. Sie gehörte zu den Routinestopps auf unseren Flussfahrten.

»Ich bin damit aufgewachsen, als Führer auf dem Fluss zu arbeiten, ich war also schon ein oder zwei Mal da.«

»Ich war da und habe dem Mann, dem der Laden gehört, eine Rechnung gebracht. Ihm gehört eine Farm westlich von hier. Jedenfalls waren draußen vor dem Laden diese vier Typen, und sie waren ein bisschen zu laut. Nach ihrem Ton und dem, was Gus mir erzählt hatte, hatte ich das Gefühl, dass sie nichts Gutes im Schilde führten. Also bin ich gestern Nachmittag los und habe mich südlich von Pinkney's umgesehen.«

»Das alles hast du gemacht, nur weil dir der Ton nicht gefallen hat?«

»Ich habe viel Übung. Als ich euch gesichtet hatte, sah ich, dass sie nicht weit hinter euch waren. Auf White Oak gibt's eine Landebahn, die ich ein oder zwei Mal benutzt habe. Ich bin also runter, bin an den Fluss und da kamst du mir schon entgegengeflogen.«

»Hast du eine Ahnung, wer sie sind?«

Er schüttelte den Kopf. »Vier Idioten, die auf Ärger aus sind.«

»Warum haben sie uns ausgeguckt?«

»Hyänen knöpfen sich immer die Schwachen vor.«

»Woher weißt du, ob sie jetzt nicht gerade ums Haus schleichen?«

»Könnte sein, aber ...«, er grinste, »das bezweifle ich stark.«

»Wo wir vom Haus reden ...« Ich drehte mich auf meinem Stuhl um. »Wo sind wir eigentlich?«

»Erinnerst du dich an den Fluss?«

Ich zuckte die Achseln. »Ist schwer zu vergessen.«

»Ein paar Kilometer südlich von Trader's.«

Mir rutschte das Herz in die Hose. »Südlich der Hochspannungsleitung?«

»Du kennst dich wirklich auf dem Fluss aus«, sagte er und nickte. »Drei Kilometer.« Ich rechnete nach. Wir hatten also 25 Kilometer verloren. Vielmehr, wir hatten sie wieder vor uns. Wir waren ganze 75 Kilometer von Cedar Point entfernt und mussten eine Strecke, die wir schon mal zurückgelegt hatten, noch einmal paddeln. Es war ein schwerer Schlag.

»Ich könnte mir denken, dass sie sich gerade überlegen, was sie im Krankenhaus erzählen sollen, wenn man sie nach ihren Verletzungen fragt«, sagte er, beugte sich über den Tisch, lauschte mit einem Ohr in Richtung Badezimmer, wo Abbie in der Wanne saß, und flüsterte: »Ich weiß, es geht mich nichts an, aber ich bin schon neugierig, deine Seite der Geschichte zu hören, warum du mit der Lady auf diesem Fluss bist.«

»Sie ist meine Frau.«

»Das habe ich gehört, aber wieso ist sie in ihrem Zustand nicht im Krankenhaus?«

Ich schob meine Eier mit der Gabel auf dem Teller herum. »Ich nehme an, den Smalltalk kann ich mir schenken.« Er nickte. »Das ist eine ziemlich lange Geschichte.«

Er schaute auf seine Armbanduhr. »Hast du dich über die Nachrichten auf dem Laufenden gehalten?«

Ich schüttelte den Kopf. »Hatte nicht viel Gelegenheit dazu.«

Er schaltete einen anderen Fernsehkanal ein, machte den Ton lauter, lehnte sich zurück und faltete die Hände über dem Bauch. Auf dem Bildschirm erschien: »Das Neueste über Abbie Eliot.«

Petey stapfte im Kreis über den Tisch. »Eliot. Eliot«

Spätestens jetzt dämmerte mir, dass unsere Flussfahrt zu Ende war.

33

Da Abbie so lange in Behandlung war, lernte sie einige der anderen jungen Frauen kennen. Alle Krebspatienten hielten zusammen, aber Brustkrebspatientinnen vereinte ein besonderes Band. Eine der jungen Frauen war Deborah Fanning oder Debbie, wie wir sie bald nannten. Sie hatte einen ganz ähnlichen Kampf zu bestehen: doppelte Mastektomie, Metastasen, die die Ärzte auch bei ihr im ganzen Körper aufspürten. Ihr Mann Rick kam in den ersten Monaten mit. Sie waren beide Akademiker, hatten ein großes Haus am Wasser in Miami, ein Ferienhaus, eine Yacht, also anscheinend alles. Im Laufe der Monate sahen wir ihn immer seltener. Und schließlich gar nicht mehr.

Debbie sagte nur achselzuckend: »Ihr wisst ja, wie das bei Vertretern ist. Immer unterwegs. Die Hypothek muss ja bezahlt werden.« Sie war keine gute Lügnerin. Auf Abbies Vorschlag hin bat ich darum, Debby ins Zimmer neben unserem zu verlegen. So verbrachten wir viel Zeit miteinander. Schauten uns Filme an, aßen zusammen, wenn sie essen konnten, erzählten uns Geschichten und redeten über das Leben nach dem Krebs. Ich schob die beiden öfter über den Parkplatz. Wir hängten dann zwei Beutel an Georgie, und ich schob beide Rollstühle. Debbie war eine schöne Frau, vier Jahre jünger als Abbie. Auch sie hatte ihre Haare verloren, und obwohl sie es nie sagte, hatte sie furchtbare Angst. Abbie und ich brauchten nicht lange, bis uns auffiel, dass ihr Handy nie klingelte. Rick war nicht auf Reisen.

Eines Nachmittags, als ich ins Zimmer kam, weinte Abbie. Sie war wütend. Kochte vor Wut. »Willst du dich von mir scheiden lassen?«

»Was?«

»Sag mir die Wahrheit.«

»Nein. Abbie, was zum Teufel redest du da …?«

Sie warf mir einen Stapel Papiere zu. »Na ja, Rick lässt sich scheiden.« Sie deutete nach nebenan. »Er ist gerade drüben und erklärt ihr, dass es für sie beide das Beste ist, aber dass es eigentlich alles ihre Schuld ist.«

Ich lehnte mich an die Wand und lauschte. Sie hatte Recht. Ich stieß die Tür zu Debbies Zimmer auf, ging drei Schritte hinein und versetzte ihm einen Kinnhaken, der mir alle vier Knöchel brach. Er lag auf dem Boden und spuckte Zähne und Blut. Ich richtete den Finger auf ihn: »Du hast sie gar nicht verdient.« Dann trug ich sie hinüber in unser Zimmer, und dort blieb sie, bis sie drei Monate später starb.

Das hatte Rick nun auf dem Gewissen. Und um ganz ehrlich zu sein, hoffte ich, dass es ihn lange plagte.

༄

So sah nun also unser Leben aus. Behandlungen, Fahrten, Infektionen, Untersuchungen, weitere Untersuchungen und noch mehr Untersuchungen, eine schlimmer als die andere, in diesem quälenden Nebel lebten wir. Das Kämpfen wurde für uns zur reinsten Folter, die unsere Erwartungen dämpfte.

Die Monate flossen ineinander. Krebs ist eine Krankheit, die sich ständig verändert, und die Chemo jagt ihr hinterher. Da der Krebs das weiß, tarnt er sich und verwandelt sich in etwas anderes, bis er schließlich einen Weg findet, die Chemo zu durchbrechen. Ganz ähnlich wie Bakterien sich Antibiotika entziehen und schließlich resistent werden. Es läuft nach dem Gesetz abnehmender Rückfälle ab. Man hofft, ihn abzutöten, bevor er wieder ausbricht. Man möchte dranbleiben, den Tumoren keine Chance lassen, aber wir waren anscheinend immer einen Schritt hinterher.

Seit Wochen waren wir im Krankenhaus. Abbie kämpfte mit einer Infektion. Ich hatte als Bett eine Matratze auf dem Boden. Irgendwann gegen sieben Uhr morgens waren Abbie und ich endlich eingeschlafen. Ein ungünstiger Zeitpunkt, da Schichtwechsel war. Über Abbies Kopf summte ein Alarmton, und schlaftrunken hörte ich draußen auf dem Gang eine Schwester sagen: »1054 muss eine Flasche gewechselt haben.« Ein paar Minuten vergingen, dann hörte ich noch einmal: »1054 muss eine Flasche gewechselt haben.« Ich überlegte: Was ist 1054? Dann: Wer ist 1054? Und schließlich: Wer liegt in 1054?

Ich ging ins Stationszimmer, in dem sich die ganze Tagesschicht versammelt hatte. Etwa 15 Krankenschwestern und Assistenzärzte warteten auf die Anweisungen der Ärzte. Ich pfiff, so laut ich konnte. Vielleicht sah ich nicht sonderlich gut aus, denn es wurde so still, dass man eine Nadel hätte fallen hören, und alle schauten mich an. Ich winkte: »Alle! Mitkommen!« Mir war klar, dass ich mir keine Freunde machte, aber ich hatte die Nase voll. Erstaunlicherweise folgten sie mir. Vielleicht hatte es doch Vorteile, der Schwiegersohn eines Senators zu sein. Ich scheuchte alle ins Zimmer, und wir stellten uns um Abbies Bett auf. Abbie wurde langsam wach, hatte aber noch schwere Augenlider. Ich stellte mich ans Kopfende ihres Bettes und sagte: »Ich möchte Ihnen gern meine Frau vorstellen. Das ist Abbie Michaels. Sie können Sie einfach Abbie nennen.« Sie schauten mich leicht befremdet an. Ich nahm Abbies Hand. »Sie ist Ehefrau, Tochter, Freundin, redet gern mit Händen und Füßen, mag Lucky-Strike-Jeans und sieht Schönheit, wo andere sie nicht sehen.« Ich machte eine Pause. »Sie ist und war nie ›1054‹.« Während ein Arzt kopfschüttelnd zur Tür ging, sagte die Oberschwester: »Mr Michaels, die gesetzlichen HIPAA-Vorschriften verlangen, dass wir nicht …«

Ich schnitt dem Arzt den Weg ab und schloss die Tür. Er war verärgert, aber ich hatte die volle Aufmerksamkeit aller. Ich rieb mir den Schlaf aus den Augen, während der Arzt einen Schritt vor mir stand. »Ich weiß, dass Sie alle hart arbeiten. Wesentlich härter, als die meisten zu würdigen wissen. Ich bin Ihnen dankbar für das, was Sie tun, und dafür, wie Sie es tun, aber in diesem Bett liegt nicht die Frau des HIPAA-Gesetzes. Ich muss Sie bitten, sich die Frau in diesem Bett anzuschauen und sie nicht als Nummer zu sehen. Nicht als Statistik. Wir leben von der Hoffnung. Und um ehrlich zu sein, gibt es davon hier nicht sonderlich viel.« Ich legte meine Hände zu einer Schale zusammen. »Es ist, als versuche man, Wasser festzuhalten. Bitte nehmen Sie uns nicht das bisschen, was wir haben. Bitte …«

Ich schaute allen auf ihre Namensschildchen und schüttelte ihnen die Hand, als sie der Reihe nach hinausgingen. »Bill, Ann, Elaine, Simon, Dean, Ellen, Amy …« Sie kapierten, was ich meinte.

Tage später holte ich Kaffee, kam am Stationszimmer vorbei und hörte eine der Schwestern mit einem Kopfnicken in Richtung unseres Zimmers verhalten knurren: »Der anspruchsvolle Fall braucht frische Laken.«

Ich zuckte die Achseln. Es war immerhin besser als »1054«. Doch dann ging mir auf, dass sie eigentlich mich meinte. Ich lehnte mich an den Schalter und sagte zu ihr und den anderen drei Schwestern, die Notizen in Patientenakten machten: »Sie haben Recht. Das bin ich. Und das tut mir leid. Aber ich lasse sie gern mit ihr tauschen.«

Danach sagten sie nicht mehr viel zu mir. Ich bin nicht stolz darauf. Es war weder cool noch mutig, schuf mir keine Freunde und änderte nicht viel. Es zeigte lediglich, wo ich stand. Es ist einfach grässlich, ganz unten zu sein.

Das Problem war nur, dass ich noch ein paar Stockwerke tiefer fallen musste, bevor ich unseren Tiefpunkt erreicht hatte.

34

Petey stolzierte über den Tisch, während Bob an der Antenne drehte, um einen besseren Empfang zu bekommen, und ich mit den Fingern auf mein Kinn trommelte. Die Reporterin verengte die Augen zu schmalen Schlitzen, senkte die Stimme und wirkte überaus melodramatisch. »Ich stehe hier vor der Praxis von Dr. Gary Fencik, einem praktischen Arzt aus Charleston. Dr. Fencik ist ein lebenslanger Freund von Abbie Eliot und hat ihre Erkrankung von Anfang an begleitet. Wie die Polizei Charleston soeben in einer Presseerklärung bekannt gegeben hat, ist sie im Besitz von Überwachungsvideos, die zeigen, wie Chris Michaels große Mengen dreier Betäubungsmittel aus einem verschlossenen Schrank in diesem Gebäude stiehlt.« Die Anchorwoman im Studio unterbrach sie: »Virginia, ist bekannt, wie er diesen Schrank geöffnet hat?«

»Die Polizei vermutet, dass Mr Michaels Zugang zum Schlüssel und zur Kombination hatte.«

»Ist bekannt, welche Mengen Narkotika Mr Michaels mutmaßlich entwendet hat?«

»Bevor die Kamera lief, sagte mir der Praxisleiter, ich zitiere: ›Genug, um einen Elefanten umzubringen‹.«

Bob schaltete den Fernseher aus und fragte: »Stimmt irgendwas davon?«

Ein tiefer Atemzug. »Ja.«

»Was genau?«

»Na ja … In gewisser Hinsicht alles.«

Er schaute zum Fensterbrett, wo eine elektronische Anzeige Temperatur, Luftfeuchtigkeit, Windrichtung, Luftdruck, Hoch- und Niedrigwasser und Regenwahrscheinlichkeit in Prozent anzeigte. Stirnrunzelnd warf er einen Blick auf die Uhr und stand auf. »Ich persönlich finde, du bist verrückt, aber ich kann mir vorstellen, dass du gute Gründe hast, sonst wärst du nicht hier draußen. Und wahrscheinlich denkst du, dass du weißt, was du tust, und dann bist du ebenfalls verrückt. In jedem Fall bist du also verrückt.« Er schaute noch einmal auf die Anzeige, nach der die Windgeschwindigkeit auf 3 Stundenkilometer gefallen war. »Ich muss zur Arbeit. Kurz nach Einbruch der Dunkelheit bin ich wieder zurück.«

Er zog ein Shirt über und ging durch eine Seitentür hinaus. Ich brüllte ihm nach: »He, wenn du die Polizei holen oder meinen Schwiegervater anrufen willst, kann ich dich nicht daran hindern, aber ich würde gern Bescheid wissen, bevor sie hier aufkreuzen.«

Er blieb stehen, setzte seine Sonnenbrille auf und schüttelte den Kopf. »Falls die Polizei hier auftauchen sollte, habe ich nichts damit zu tun. Aber wenn du einen Rat hören willst, ich finde, du solltest sie rufen. Den Ort deiner Kapitulation selbst auszusuchen ist auf jeden Fall besser, als ihn von anderen bestimmen zu lassen.« Er grinste.

»Sprichst du aus Erfahrung?«

»Ja.«

Als er sich abwandte, brüllte ich noch hinter ihm her: »Was machst du eigentlich? Ich meine, was für eine Arbeit?«

Wieder ein verschmitztes Grinsen. »Landwirtschaftsflieger.«

Das erklärte so manches. Er deutete mit der Hand auf das Haus. »Fühlt euch wie zu Hause. Kleider sind im Schrank. *Mi casa es su casa.*«

»Ich habe keine Ahnung, was das heißt.«

»Mein Haus ist dein Haus.«

Als er pfiff, lief Rocket hinter ihm her, und die beiden verschwanden auf einem ausgetretenen Fußpfad, der vom Fluss wegführte. Ich stand draußen, dachte nach und hörte Abbie in der Badewanne planschen wie ein ausgelassener Delfin. Fünf Minuten später hörte ich einen Motor anspringen und davonrasen. Zehn Sekunden später kehrte das Motorengeräusch zurück. Die Stearman streifte die Baumwipfel, schoss nach oben, flog einen Looping, drehte sich in der Luft und kam auf dem Kopf zurück. Er winkte mir zu.

Während Abbie badete, steckte ich den Revolver in meinen Gürtel und machte einen Rundgang durchs Haus. Falls die vier Amigos auftauchten, wollte ich eine Vorstellung haben, wo ich war. Was den Revolver betraf, war ich mir nicht sicher. Ich wusste nur, dass er mir hinter meinem Gürtel lieber war als oben auf dem Bett. Bobs altes Flusshaus stand oben am Steilufer auf der Georgia-Seite. Ich folgte dem Fußpfad, auf dem Bob verschwunden war. Er führte zu einer Landebahn und einem provisorischen Hangar. Die Landebahn war eine kurze Schotterpiste, was mich auf den Gedanken brachte, dass er ein ziemlich guter Pilot sein musste. Zwei ältere Honda-Moto-Cross-Maschinen lehnten an einer Wand. Ein Sitz war weniger staubig als der andere. Aber beide sahen überholungsbedürftig aus. Der unbefestigte Weg von seinem Haus führte noch einen knappen Kilometer weiter und mündete dann in einen anderen Schotterweg. Frische Reifenspuren schlängelten sich durch den weichen Sand. Da ich das Gefühl hatte, mich zu weit von Abbie zu entfernen, kehrte ich um.

Flussabwärts hinter dem Haus stand eine Hütte auf einer kleinen Klippe. Wie Bobs Haus war sie zwischen Bäumen versteckt. Wenn man nicht danach suchte, fiel sie gar nicht auf. Ich ging rundherum, schaute durch die Fenster und rüttelte an den Türen, aber alles war winterfest verschlossen.

Offenbar waren wir weitgehend von Wald umgeben, ohne ein weiteres Haus in Sicht- oder Hörweite. Selbst aus der Luft waren wir unter Bäumen versteckt. Wenn ich es nicht besser gewusst hätte, hätte ich gesagt, dass auch Bob sich versteckte. An die Flussbiegung erinnerte ich mich, da ich oft hier vorbeigekommen war, aber außer dem Ufer kannte ich kaum etwas, da ich mich bei meinen Fahrten nie weit vom Wasser entfernt hatte.

Ich ging zurück ins Haus, wo Abbie gerade aus der Wanne stieg. Sie stützte sich mit einem Arm auf mich, und ich half ihr, in ihr Bikinihöschen und die abgeschnittene Shorts zu schlüpfen. Anschließend legte ich sie auf die Couch und suchte nach einem Shirt, da das letzte, das ich ihr von dem Yogakurs geklaut hatte, mitten durchgerissen war. Ich ging in Bobs Zimmer, öffnete seinen Schrank und kramte die Kleider durch. Viel besaß er nicht. Klamottenkaufen gehörte wohl nicht zu seinen Lastern. Ich fand ein Jeanshemd mit Druckknöpfen und nahm es vom Kleiderbügel, weil ich mir dachte, dass Abbie es leichter an- und ausziehen konnte. Als ich gerade die Schranktür schließen wollte, fiel mir ein gerahmter Brief ins Auge, der im Schrank hing. Er war zum Teil von einem weißen Kittel verdeckt. Ich schob ihn beiseite und las den Brief. Er war von der Diözese Florida und von 1988 datiert:

An Reverend Robert Porter:

Hiermit teilen wir Ihnen mit, dass Sie gemäß Diözesan-
beschluss nicht länger amtierender Priester und Pfarrer
der Pfarrei St. Peter sind. Da dieses Schreiben Ihnen persönlich ausgehändigt wurde, gewährleistet sein Empfang,
dass Sie es akzeptieren und befolgen. Aufgrund Ihrer eingestandenen Verstöße gegen die Strafgesetze des Staates
Florida sowie der eingestandenen moralischen Verfehlun-
gen gegen die Mitglieder Ihrer Pfarrei und nachdem Sie
die Gemeinschaft der Berufenen verlassen haben, werden
Sie hiermit gemäß den Regeln der katholischen Kirche
von den Pflichten des Priesteramtes entbunden und der
Ihnen mit der Ordination übertragenen Rechte entho-
ben, kraft Ihres geistlichen Amtes die Sakramente zu er-
teilen. Bitte räumen Sie unverzüglich die Pfarrgebäude von
St. Peter und teilen Sie dem bischöflichen Sekretariat das
Datum der Räumung mit.

Im Dienste Gottes
Bischof Phillip Turgid, Ph. D., J. D.

Ich schaute mir den weißen Kittel noch einmal genauer an,
aber es war gar kein Kittel. Daneben hingen ein Hemd mit
Priesterkragen, drei lange Stücke feiner weißer Kordel und
einige mehrfarbige Stoffe, die aussahen wie die Dinger, die
Priester über ihren Talaren trugen.

Zum Abendessen machte ich Abbie eine Suppe, aber in
der letzten Woche hatte ich so viel gestohlen, dass ich allmählich ein schlechtes Gewissen bekam und mich nicht traute,
einem Priester etwas zu klauen. Nicht mal einem entlasse-
nen Priester. Abbie trank den größten Teil der Brühe und aß

etwa die Hälfte der Nudeln mit ein paar Salzcrackern. Als sie fertig war, legte ich ihr die Kissen auf der Couch zurecht, deckte sie zu und ging hinaus auf die Veranda.

Die Metallringe der Hängematte knirschten in den Verankerungen an der Wand. Über mir balancierte Petey auf einer Dübelstange in der Holzstütze des Verandadachs. Er machte einen ganz zufriedenen Eindruck, aber falls er beschließen sollte, sein Geschäft zu verrichten, hätte ich das Nachsehen. Ich schaute durch die Baumkronen hinaus, wie der Fluss ohne uns weiterzog. Im Laufe des Nachmittags hatte ich immer wieder mal die Nachrichten angesehen. Was die Kerle anging, die uns überfallen hatten, war ich mir nicht sicher, aber falls sie die Berichte über uns oder die Pressekonferenz des Senators sehen sollten, konnte es durchaus sein, dass sie mit einer leicht abgewandelten Geschichte zur Polizei gehen würden, um Kapital daraus zu schlagen. Ich wusste nicht, wohin ich gehen und was ich machen sollte. Wenn ich nach Hause führe, würde der Senator sich einschalten. Es gäbe hässliche Szenen, und ich hatte das Gefühl, dass meine Zeit mit Abbie dann vorbei wäre. Wenn wir uns in der Öffentlichkeit blicken ließen, liefen wir Gefahr, verhaftet zu werden, mir war also klar, dass wir vorsichtig sein mussten. Außerdem konnte ich mir denken, dass die Burschen, die uns im Bootshaus überfallen hatten, nicht so leicht aufgeben würden. Wir hatten Glück gehabt. Und ich bezweifelte, dass wir das nächste Mal so glimpflich davonkommen würden.

Bobs Flugzeug landete eine Stunde nach Einbruch der Dunkelheit. Zehn Minuten später hörte ich Schritte auf der Treppe, die ins Haus führte. Kurz darauf kam Bob mit einer Flasche Tequila in der einen und einer Zigarre in der anderen Hand auf die Veranda. »Da ihr jetzt meine Gäste

seid, wie wär's, wenn wir beide mal ein kleines Beichtge-
spräch führten?«

Ich hob den Kopf aus der Hängematte. »Bist du dafür
qualifiziert?«

Er sah Abbie in seinem Hemd, konnte das anscheinend
richtig deuten und nickte. »Früher mal.«

Mir war klar, dass ich ihm eine Erklärung schuldete. »Das
geht bei uns jetzt schon ein paar Jahre so. Zugegeben,
Abbies und mein Kampf hat unsere Wahrnehmung der Welt
nur auf uns eingeengt. Außer unseren Bedürfnissen nehme
ich kaum noch etwas wahr. Dafür will ich mich gar nicht
entschuldigen, aber ich weiß, dass es unsensibel ist. Und das
tut mir leid.«

Er schüttelte den Kopf. »Für mich hört sich das so an, als
ob ihr ein bisschen Verständnis verdient hättet.«

»Wie bist du dazu gekommen, Priester zu werden?«

»Nach dem College war ich in Rom. Hab vier Jahre im
Vatikan gearbeitet. Dachte, ich hätte meine Berufung ge-
funden. Bekam eine kleine Pfarrei in Mississippi. Dann
Florida. Und zuletzt Georgia.«

Ich deutete mit dem Kopf in Richtung Schrank. »Was ist
passiert?«

»Ach, das.« Er grinste und trank einen kräftigen Schluck.
»Willst du eine ehrliche Antwort?«

Ich zuckte die Achseln. »Wie du willst.«

»Ich habe der Pfarre zu viel Geld geklaut und mit zu vielen Frauen geschlafen.«

»Das ist ehrlich genug.«

»Zwölf Jahre Gefängnis bringen dich dazu, dich von Lügen zu verabschieden, die dir lieb und teuer sind.«

Er trank noch einen kräftigen Schluck und zündete
seine Zigarre an. Die Brise, die durch die Fliegengitter

wehte, trieb den Rauch zur anderen Seite hinaus und raschelte durch die Bäume. Er zog lange an der Zigarre, bis
die Spitze rot glühte, und sagte dann: »Hast du mal über die
Möglichkeiten nachgedacht, die dir bleiben?«

»Weiß nicht recht, ob ich überhaupt noch welche habe.«

Er deutete mit der Zigarre auf das Fliegengitter. »Ich
habe eine Hütte unten am Fluss. Steht gerade leer.« Er
lachte. »Eigentlich steht sie schon eine ganze Weile leer. Der
Letzte, der sich da verkrochen hat, war so ein Verrückter, der
einen Hedgefonds geleitet hat. Ich glaube, er hieß Thud,
aber genau erinnere ich mich nicht mehr. Er war fast zehn
Jahre lang so was wie ein Star, aber dann traf er ein paar fal-
sche Entscheidungen, der Markt wandte sich gegen ihn,
und er konnte seine Verluste nicht abdecken. Ich will gar
nicht so tun, als ob ich was davon verstünde, jedenfalls war
er am Ende pleite und seine Kunden ebenfalls. Als sie ver-
suchten, ihm den Kopf abzureißen, fiel ihm ein, dass er
schon immer hatte Künstler werden wollen. Das Problem
war nur, dass er Schwierigkeiten hatte, seine Werke zu verkaufen.« Er nickte. »Das kann natürlich daran gelegen haben, dass es keine Kunstwerke waren. Hab ihn schon eine
ganze Weile nicht mehr gesehen. Ihr könnt also gern drüben wohnen, so lange ihr wollt.« Er tippte auf seine Zigarre,
um die Asche abzuschütteln, und knabberte an seinen Lippen. »Manchmal …«, er schob ein Hautfetzchen mit der
Zunge in seinem Mund herum und spuckte es schließlich
aus, »hilft es, den Sturm vorbeiziehen zu lassen, bevor man
sich wieder raustraut.«

Der Mond warf unsere Schatten auf den Strand, als ich Abbie zur Hütte trug. Ich schloss die Tür auf. Drinnen war es sauber, ruhig und es roch nach Zeder. Ich tastete nach dem Lichtschalter. Die ganze Hütte war aus Zedernholz gebaut und bestand nur aus einem Raum, der in zwei Hälften unterteilt war. Im Wohnbereich gab es ein Himmelbett an der Wand, einen Schrank, eine Toilette, Waschbecken und Spiegel. Hier herrschte die Funktion, denn Form gab es nicht. Die andere Hälfte hatte ein bodentiefes Fenster zum Fluss und diente als Atelier. Drei Staffeleien, mehrere Rollen Leinwand, Dutzende Farbtuben, Pinsel, Messer und unzählige Utensilien, die jeder Künstler brauchte. Offensichtlich war der Bursche ein Ordnungsfanatiker, denn alles war ordentlich aufgereiht und aufgeräumt. Die Farben lagen alphabetisch sortiert mit dem Etikett nach oben. Ich wechselte die Bettwäsche und brachte Abbie zu Bett.

Mehrere Stunden schaute ich mir seine Gemälde und Bleistiftskizzen an, die in einem Plastikeimer in der Ecke lagerten. Es waren »Schnappschüsse« von Vögeln, Ästen, Blättern, Fischen, von allem, was man durch das Atelierfenster sah. Während ich den Schreibtisch und die Schubladen durchkramte, überlegte ich, wann ich zuletzt etwas gemalt hatte ... irgendetwas. Es lag über drei Jahre zurück.

Ich blickte aus dem Fenster und versuchte mich zu erinnern, wie dieser Flussabschnitt vom Wasser her aussah. So oft ich schon hier entlanggepaddelt war, hatte ich doch nur vage Erinnerungen an diese Teilstrecke. Ich hatte noch die S-Kurve weiter flussaufwärts vor Augen und die 90-Grad-Biegung danach, auf die eine lange Gerade von gut einem halben Kilometer bis zur nächsten scharfen Linkskurve folgte. Ich wusste auch noch, dass die Strömung auf der Georgia-Seite stärker war, aber an Bobs Haus und die Hütte zwischen den Bäumen konnte ich mich nicht erinnern. Das war gut so. Denn wenn wir ein Versteck brauchten, dann war dieses hier genau das Richtige.

Unterhalb der Hütte mündete ein Schwarzwasserbach in den Fluss. Abbie runzelte im Schlaf die Stirn und an ihrer rechten Schläfe pochte eine blaue Vene. Ich zog ihr die Decke bis unter ihre Nase hoch, nahm eine Taschenlampe und ging auf die Veranda hinaus. Dort betrachtete ich den Mond, den Bach und spürte in mein Inneres. Da mir nicht gefiel, was ich sah, ging ich die Treppe hinunter und am Bachufer entlang.

Hatte der Mond schon vor ein paar Stunden hell geschienen, so strahlte er nun förmlich. Die Uferböschung war schmal und das Wasser tief. Das eingegrabene Bachbett und die nackten Wurzeln ließen erkennen, dass hier schon lange Wasser geflossen war, vermutlich mit hoher Geschwindigkeit, was auf eine Quelle hindeutete. Wir Flussführer hielten immer Ausschau nach Quellwasser – die Kunden liebten es, darin zu baden oder nach vergrabenen Piratenschätzen zu suchen, und wir mochten den Geschmack des kalten Wassers. Als ich hineinstieg, reichte mir das Wasser bis zur Taille. Die Strömung stemmte sich sanft gegen mich und zerrte an meinen Kleidern. Der Bach schlängelte sich landeinwärts, fraß sich durch den Steilhang in ein bewachsenes Gebiet, das aussah, als sei hier früher ein See gewesen. In dem ausgetrockneten Becken standen ausgewachsene Trauerweiden und Birken, deren Rinde sich abgeschält hatte wie Papier und den Boden bedeckte. In der Mitte stand ein Gebäude.

Ich duckte mich unter den Weiden durch, die ihre langen grünen Ruten auf meinen Rücken drapierten, und bahnte mir einen Weg über einen Steg aus Holzstämmen.

Sie waren der Länge nach halbiert und wie Eisenbahn-schwellen immer einen Schritt weit auseinander verlegt. Ich leuchtete den alten Holzbau mit der Taschenlampe ab. Das Holz war dunkel vor Alter, aber an seiner Maserung er-kannte ich, dass es sich dabei um »pecky« Sumpfzypresse handelte; aus der Breite der Bohlen – an die 50 Zentime-ter – schloss ich, dass man sie schon vor langer Zeit gefällt hatte. »Pecky« Sumpfzypresse entstand durch einen Pilz, der das Kernholz lebender Bäume angriff. Ich ging um das Haus herum und überlegte, wieso jemand hier eine Hütte gebaut haben mochte. Das Dach war mit Zedernschindeln gedeckt und von grünem, schwammigem Moos über-zogen. Der Schwund im Holz und die horizontalen Was-serspuren zeigten, dass das Haus bei Hochwasser über-schwemmt war. Vielleicht war das die Erklärung, wieso es schon einige Zeit verlassen war. Es stand gut 30 Zentime-ter über dem Boden auf Pfählen, die in den Sand getrieben waren. Sie hatten einen Durchmesser von gut einem hal-ben Meter, waren von Hand geschlagen und mit Axt und Beil behauen. Die Seitenwände bestanden aus riesigen, un-gleichmäßigen Planken. Das Gebäude wirkte hundert bis hundertfünfzig Jahre alt. Die hohen Fenster waren mit Holzläden verschlossen, die etwas weniger als einen Meter breit und etwa 1,80 bis 2,10 Meter hoch waren. Am obe-ren Ende saßen sie in Angeln und ließen sich unten ausstel-len. Als ich die andere Seite des Gebäudes erreichte und den First anleuchtete, fand ich die Antwort auf meine Frage.

Offenbar brauchten sogar Piraten Gott.

Die Tür hing an einer verrosteten Angel und sah aus, als stamme sie von einem alten Segelschiff. Ein geschnitzter Holzpflock steckte als primitiver Riegel in einem Eisen-ring. Ich schlug ihn mit der Taschenlampe heraus und stemmte mich gegen die Tür. Drinnen standen etwa ein Dutzend Bänke ohne Lehne in gleichen Abständen nach vorn ausgerichtet. Sitz- und Stehplätze reichten etwa für fünfzig Leute, falls sie nichts dagegen hatten, eng zusammenzurücken. Alles war abgenutzt, staubig, von Spinnweben überzogen und seit Jahrzehnten nicht mehr benutzt. Im Mittelgang waren in regelmäßigen Abständen Löcher in den Boden gebohrt. Triefend stand ich da und fragte mich, wieso jemand einen völlig intakten Boden ruiniert hatte. Das Wasser, das von mir abtropfte, floss in die Ritzen und verschwand im Boden. Abflusslöcher. Sie waren groß genug für Eidechsen, aber zu klein für die meisten Schlangen. Über dem Fenster in der rückwärtigen Wand hatte jemand aufwändige Buchstaben in den Dachbalken geschnitzt. Sie waren kaum noch zu erkennen, aber ich tastete mit den Fingern die Einkerbungen ab und las: »Wenn ihr das Wasser durchquert ...« Der Satz ging noch weiter, aber mein Arm war zu kurz.

35

Ihre Ärzte sagten, wir müssten »aggressiver« vorgehen, und setzten ab Montagmorgen intensivere Behandlungen an – somit hatten wir das Wochenende für uns. Am Freitagvormittag verband sie mir die Augen, führte mich zu ihrem Wagen, fuhr vier Stunden – redete nonstop über alles und nichts –, parkte auf einem Schotterplatz, führte mich in ein Kanu und paddelte über eine Stunde, während ich mich zurücklehnte, Däumchen drehte und das Kanu zum Sinken zu bringen drohte. Die Geräusche und Gerüche – und der Geschmack des Wassers – sagten mir grob, wo wir waren, aber genau erfuhr ich es erst bei Sonnenuntergang, als sie das Boot an den Strand zog, mich in den Sand setzte und mir ins Ohr raunte: »Ich möchte, dass du mir etwas versprichst.«

Ohne die Augen zu öffnen, streckte ich meine Füße in den Sand und spürte den St. Mary's sanft zwischen meinen Zehen hindurchfließen. Hier hatten wir die letzte Nacht unserer Flitterwochen verbracht, unser Zelt hatte unter den Zedern gestanden, der Rauch unseres Lagerfeuers war durch die Äste gezogen, und jeder von uns hatte den Geruch des anderen an sich gehabt. Cedar Point war der südöstlichste Punkt Georgias. Die kleine, trockene Landzunge war einen halben Hektar groß und ragte aus dem Sumpf wie ein überdimensional großer Abschlaghügel auf einem Golfplatz. Die kleine Insel war rundum von Sumpf umgeben, unter Palmen, Zedern, Zwergeichen und Rispengras versteckt, völlig unberührt und selbst den meisten Einheimischen unbekannt. Einige hundert Meter westlich, also flussauf, lag die historische Stadt St. Marys. Auf der anderen Seite des Flusses, fast zwei Kilometer entfernt, begann Florida. Etwa acht Kilometer südöstlich von uns lag Fernandia Beach und gleich nördlich davon, also von uns aus östlich, Cumberland Island. Zwischen beiden erstreckte sich der Atlantik. Es war die Insel der unendlichen Möglichkeiten.

Sie versuchte, stark zu sein, zog selbst den Korken und goss meinen Lieblingswein, Writer's Block, in zwei Plastikbecher. »Was?«

Sie stieß mit mir an. »Sag: Ich verspreche es.«

»Aber ich weiß doch gar nicht, was ich versprechen soll.«

Sie nippte an ihrem Wein. »Sag es.«

»Aber ...«

»Sag es.«

Ich nippte. »Ich verspreche es.«

»Das kam von Herzen.«

»Na ja, wenn du mir sagen würdest, was ich versprechen soll, könnte ich vielleicht ein bisschen mehr dahinterstehen.«

»Aber du versprichst es?«

Ich hob meine Hand. »Ja, ich verspreche es.«

Zögernd schaute sie aufs Wasser. In der Ferne durchschnitt ein Delfin mit seiner Rückenflosse die Wasseroberfläche, stieg aus dem Wasser auf und verschwand dann in den Fluten. Gleich darauf schlugen hinter ihm noch weitere Delfine ihre Purzelbäume. »Wenn ich aus irgendeinem Grund jemals an einen Punkt komme, an dem etwas passiert, an dem ich vielleicht nicht mehr ich selbst bin oder, noch schlimmer, wir nicht mehr wir sind ...« Ich versuchte,

sie zum Schweigen zu bringen, aber sie konnte sehr starr-
köpfig sein und winkte ab. »Dann möchte ich, dass du mich
hierher bringst.« Sie legte die Hand auf die Augenbinde.
»Genau hierher.« Schweigen hüllte uns ein. »Egal, was
kommt.«

Sie zupfte an meinem Ärmel. Keine Spielchen mehr. Ich
blinzelte in die Sonne. »Ich verspreche es.«

Sie legte sich zurück und schlug den linken Fuß über ihr
angewinkeltes rechtes Knie – ein Bild wie aus *Tom Sawyer*.

Sie musterte den abblätternden roten Nagellack auf
ihrem großen Zeh. »Noch was.«

Ich hob eine Augenbraue. »Haben wir das nicht gerade
schon durchgekaut?«

Sie schaute in die verkohlten Äste, die sich über uns
wiegten. »Eines Tages wirst du herkommen und dieses
Stück Land kaufen.«

Selbst da glaubte sie noch.

»Ich bin nicht mal sicher, ob es auf der Landkarte steht.
Auf irgendeiner Karte.«

»Dann dürfte es ja auch nicht allzu teuer sein. So, jetzt
sag.«

Ich schaute aufs Wasser. »Versprochen.«

Auf der Jagd nach Meeräschen schwammen die Delfine
dicht am Ufer entlang, schlugen Purzelbäume und verschwanden, nur um ein Stück weiter flussauf wieder aufzu-
tauchen. Einer schoss hoch in die Luft, drehte sich nass
glänzend, platschte ins Wasser und schlug mit dem Schwanz.
Abbie lachte laut auf vor Vergnügen, schüttelte ihre Angst
ab, ging drei Schritte ins Wasser und tauchte mit den Delfinen. Sie umkreisten sie und einer stupste sie mit seinem
Körper an ihrer Hüfte an.

36

Es war dunkel und bewölkt, als ich aufwachte. Der Himmel sah nach Regen aus, vereinzelte Tropfen kräuselten die Wasseroberfläche des Flusses. In einer Zimmerecke lehnte eine Fliegenrute aus Bambus. Ich lag im Dämmerlicht. Abbie hatte ihr rechtes Bein über meins gelegt, und mein linker Fuß war eingeschlafen. Ihr Bein war weich und warm. Eine Stunde nach Tagesanbruch sprang der Motor der Stearman an, rollte außer Hörweite, kam wieder näher und flog über uns hinweg.

Das Geräusch weckte sie. Sie drehte sich zu mir herüber. Sie hatte etwas vor, denn sie verlor keine Zeit und deutete in die Ecke. »Funktioniert die?«

»Ja.«

»Welche Größe?«

»Vielleicht Klasse 4. Könnte auch 2 sein. Sie ist ziemlich alt.«

»Fliegen?«

»Ein paar.«

»Rolle? Schnur?« Sie konnte zielstrebig sein, wenn sie wollte.

»Könnte morsch sein.«

Sie stand auf, schlüpfte in ihre abgeschnittenen Shorts und legte sich den Träger ihres Bikinitops um den Nacken.

»Binde mal zu.« Ich band die Enden zusammen und dachte, dass sie noch viel Platz ließen.

Sie wand den Knoten aus ihrem Kopftuch und zupfte an ihrem Bikinitop wie an Hosenträgern. »Früher saß es nicht so locker.«

Ich täuschte ein zögerndes Lächeln vor. »Nein.«

Abbie nahm einen Strohhut von einem Regal, leckte am Ende der Angelschnur und fädelte sie durch die Öse der Fliege. Fünf Minuten später watete sie ins Wasser. »Es ist kalt.«

»Das kommt vom Regen.«

Bis zur Taille stand sie im Fluss, rollte die Angelschnur ab und ließ die Fliege trocknen. Dann schwenkte sie sie in der Luft wie ein Lasso und ließ sie über die Wasseroberfläche flitzen. Langsam holte sie sie wieder ein. Beim Angeln biss sie sich immer auf die Unterlippe. Wenn sie den ganzen Tag angelte, war ihre Lippe anschließend wund. Das Wasser wirbelte bronzerot blitzend auf, gefolgt von einem saugenden Geräusch, und die Fliege verschwand. Ich schloss die Augen und wartete ab. Die Rolle drehte sich leicht singend. Abbie stieß einen Begeisterungsruf aus und ließ dem Fisch Leine. Sie hob die Rutenspitze an und folgte ihm in tieferes Wasser. Vorsichtig zog sie den Fisch heran und legte ihn ans Ufer. Der Flussbarsch, ein Sonnenfisch, lag zappelnd im Sand und öffnete und schloss die Kiemen wie eine Ziehharmonika.

Ich zog die Fliege heraus, tauchte den Fisch ins Wasser und hielt ihn fest, bis der Fluss seine Kiemen durchspülte. Angespornt vom kalten Wasser und dem Sauerstoff, riss er sich los und schoss Richtung Grund davon. Abbie war langsam flussaufwärts gewatet und warf die Angelschnur in einem dunklen Tümpel vor dem gegenüberliegenden Ufer aus.

Sie angelte bis weit nach Mittag.

Bis nachmittags um drei hatte ich 47 Sonnenfische und acht Schwarzbarsche befreit. Schließlich legte sie die Angelrute ab, setzte sich und grub die Zehen in den Sand. Da ihr Gesicht hochrot war, reichte ich ihr einen Becher Wasser und einen ihrer Lutscher. Ein Weißkopf-Seeadler flog flussaufwärts und setzte sich gut fünfzehn Meter von uns entfernt auf einen Baum. Der weiße Kopf und der goldgelbe Schnabel leuchteten in der Sonne. Er beobachtete den Fluss, schoss von seinem Ast herunter und hieb die Krallen ins kühle Nass. Seine riesigen Schwingen klatschten auf die Wasseroberfläche, durchschnitten die Luft und zogen ihn in die Höhe. Als er die Baumwipfel erreichte, kreiste er darüber und kehrte auf seinen Ast zurück, wo er seinen Fisch systematisch zerriss. Abbie schloss die Augen und lächelte. »Das war Nummer sechs.«

»Ja.«

»Damit sind fünf abgehakt.«

Sie legte sich zurück und schloss wieder die Augen. Die fingerdicke Vene an ihrem Hals zeigte mir, dass ihr Puls raste. »Was ist das Nächste?«

Bob brummte in seinem Flieger über die Bäume hinweg und kreiste über der Landebahn, bevor er aufsetzte. Abbie klammerte sich an mich – atmete tief, aber nicht stockend. Ich half ihr die Uferböschung hinauf, brachte sie zu Bett und ging hinaus auf die Veranda, wo der Regen unregelmäßig auf die Zwergpalmenblätter prasselte.

☙

Bobs Flugzeug landete auf der Wiese. Kurz darauf tauchte er mit Rocket und Petey am Flussufer auf. Er kam die Treppe herauf und fand mich auf dem Stuhl des Künstlers vor, wie ich starr auf eine leere Leinwand blickte. Sie war verstaubt, und ich hatte sie mehr schlecht als recht auf den Rahmen gezogen.

Über eine Schulter hatte er sich einen Leinenbeutel gehängt. Er setzte ihn ab und zog zwei Flaschen Rotwein heraus. Nachdem er eine entkorkt hatte, holte er zwei Plastikbecher aus der Tasche, schenkte ein und reichte mir einen. Ich nahm ihn. Er sagte nichts, schaute nur flussabwärts und warf gelegentlich einen Blick über die Schulter auf Abbie, die nur ein paar Schritte entfernt im Bett lag.

Er nahm einen großen Schluck und trank damit den Becher halb aus. »Wie geht's ihr?«

»Sie hat bis zum frühen Nachmittag geangelt und schläft sich jetzt aus. So viel Bewegung strapaziert sie sehr.«

»Hat sie was gefangen?«

»Fünfundfünfzig.«

Er nickte anerkennend. »In den Medien flüstern sie was von *Hilfe zum Selbstmord* und *Sterbehilfe* und fragen den Senator, ob er überlegt, die Nationalgarde loszuschicken.« Noch ein großer Schluck. Cabernet tropfte an seinem rechten Mundwinkel herunter.

»Zutrauen würde ich es ihm.«

»Eure Geschichte ist in sämtlichen Nachrichten. Vielmehr …«, er lehnte sich zurück und schlug die Beine übereinander, »ihre Geschichte. Deine bringen sie nur, damit die Zuschauer jemanden haben, den sie hassen können. Hübsches Mädchen, krebskrank, viele Schmerzen, wird aus ihrem Zuhause und ihrer Familie gerissen, wenn sie sie am meisten braucht.«

»Ich weiß, wie es aussieht.«

Er hob beide Augenbrauen. »Bist du sicher?« Ich nickte, aber er schaute mich nicht an. »Das bezweifle ich«, sagte er.

»Denn wenn du es wüsstest, würdest du auf dem schnellsten Weg nach Hause fahren.«

»Der Schein trügt.«

»Mich brauchst du davon nicht zu überzeugen, aber du schwimmst gegen den Strom.«

»Wem sagst du das.«

Er schwenkte seinen Becher in meine Richtung. »Noch mehr?«

»Ja.«

Eine Weile saßen wir im Dunkeln. Das einzige Licht war die rote Glut seiner Zigarre. Er steckte sie sich in den Mund, zog daran, bis seine Wangen sich an seine Zähne pressten und die Spitze rot glühte.

Der Fluss hatte die gespenstische Eigenschaft, Umgebungsgeräusche zu übertönen. Alles, was mehr als sechzig Meter vom Ufer entfernt passierte, drang nicht durch das dichte Blätterdach. Ausnahmen gab es nur in klaren Nächten, in denen Geräusche scheinbar vom Himmel abprallten und wie Sterne auf den Fluss trafen, der jeden zweiten oder dritten Ton weiterleitete. Ich lauschte auf ein Geräusch, das ich nicht einordnen konnte.

»Was ist das für ein Geräusch?«

»Ein Jahrmarkt.«

»Wie? Meinst du, so einer mit Riesenrad, mit Leuten, die das Gewicht anderer raten, und mit jemand, der eine Yakkuh anbellt?«

Er kicherte. »Nur ein paar Zigeuner, die vor der Obrigkeit davonlaufen.«

»Da passen wir ja gut dazu.« Ich schwieg eine Weile. »Weißt du, ob sie ein Karussell haben?«

»Ja. Ich weiß aber nicht, ob ich ihm trauen würde. Es ist ziemlich alt.«

»Haben sie einen Oberzigeuner?«

»Wenn du ihn so nennen willst.«

»Kennst du ihn?«

»Nicht sonderlich gut, aber wir haben schon mal miteinander geredet.«

»Glaubst du, du könntest uns hinbringen – nach der Sperrstunde?«

»Was hast du vor?«

37

Zwei Jahre vergingen. Mit Abbies Gesundheit ging es auf und ab wie mit Ebbe und Flut. Ein Tauziehen zwischen Chemo und Krebs – und sie in der Mitte. An manchen Tagen konnte sie aufstehen, und etwa einmal wöchentlich schob ich sie in ihrem Rollstuhl die Battery Road entlang, aber meist lag sie im Bett oder auf der Couch und welkte vor meinen Augen dahin.

Irgendwann begriff ich es – die Wahrheit hinter alledem. Normale Zellen haben automatische Selbstzerstörungsknöpfe, die sie drücken, sobald sie ihren Zweck erfüllt haben. Sie leben, tun das, wozu sie da sind, und ziehen dann Leine. Ihr Selbstmord wird erwartet. Letzten Endes ist Krebs nichts anderes als eine Zelle oder eine Zellgruppe, die sich weigert, zu sterben. Und um alles noch schlimmer zu machen, sind Krebszellen dem Körper nicht fremd. Es ist nicht etwa so, dass sie von außen kämen. Unser Körper produziert selbst, was ihn umbringt.

Ich hatte Schwierigkeiten mit der Logik der ganzen Sache.

Es war seltsam. Ich wusste zwar, dass meine Frau Krebs hatte, weil man es mir gesagt hatte, aber ich hatte ihn noch nie gesehen. Nie berührt. Ich hatte keine reale Beziehung zu ihm außer der, dass er meine Frau tötete.

Krebs tut über die konkreten Schmerzen hinaus weh. Es ist ein Kreislauf aus Diagnose, Prognose und Untersuchungen. Wir lebten nicht von einer Gehaltszahlung zur nächsten, sondern von einer Untersuchung zur nächsten. Jedes Mal standen wir im Sprechzimmer des Arztes, hörten die Untersuchungsergebnisse und dachten: Er wird größer, und ich kann rein gar nichts dagegen tun.

Das war vielleicht das schlimmste Gefühl der Welt.

Jedes positive Untersuchungsergebnis wurde von unserer Erfahrung und von unserer Vermutung gedämpft, dass immer noch Krebszellen in ihrem Körper waren, egal, was die Ärzte taten. Wir hatten das Gefühl, immer nur eine Untersuchung davon entfernt zu sein, dass wir wieder das Wort *Metastase* hörten, gefolgt von dem Gedanken: *Ich werde dich vermissen.*

Von Angst, Trauer und Stress gequält, ging unsere Fantasie mit uns durch wie in der Kinderzeit, als in den Schränken Monster hausten. Noch schlimmer war, dass wir gebannt auf das Ticken der Uhr lauschten wie Kapitän Hook in *Peter Pan.* Krebsfreie Momente waren die Ausnahme, nicht die Regel. Von dem Kampf, die Krankheit zu besiegen, gingen wir dazu über, mit ihr zu leben … und schließlich einfach nur zu leben. Ich legte mir eine defensivere Haltung zu, errichtete Mauern, um uns gegen schlechte Nachrichten zu schützen. Denn es kamen immer noch mehr. Ständig dachten wir an Leben und Tod. Es gab keine müßigen Gedankenspiele mehr. Ich hätte so gern an die Zukunft gedacht, über Sommerfilme gesprochen, zwei Tickets für die nächsten Superbowl-Spiele gekauft, einen Garten angelegt, etwas verschoben, einen Termin zur Zahnsteinentfernung für sie vereinbart, einen Urlaub geplant, aber dann stand ich im Supermarkt vor dem Gemüse und fragte mich: Soll ich wirklich grüne Bananen kaufen?

Falls es etwas Gutes hatte, dann das: Für Menschen mit

Krebs war das Leben realer. Sie *fühlten* mehr. Es war, als hätten sie die Sinne eines Blinden und Tauben, könnten dabei aber hören und sehen. Abbie sagte, es sei wie der Unterschied zwischen einem Schwarzweißfernseher mit 15-Zentimeter-Bildschirm und einer IMAX-Kinoleinwand.

38

Gegen 22 Uhr weckte ich Abbie und gab ihr Eier zu essen, eine Diätcola und ein KitKat – ihr Lieblingsschokoriegel. »Fühlst du dich danach, aufzustehen?«

»Füüüüür dich?« Ihre undeutliche Sprache erschreckte mich so, dass es mir eiskalt über den Rücken lief. »Jaaa.« Ihre Augen waren glasig, und ihr Blick schweifte ziellos durch den Raum. Ihr war das Nuscheln ebenfalls aufgefallen. Sie legte ihre Stirn an meine. »Es tuuuut miiir leid.« Sie presste einen Finger auf ihren Mund, um sich zum Schweigen zu bringen.

»Komm.« Ich half ihr aufzustehen und hielt sie fest, als das Blut in ihren Kopf schoss. »Ich habe eine Überraschung für dich.«

Wir gingen Bobs Fußweg entlang zum Flugzeughangar. Er schob ein Motorrad heraus, und ich setzte mich darauf. Es war eine ältere Honda mit 250 Kubik. Er sagte: »Kennst du dich damit aus?«

»Ich habe nicht immer nur gemalt.«

»Gut. Der dritte Gang klemmt, also fest ziehen.«

Ich ließ den Motor an und gab Gas. Er machte Fehlzündungen, spie weißen Qualm aus dem Auspuff, beruhigte sich und schnurrte. Bob drehte den Choke ab. »Gib ihr eine Minute, dann ist sie warm gelaufen.« Abbie stieg auf den

330

Soziussitz, presste ihre Brust an meine und schlang ihre Arme um meine Taille.

»Ich bbbin bbbei diiir«, flüsterte sie.

Die Uhr tickte.

Ich tätschelte ihr auf den Oberschenkel, ließ die Kupplung kommen und folgte Bobs Rücklicht durch die Nacht. Wir kurvten durch weichen Sand und über unbefestigte Wege, überquerten eine asphaltierte Straße und folgten einem breiteren Schotterweg, der von Gräben gesäumt war. In der Ferne drehten sich die Lichter des Riesenrads gegen den Uhrzeigersinn über den Baumwipfeln. Wir kamen durch ein Nadelwäldchen und bogen dahinter rechts in eine Wiese, die fast nur noch aus Morast bestand. Hier parkten dicht an dicht Allradfahrzeuge mit meterhohen geländegängigen Reifen, brusthohen Stoßstangen und chromblitzenden Überrollbügeln. Dazwischen standen Kids mit Zigarette in der einen, Getränkedose oder Becher in der anderen Hand.

Der Jahrmarkt war geschlossen, aber entweder hatte das den Kids niemand gesagt, oder es war ihnen egal. Wir fuhren um die Trucks herum, durch das Tor und an einer langen Reihe von verlassenen Buden entlang.

Der Weg war von einem Ende bis zum anderen von Abfällen übersät, die sich größtenteils festgetreten hatten. Das Ganze erinnerte mich an den Jahrmarkt in *Schweinchen Wilbur und seine Freunde*.

Hinter einer Kurve hielt Bob an und lehnte sein Motorrad an einen Laster. Ein kleiner, vierschrötiger Mann mit Knopfaugen und einem Hut, der sein Gesicht weitgehend verdeckte, kam aus dem Schatten neben dem Karussell. Ich klappte mit dem Fuß den Motorradständer herunter, und Bob half Abbie beim Absteigen. Er mochte zwar barsch sein und andere mit seiner rauen Schale leicht abschrecken, aber darunter war ein weicher Kern. Das spürte auch Abbie. Sie stützte sich auf ihn, bis sie ihr Gleichgewicht wiedererlangt hatte.

Bob sprach auf Spanisch mit dem kleinen Mann. Als er fertig war, schaute der Mann an Bob vorbei, schob seinen Hut zurück und winkte uns näher heran. »Sie wollen auf meinem Karussell fahren?« Sein mexikanischer Akzent war unverkennbar.

»Ja.«

Er streckte die Hand aus. »*Me llamo Gomez.*«

»Chris. Und meine Frau, Abbie.«

Hinter ihm stand ein Karussell, das sehr alt aussah. Er deutete mit der Hand darauf. »Dentzel, 1927. Mein ganzer Stolz. Zwei Reihen, vierzig Pferde.« Er legte einen Schalter hinter sich um, und zigtausend Glühlampen erhellten die gesamte Umgebung. Er trat beiseite und zeigte auf die Pferde. »Sie haben freie Wahl.«

Abbie hakte sich bei mir ein, und wie ein altes Ehepaar schlurften wir zu den Pferden. Ihre Schritte waren langsamer, kürzer, unsicherer. Ihre Fersen schleiften über den Boden. Ich half ihr die Stufen hinauf, und sie ging zwischen den Pferden durch. Auf jedem Sattel stand ein Name: *Fancy, Dreamer, Spicy, Flame, Untouched, Wild Angel, El Camino.* Abbie streichelte jedem im Vorbeigehen die Holzmähne. Sie ließ ihre Hände über die windzerzausten Schweife und dichten Mähnen gleiten, bevor sie sich an der Stange festhielt, die den Pferdekopf mit der Decke und die Füße mit dem Boden verband. Schließlich entschied sie sich für *Windswept.*

Da das Pferd keinen Steigbügel hatte, ließ ich sie über meine Hand aufsteigen. Zum Glück hatte *Windswept* die letzte Fahrt näher am Boden als an der Decke beendet. Abbie schwang ein Bein hinüber, und ich half ihr in den Sattel. Sie setzte sich vorsichtig hin und hielt sich mit einer Hand am Hals und an der Mähne des Pferdes, mit der anderen an mir fest. Ich blieb neben ihr stehen und nickte Gomez zu. Er schnippte seine Zigarette weg und schaltete mit einem Knopfdruck die Musik ein. Dann schob er behutsam einen Hebel vor, und wir drehten uns langsam im Kreis.

Windswept bewegte sich auf und ab, hob Abbie näher an die Decke und senkte sie wieder herab. Gomez schaute zu und erhöhte allmählich die Geschwindigkeit, bis sie der Musik angepasst war. Abbie schloss die Augen und lehnte sich an die Stange, die ihr Pferd hob und senkte. Wir drehten zehn, elf, zwölf Runden. Nach der zwölften machte Abbie plötzlich: »Uh-o.« Sie nahm den Kopf von der Stange, drehte sich von mir weg und erbrach Eier, Cola und KitKat in weitem Bogen auf den Randsteg. Ich stützte sie, als sie bei dem Versuch, das Karussell nicht schmutzig zu machen, zur Seite rutschte. Der Besitzer bremste rasch ab und schaltete die Musik und die sich drehenden Pferde aus. Dann sprang er auf die Plattform und kam zu mir. »*Señor*, es tut mir leid.«

Ich schüttelte den Kopf. Meine Hände an Abbies Magen zeigten mir, dass eine zweite Welle bevorstand. Sie ließ die Stange los und rutschte aus dem Sattel. Ich fing sie auf und hielt sie fest, während sie sich über den Rand des Karussells erbrach.

Sie spuckte mit geschlossenen Augen. Auf ihrer Stirn glänzte Schweiß. Schließlich wischte sie sich den Mund ab und nuschelte: »Ich hatttte gannnnz vergessssen … wwwie schwinnnndlig mir davon wird.«

Ich drehte mich zu Gomez um. »Wenn Sie mir zeigen, wo ich einen Wasserschlauch oder einen Mopp finde, mache ich das sauber.«

Er winkte ab. »Nein, nein. Ich mache das schon. Das mache ich jeden Abend. Kein Problem.« Abbie richtete sich auf, ihr Gesicht hatte schon wieder etwas Farbe. Gomez deutete auf das Riesenrad. »Bitte. Möchten Sie fahren? Ganz langsam. Nix Schwindel.«

»Sir, ich weiß nicht, ob sie …«

Abbie mischte sich ein. »Mir geht es gut.«

Er öffnete das Eisentörchen, und wir setzten uns in eine Gondel des Riesenrads. »Ganz langsam«, raunte er mir zu.

Abbie lehnte sich an mich, während das Riesenrad uns nach oben trug. Es war hoch. Viel höher, als es aus der Ferne gewirkt hatte. Bei drei Uhr waren wir schon über den Baumwipfeln. Als wir oben ankamen, hielt er das Rad an. Ich schaute nach unten und sah, dass er achselzuckend den Daumen hob.

Ich antwortete ihm mit erhobenem Daumen. Abbie schlug die Augen auf und schlang die Arme um mich. »Esss tuuut mmmir lleid.«

Es war eine klare Nacht. Über uns leuchteten Milliarden Sterne im Universum. Der abnehmende Mond strahlte wie ein Scheinwerfer. Das Riesenrad warf einen länglichen Schatten auf den Boden, der aussah wie eine riesige Uhr, in der wir auf Punkt Mitternacht saßen. In der Ferne schlängelte sich der Fluss aus den Bäumen wie aus dem Gießlöffel eines Silberschmieds.

Abbie legte ihre Hand auf meine Brust. »Wwwie wwwweit?«

»Luftlinie knapp fünfzig bis Cedar Point. Auf dem Fluss gut siebzig.«

Sie hob die Hand und zählte leise. »Wir haben schon … sechs.«

Nach einer Weile deutete sie hinter uns auf eine wachsende Wolkenmasse, die von einem Ende des Horizonts bis zum anderen reichte. Dann zeigte sie auf die Lichter von St. Marys in der Ferne und auf den Fluss, der in die Stadt floss. »Ich wünschte, wir könnten es … zu Ende bringen.«

Ich nickte. Mehr schaffte ich nicht. Alles andere tat zu weh. Mühsam brachte ich heraus: »Ich wünschte, ich könnte mit dir tauschen.«

39

Schon früh in diesem ganzen Prozess stellte man bei Abbie ein hässliches kleines Gen namens VBRCA-1 fest. Dieses Gen bedeutete, dass sie mit ziemlich großer Wahrscheinlichkeit auch Eierstockkrebs bekommen könnte. Das Problem, vielmehr eines der Probleme bei Eierstockkrebs ist, dass es keine gute oder effektive Vorsorgeuntersuchung dafür gibt. Ob eine Frau ihn hat, ist also schwer festzustellen, bevor es zu spät ist. Wenn Symptome auftreten, ist der Krebs meist schon im vierten Stadium, hat also Metastasen gebildet. Der beste Schutz dagegen ist, prophylaktisch die Eierstöcke zu entfernen. Das war ein Schlag. Uns blieb nur noch die Möglichkeit, für eine künstliche Befruchtung vorzusorgen, also stimulierten die Ärzte die Ovulation und brachten Abbies Körper dazu, mehrere Eizellen zu produzieren, die sie entnahmen und sofort einfroren. Anschließend schnitten sie ihr mit der spröden Lässigkeit, mit der sie Starbucks-Kaffee tranken und Bärentatzen knabberten, die Eierstöcke heraus.

Weil sie vorhatten, ihr genug Gift in den Körper zu pumpen, um die abnormen Zellen abzutöten, bestand die Gefahr, dass es ihr Knochenmark angreifen würde. Es produziert weiße Blutkörperchen, die Infektionen bekämpfen, für die der Körper anfällig ist, wenn er geschwächt ist – etwa nach einer Chemotherapie. Wer auf die Idee kommt, der Kampf gegen den Krebs habe viel Ähnlichkeit mit einem Hund, der hinter seinem Schwanz herjagt, könnte durchaus Recht haben. Um ihre Chancen zu erhöhen, entnahmen die Ärzte Abbie vorsorglich etwas von ihrem Knochenmark, um später eine so genannte autologe Knochenmarkstransplantation vornehmen zu können. Diese Reserve erlaubte es ihnen, so aggressiv wie nur möglich gegen Abbies Erkrankung vorzugehen – eine uneingeschränkte Lizenz, sie mit jeder Behandlung, die ihnen zu Gebote stand, zu bombardieren.

Vor die Wahl gestellt zwischen der Möglichkeit, zu leben, oder dem sicheren, langsamen, qualvollen Tod, entschieden wir uns für dieses Bombardement. Am Abend nach ihrer dritten Operation – der Knochenmarksentnahme – schauten wir uns im Krankenhaus auf meinem Laptop Reese Witherspoon in *Sweet Home Alabama – Liebe auf Umwegen* an.

Sie hatten vor, aggressiv vorzugehen, und das taten sie auch. Die Chemo löschte sie wieder völlig aus und reduzierte ihre weißen Blutkörperchen auf null. Schnell empfahlen die Ärzte die Knochenmarkstransplantation. Nach ihrer vierten Operation – bei der sie ihr das Knochenmark wieder einpflanzten – war sie etwa einen Monat lang ans Bett gefesselt. Wir wohnten in der Mayo-Klinik in Jacksonville. Abbie hatte ein Zimmer auf der Station, ich ein kleines Zimmer im so genannten Familientrakt. Die Klinik hatte diesen Apartmentblock für die Familienangehörigen der Patienten gebaut. Es war eine ziemlich verschworene Gemeinschaft, in der alle per Du waren. Wir aßen zusammen, erzählten uns unsere Geschichte, verglichen Diagnosen und vorgeschlagene Behandlungen. Abbie war erschöpft und schlief oft schon gegen 18 Uhr ein, daher aß ich abends meist alleine. Ich blieb bei ihr, bis ihre Augen hinter den geschlossenen Lidern auf und ab flackerten, dann ging ich hinüber in die Cafeteria oder fuhr ein Stück, um mir ein Restaurant zu suchen.

Es war eine einsame Zeit.

Da ich vom Cafeteria-Essen mehr als genug hatte, ging ich über den Parkplatz zu meinem Jeep und stieg ein.

Zu dieser Gemeinschaft gehörte auch das Ehepaar Heather und John Mancini. Er war ein feister Italiener, sie eine feurige Rothaarige. Heather und ich waren uns an einem Samstag vor drei Monaten beim Mittagessen in der Cafeteria begegnet. Ich hatte gerade angefangen, einen Clive-Cussler-Roman zu lesen, als sie sich an meinen Tisch setzte. Sie musterte das Buch. »Sind Sie Cussler-Fan?«

»Ja … Clive ist einmalig.«

Sie zog ein Taschenbuch aus ihrer Umhängetasche. »Ich bin eher ein Patterson-Typ.«

Ich schauderte. »Er ist mir zu gruselig. Ich kann ihn nicht lesen, ohne mich zu vergewissern, dass sämtliche Türen und Fenster fest verschlossen sind und eine geladene Schusswaffe in Reichweite liegt.«

Sie lachte, wir kamen ins Gespräch, und ich schaffte es nie bis zur zweiten Seite des Buches.

Heather war Stewardess bei einer größeren Fluggesellschaft und wie ich viel allein. Nachdem die Ärzte bei John Krebs diagnostiziert hatten und sich herausstellte, dass er lange in der Mayo-Klinik bleiben musste, hatte sie sich nach Jacksonville als Startflughafen versetzen lassen, um ihre arbeitsfreie Zeit bei John verbringen zu können. Ihr Mann sprach nicht gut auf die Behandlung an, also bemühte ich mich nach Kräften, sie aufzumuntern. Das war noch so eine Sache. Wenn man diese Behandlungsspielchen lange genug mitgemacht hatte, gab es manchmal nicht mehr viel, was einen noch aufmuntern konnte. Manchmal brauchte man einfach jemanden, der sich anhörte, wie schlimm es wirklich war, und nur nickte, um zu zeigen, dass er zuhörte. Weiter nichts. Wir alle wussten, dass es keinen Zauberstab gab. Wenn es ihn gegeben hätte, hätten wir ihn herumgereicht wie Schüler einen geklauten Kasten Bier.

Ich stand also da und wollte gerade in meinen Jeep steigen, als jemand meinen Namen rief. Noch bevor ich mich umdrehte, wusste ich, wer es war. Heather winkte. »Ich glaube, ich habe erst mal mehr als genug von hellblauen Wänden und Kanülen«, sagte sie.

»Ja«, antwortete ich und kratzte mich am Kopf, »ich auch. Von den Wänden, meine ich.«

Ihr roter Rock passte zur Farbe ihrer Haare, die sie in einem Ich-bin-erwachsen-aber-im-Grunde-immer-noch-ein-Kind-Stil zusammengebunden hatte. Sie deutete auf das Krankenhaus. »John schläft. Wie wär's, wenn ich dich zum Essen einlade?«

»Klar.«

Während meine Frau um ihr Leben kämpfte, fuhr ich also mit einer Fremden, die an ihrer Bluse die drei obersten Knöpfe offen hatte, an den Strand und schlenderte mit ihr auf der Suche nach einem Esslokal über die Third Street. Wir landeten bei Pete's.

Froh, aus dem Krankenhaus herausgekommen zu sein, saßen wir sieben Innings eines Baseballspiels der Red Sox ab und eine Halbzeit eines Hockeyspiels. Im Laufe des Abendessens rutschte ein weiterer Knopf aus seinem Loch, und ihr Rock kletterte den halben Oberschenkel hoch. Mit jedem Schluck wanderte er weiter hinauf. Erst nach der Hälfte meines dritten Biers fiel mir auf, dass niemand in einer solchen Aufmachung Krankenhausbesuche machte. Zugegeben, manchmal bin ich etwas schwer von Begriff.

Wir aßen scharfe Hähnchenflügel, bis uns die Nase lief, und tranken genug Bier, um das Brennen unserer Lippen zu betäuben. Anschließend spazierten wir über den Brettersteg am Strand, um den Schwips loszuwerden, und erzählten uns gegenseitig, wie wir unsere Partner kennengelernt hatten.

Erst auf dem Rückweg über den Strand merkte ich, dass sie ihre Schuhe in einer Hand hielt und sich mit der anderen bei mir untergehakt hatte. Das liegt nur am Sand, sagte ich mir. Er ist zu weich. Oder?

Wir tranken noch einen Kaffee im Waffle House. Als wir zurückkamen, ging es auf Mitternacht zu.

Sobald wir in den Aufzug stiegen und die Tür sich schloss, drückte sie mich wortlos und ohne jede Vorwarnung in eine Ecke. Es war lange her, dass eine andere als meine Frau mich geküsst hatte. Der kleine Bursche auf meiner rechten Schulter brüllte im Ton eines Sportreporters: »Vielleicht marschiert er durch!« Er riss beide Arme in die Luft wie ein Linienrichter: »Tor!« Und der kleine Bursche auf meiner linken Schulter stand still da wie eine Kirchenmaus. In der Hand hielt er Abbies Foto aus meiner Brieftasche.

Ich versuchte mich loszumachen und mein Gehirn mit Sauerstoff zu versorgen, aber das passte nicht in ihren Plan. Als die Aufzugklingel den fünften Stock anzeigte und die Tür sich öffnete, verließ sie die Kabine, hob die rechte Hand und spielte unbewusst mit ihren Nackenhaaren. Mit einem einladenden Lächeln drehte sie sich um.

Ich sah, wie ihr Finger sich um das dünne, kurze Haar hinter ihrem Ohr krümmte, sich streckte und losließ. Das hätte sie nicht tun sollen.

Es war nicht der Kuss oder ihr Bein, das sie um meins schlang, als der Aufzug anfuhr, nicht einmal der Druck ihrer Brust, ihres straffen Bauchs und ihrer schmalen Hüften an meinen. Nein, es war der Finger, der das Haar in ihrem Nacken drehte. In diesem Bruchteil einer Sekunde war ihr Bann gebrochen. Zersplittert wie Glas auf einem Marmorboden. Abbie, die mir beigebracht hatte zu lieben, drehte ihre Haare genauso, wenn sie Geschirr spülte, unter der Dusche stand und sich heißes Wasser über den Rücken laufen ließ oder wenn sie sich eins meiner Gemälde eingehend anschaute. Es war ein untrügliches Zeichen, dass sie nachdachte.

Eigentlich verstand ich nicht viel von Frauen, aber ich hütete mich, aus dem Aufzug zu steigen. Unerfahren? Ja. Blöd? Noch nicht. Verführt? Nur ein bisschen. Mein Entschluss, nicht aus diesem Aufzug zu steigen, war eine Mischung aus Besonnenheit und schlichter Feigheit. Ich legte die Hand auf den Sensor, der die Tür offen hielt, und schaute zu, wie sie rückwärts zu ihrer Zimmertür ging. Sie hatte schon ihre Bluse aufgeknöpft und aus dem Rock gezogen und ließ ihren Zimmerschlüssel vor mir baumeln.

Der Krebs, die Behandlung und die Erschöpfung hatten mir und Abbie jede echte körperliche Beziehung geraubt. Das hieß nicht, dass Abbie nicht nett zu mir war. Sicher nicht. Sie tat, was sie konnte, aber es gab einen Punkt, an dem meine körperlichen Bedürfnisse hinter ihrem Bedürfnis zurückstehen mussten, keine Schmerzen zu haben – in Ruhe gelassen zu werden. Ich stand im Aufzug und schaute zu, wie Heather sich vor mir auszog. Sie ging rückwärts bis an ihre Tür, und als sie den Schlüssel ins Schloss schob, lag ihr Rock schon auf dem Boden. Meine Frau hatte in den letzten sechs Monaten Omaschlüpfer getragen, die Platz für die Einlagen bei Blasenschwäche hatten. Solche Probleme hatte Heather nicht. Das bewies ihr weißer Spitzentanga.

Der kleine Bursche auf meiner rechten Schulter schlug einen anderen Ton an. Statt zu brüllen, flüsterte er: »Geh schon. Keiner wird es je erfahren.« Der stille Kerl auf meiner linken Schulter hatte sich nicht gerührt. Er stand bloß da, hielt das zerknitterte, verblichene Foto und tippte mit dem Fuß.

Liebe mochte vergehen, aber die Erinnerung an ihre Berührung und die Hoffnung auf ihre Wiederkehr nicht. Nie. Es war wie diese Straße in Hollywood, auf der alle Stars ihre Hand in den nassen Beton drückten. Abbie hatte vor langer Zeit ihren Abdruck in meinem Herzen hinterlassen. In diesem Aufzug versuchte Heather, ihre Hand in den getrockneten Abdruck zu legen, aber sie passte nicht.

Ich schüttelte den Kopf. »Heather, ich …« Was konnte ich schon sagen? Abbie hatte mir beigebracht, dass Menschen in ihrem äußeren Erscheinungsbild erkennen lassen, was sie im Inneren kränkt. Heather war da keine Ausnahme – eine schöne Frau, ein gutes Herz. Sogar ein einfühlsames Herz. Wie sonst hätte sie als Stewardess arbeiten sollen? Das musste man sich nur mal überlegen. Tag für Tag servierte sie gereizten Flugpassagieren Bretzel und Diätcola, verteilte Kissen und Decken und gab Auskünfte über Anschlussflüge. Zusammen mit der Tatsache, dass es John immer schlechter ging, lebte sie in einer tristen Gegenwart mit Aussichten auf eine trostlose Zukunft. Dieses ganze Elend musste irgendwohin. Ich will sie weder entschuldigen noch ihr Vorwürfe machen. Es war einfach, wie es war. Aber ich erkannte es erst, als es schon zu spät war.

Ich atmete tief durch, drückte auf den Knopf für den siebten Stock und sah, wie sie ihren Tanga über die Hüften hinunterstreifte. Während ich die beiden Etagen zu meinem Zimmer hinauffuhr, wünschte ich, ich hätte den kalten Stahl aus meinem Rücken ziehen und gegen meine Dämonen richten können, aber ich war nicht König Arthur. Ich schloss meine Zimmertür auf und zog meine Laufschuhe an, während das Telefon klingelte.

Laufen war mein Betäubungsmittel. Es gab Zeiten, da hätte ich etwas Passiveres wie Scotch oder Bourbon bevorzugt, aber daran hatte ich nie Geschmack gefunden. Laufen war meine Flucht.

Meist lief ich fünf bis zehn Kilometer. Darunter hatte ich nicht das Gefühl, gelaufen zu sein. Darüber fingen meine Knie an wehzutun. Ich ging hinunter in den Fitnessraum, stieg auf das Laufband, stellte es auf ein 8-Minuten-Tempo ein und versuchte, mir diesen Spitzentanga aus dem Kopf zu laufen.

Nachdem meine Mutter gestorben war, hatten mich die Leute im Trailerpark mehr oder weniger großgezogen, daher hatte ich kein sonderlich ausgeprägtes väterliches Rollenvorbild mitbekommen. Wie man mit einer Frau umging, hatte mir nur Abbie beigebracht. Die Instinkte waren vorher schon dagewesen, aber Abbie hatte ihnen Schliff gegeben. Wie ein Mann mit einer Frau spricht, die allein auf einem Parkplatz steht und ihren Schlüssel im Auto eingeschlossen hat, wie er einer älteren Dame, die den Arm voller Einkaufstüten hat, die Tür aufhält, wie er einer Polizistin eine Frage stellt, wie er die Kinokarte aufhebt, die eine Kommilitonin hat fallen lassen, wie er bei einem Date die Bestellung für beide aufgibt, dass er eine Viertelstunde, bevor sie zu Hause sein muss, mit ihr vor ihrer

Haustür steht, weil er weiß, dass ihr Vater schon die Minuten zählt, dass er ihren Vater um Erlaubnis bittet, mit ihr am Samstag zum Wasserski an den See zu fahren – wie ein Mann mit einer Frau umgeht, lässt sich nicht so einfach fassen. Es ist wie der Stab beim Staffellauf, der von einem zum anderen weitergereicht wird. Abbie hatte diesen Stab an mich weitergereicht. Was Mädchen anging, hatte ich eine steile Lernkarriere hinter mir, in der ich zwar haufenweise Fehler gemacht, aber bis dahin noch nie etwas bereut hatte.

Als das Laufband nach einer Stunde noch nicht viel genützt hatte, lief ich auf den Parkplatz hinaus, bog rechts in die San Pablo Street und trabte unterhalb des J. Turner Butler Boulevard entlang. Nach einem knappen Kilometer schlich ich mich an einem bewachten Tor vorbei auf einen privaten Golfplatz, der allgemein nur »Pablo« hieß. Er gehörte zu den exklusiveren und weniger bekannten Golfclubs des Landes. Die Zahl der Mitglieder war auf 250 beschränkt, und wer sich nach der Höhe der Beitrittsgebühren erkundigen musste, konnte sie sich nicht leisten. Neben diesem Golfplatz wirkte der Masters-Parcour wie Kinderkram. Ich lief im Mondschein alle 18 Löcher ab. Drei Stunden später humpelte ich zurück ins Krankenhaus und ging geradewegs in Abbies Zimmer.

Da sie nach der Transplantation starke Schmerzen hatte, gaben sie ihr nachts ein Schlafmittel, das sie im Grunde für 12 bis 14 Stunden in ein Koma versetzte – was nur gut war. Denn so hatte sie nur den halben Tag lang Schmerzen.

Ich ging ins Zimmer, warf einen Blick auf meine Frau und verspürte ein schlechtes Gewissen wegen des Abendessens am Strand. Sie schlief tief und fest und verdrehte die Augen hinter den Lidern. Schweißgebadet zog ich mir den verchromten Hocker ans Bett, schob meine Hand unter Abbies und fing ganz von vorn an. Ich erzählte ihr vom Parkplatz, von Heathers Kleidung, von Pete's, den Knöpfen, dem Rock, dem Strand und schließlich vom Aufzug. Dann sagte ich ihr, dass es mir leidtat und ich sie liebte.

Es war kein sonderlicher Trost.

Anschließend ging ich in den Apartmentblock, stieg die sieben Etagen zu meinem Zimmer hinauf und stand fast eine Stunde unter der Dusche. Tageslicht drang durch meine Fenster, als ich mit einem Handtuch um die Hüften aus dem Bad kam. Ich schob die Jalousien einen Spalt auseinander und schaute über die Marsch und den Intercoastal Waterway. In diesem Augenblick bewegte sich etwas zwischen meinen Bettlaken. Ich schaltete das Licht an, und Heather setzte sich in meinem Bett auf.

Nein, sie war nicht angezogen.

Mein Herz pochte mir bis zum Hals. Sie lächelte verschlafen, schob sich das Haar aus dem Gesicht und schaute mich an. Zu sagen brauchte sie nichts. Dass sie in meinem Bett lag, sagte genug.

»Du hast deine Tür offen gelassen.«

Ich nickte. »Hör zu …« Gerade wollte ich etwas sagen, als es laut an der Tür klopfte. Ich wusste, wer es war. Das Klopfen kannte ich. Ich wusste auch, dass er nie wartete. Er stieß die Tür auf und kam herein. Er machte vier Schritte, sah mich in einem Handtuch und Heather, die nichts anhatte.

Ich hätte ja etwas gesagt, aber ich dachte mir, dass es weder in diesem noch im nächsten Leben viel genutzt hätte. Er starrte mich lange an. An seinem Hals trat eine Vene vor. Dann schüttelte er den Kopf und ging hinaus.

»Wer war das?«, fragte sie.

Ich starrte in den Spiegel, der innen an der Tür hing. »Mein Schwiegervater.«

Sie kaute an einem Fingernagel. »Senator Coleman?«

»Ja ...« Ich nickte. »Das ist er auch.«

Kopfschüttelnd zog sie das Laken hoch und ließ ihr Haar über ihre Augen fallen. »Es tut mir leid.«

Ich zog mich an, ging wieder zurück in Abbies Zimmer und fand ihn dort vor. »Sir, kann ich mit dir reden?«

»Meine einzige Tochter liegt hier und kämpft um ihr Leben. Und du bist da oben.« Er schlug mir hart mit dem Handrücken ins Gesicht. Der beißende Geschmack von Blut breitete sich in meinem Mund aus. »Sprich mich nie wieder an.«

»Sir, es ist nicht so, wie du denkst.«

Er drehte sich um und schlug mir die Faust ins Gesicht, dass ich herumwirbelte und meine Lippe aufplatzte. Er zeigte mit zitternder Hand auf mich, in seinem Mundwinkel sammelte sich Speichel. »Geh mir aus den Augen.«

»Ich gehe nicht.«

Er schaute auf Abbie und rieb ihre Zehen. Dann sah er auf die Uhr und ging zur Tür. Dort drehte er sich um. »Im Augenblick ist sie zu schwach. Das würde sie umbringen. Sie würde ihren Kampfeswillen verlieren. Aber ... wenn sie das besiegt hat ... und das wird sie ... werde ich ihr die Wahrheit sagen. Was du von jetzt bis dahin machst, ist deine Sache.«

»Sir ...«

Er ging hinaus, ohne sich noch einmal umzusehen.

Als Abbie aufwachte, hatte die Transplantation ihren Körper in Panik versetzt. Sie lächelte bei über 39 Grad Fieber mit glasigen Augen. »He du.«

Zwei Monate später bekam Abbie von ihrem Vater eine

Knochenmarkspende – manche sagen, das sei für den Spender schmerzhafter als für den Empfänger.

Auch sie schlug nicht an.

40

Als ich in Bobs Küche ging, schauten er, Petey und Rocket gerade den Wetterbericht. Der Bildschirm zeigte einen Mann im Regen. Er trug eine gelbe Regenjacke, und der Wind hatte seine zur Seite gekämmten Haare aufgestellt wie einen Hahnenkamm. Er war mitten in seinem Bericht. »Hurrikan Annie blieb über dem Golf hängen und speiste sich vom warmen Wasser. Eingekeilt zwischen entgegengesetzten Fronten, hielt Annie sich dort eine Woche. Am 6. Juni fing Annie an, langsam über Nordflorida und Südgeorgia zu ziehen, und brachte dort über fünfzig Zentimeter Regen.« Die wirbelnde grün-rote Masse, die nun auf dem Bildschirm erschien, zeigte mir, dass der schlimmste Sturm an uns vorbeiziehen würde, nicht aber an den Okefenokee-Sümpfen. Wir waren an seiner Südostseite, die wenig Regen, aber viele Tornados abbekommen würde. Der Reporter sprach weiter: »Nach einem Ausfallschritt nach Nordwesten machte sie einen Seitschritt, eine Drehung und tippelte nach Nordosten.« Er ahmte die Bahn des Sturms mit Tanzschritten nach, die ich noch nie gesehen hatte. »Beim Verlassen des Golfs verlangsamte sie sich gestern und schwächte sich zu einem Tropensturm ab. Da sie aber gerade auf eine Kaltfront gestoßen ist, die von Norden herunterzieht, könnte es noch eine Weile dauern, bis der Regen nachlässt. Mit ihrer Masse und ihrem Umfang schiebt sie sich seit drei Tagen mit vier Knoten über das Land wie ein Walross über eine Eisplatte.« Er kam näher an die Kamera und senkte die Stimme. »Laut, nicht sonderlich schön, bedrohlich und unendlich langsam. Manche überlegen vielleicht, ihr Auto gegen ein Boot einzutauschen, denn wir rechnen mit Rekordüberschwemmungen in ganz Nordflorida und Südgeorgia.« Der Wettermann war ziemlich stolz auf seinen Bericht, denn er strahlte von einem Ohr zum anderen, während der Regen ihm seitlich ins Gesicht prasselte.

Bob schaute aus dem Fenster auf den wolkenlosen, sonnigen, tiefblauen Himmel und brummte etwas in sich hinein. Er zog seine Kappe auf und ging zur Tür. »Ich denke, ich schau mir den Sturm mal an.«

»Ist das nicht gefährlich?«

»Hängt davon ab, wie nah man ihm kommt.«

Abbie kam mit einer Spritze in der Hand in die Küche und lehnte sich an den Küchentisch. Rocket leckte ihr die Zehen, und sie sagte mit einem Actiq-Lutscher im Mund: »Könnnnen wiir ggeehn?«

Petey spazierte im Kreis auf dem Tisch herum. »Wir gehn? Teufel nee. Wir gehn? Teufel nee.«

Bob schüttelte den Kopf. »Ich habe versucht, ihm ein paar neue Worte beizubringen, aber …« Er zuckte die Achseln. »Er ist ziemlich religiös. Redet ständig von Himmel und Hölle. Stimmt's, Petey?«

Petey schlug mit den Flügeln. »Heilige Maria. Heilige Maria.«

»Schatz, es sind nur noch zwei übrig«, flüsterte ich Abbie zu.

Sie zog die Kappe von der Spritze und reichte sie mir.

»Dannnn wollll'n wir hofffen, dasss sie lange hällllt.« Wieder schaute sie Bob mit tief gefurchter Stirn an. »Könnnen wwwir?«

Er versuchte, sich Klarheit zu verschaffen. »Hast du getrunken?«

»Ich wünnnschte, esss wär sso.«

»Du kannst ziemlich stur sein, weißt du das?«

»Das hat sie von ihrem Dad«, schaltete ich mich ein.

»Es kann ganz schön holperig werden. Wenn du dachtest, auf dem Karussell wäre dir mulmig gewesen …«

Ich spritzte ihr das Dexamethazon in den Oberschenkel, und sie nickte.

»Bist du sicher?«, fragte Bob.

Sie nickte und hielt ihren Lutscher hoch. »Jjjaa, unter einer Bedddinnngung.«

»Welcher?«

»Ich möchte einen Llllloooopty … looop machen.«

Er grinste. »Ich denke, das lässt sich machen.«

Wir standen neben seinem Flugzeug. »Kennt ihr euch mit Flugzeugen aus?«, fragte er.

»Ich weiß, dass es hellblau und gelb ist, einen Propeller, vier Tragflächen und zwei Räder hat.«

Liebevoll streichelte er den Rumpf hinter dem Motor. »Das ist eine Boeing Stearman Kaydet. Im Zweiten Weltkrieg waren sie bei Navy und Air Force an verschiedenen Fronten im Kampfeinsatz. Sie wurde bis 1945 gebaut, insgesamt etwa zehntausend Stück.«

Abbie stemmte die Hände in die Hüften. »Saag bloß.«

Außer den Sprachschwierigkeiten meiner Frau machte mir auch das Jahr 1945 ein bisschen Sorge. »Ist sie dann nicht ziemlich alt?«

»Hab jeden Quadratzentimeter eigenhändig überholt.«

»Hat das nicht viel Zeit gekostet?«

Bob grinste. »Davon hatte ich genug. Ein entlassener Priester ist fragwürdig. Da oben bin ich nur ein Mann, der ein Flugzeug fliegt. Den Leuten ist alles egal, solange es auf ihren Feldern gut wächst.« Er erklärte weiter: »Es ist ein zweisitziger Doppeldecker aus Holz, Stahlrohr und Stoff. Zum Fahrwerk gehört ein nicht einklappbares Spornrad. Nach dem Krieg musterte die Regierung Tausende Stearman aus. Einige kamen bei Kunstflugwettbewerben zum Einsatz, andere bei der Luftwaffe anderer Länder, die meisten wurden zu Sprühflugzeugen für die Landwirtschaft umgerüstet.« Er ging ans Heck und strich über ein seltsames Rohr, aus dem viele kleine Düsen ragten. »Wenn sie mit Sprühanlagen nachgerüstet wurden, reichte die Standardversion mit dem Lycoming-Sternmotor mit 220 PS nicht aus.« Er tätschelte die Nase. »Viele, wie diese hier …«, er streichelte sie wie ein Mann in mittleren Jahren seinen Ferrari, »wurden mit brandneuen Antrieben aus Kriegsüberbeständen, den R-985 Wasp Junior, ausgestattet. Etwa 450 PS – also doppelt so stark wie vorher. Wir fliegen etwa 1,50 Meter über dem Boden, da ist es ganz nützlich, gute Kontrolle und Reaktionsvermögen zu haben.«

Für mich sah das Ding aus wie von den *Peanuts*. Aber das behielt ich für mich. Er erzählte weiter und redete mehr zu dem Flugzeug als zu uns. »Leer wiegt sie etwas weniger als eine Tonne. 878 Kilo. Sie hat eine Spannweite von 9,75 Meter und eine Länge von 7,45 Meter. Ursprünglich hatte sie eine Höchstgeschwindigkeit von 200 Stundenkilometern, aber mittlerweile schafft sie einiges mehr. Sie fliegt bis zu 11 000 Fuß hoch und hat eine Reichweite von gut 800 Kilometern.«

Abbie grinste. »Ich haaab schschon gehööört, dass

Mmmodelllls weniger lllllliebevoll beschschriebn wurden.«

Ich hob die Hand. »Bist du schon mal abgestürzt?«

»Mit ihr nicht.« Da steckte mehr dahinter, aber von sich
aus sagte er nichts weiter dazu, und wir hakten nicht nach.

Abbie schaute mich an, offenbar setzte die Wirkung des
Dexamethazon ein. »Ich glaube, mmmmehr will ich gar
nicht wwwwissssssen.«

»Wieso?«, fragte Bob. Er war nun sowohl Priester als
auch Pilot. »Hast du Angst zu sterben?«

Sie schüttelte den Kopf. »Damit habe ich schon lange
meinen Frieden geschlossen.« Das Dexamethazon wirkte.
»Wir müssen alle sterben. Nur manche früher, als wir wollen.« Abbie schaute mich an. »Ich habe nur Angst, ihn allein
zu lassen.«

Wir stiegen ein, und Abbie tippte Bob auf die Schulter.
»Hör mal, ich vertrage so was nicht besonders, also wenn
du nicht willst, dass dein kleines Cockpit sich in einen
Kotzkometen verwandelt, gehst du am besten hoch, machst
den Looping und bringst mich wieder runter. Verstanden?«

Bob nickte zögernd. »Eigentlich nicht, aber …«

Ich tippte ihm auf die Schulter und deutete auf die
Wiese, die er als Startbahn nutzte. »All die dunkelgrünen
Höcker, was ist das?«

Er brüllte über das Motordröhnen: »Tiergerippe.«

Es waren sicher an die hundert Höcker, die mit dunkel-
grünem Gras bewachsen waren. »Das sind aber viele Ge-
rippe. Wo kommen die her?«

Er zuckte die Achseln und ließ die Maschine anrollen.
»Überfahren, meistens.«

»Sind da auch Menschenknochen darunter?«

Er gab Gas, zog seine Brille über die Augen und brüllte: »Noch nicht.«

Er löste die Bremse, und wir schossen über eine Strecke, die höchstens 30 Meter lang erschien, dann riss Bob am Steuerknüppel, und wir hoben ab. Kaum waren wir über den Baumkronen, da zog er den Knüppel noch weiter zurück und richtete die Nase des Flugzeugs steil gen Himmel. Wir stiegen höher und höher, und als ich gerade dachte, ich könnte es nicht mehr aushalten, kippte er uns vornüber, ließ den Knüppel nach vorn schnellen und uns in Spiralen Richtung Erde trudeln. Um alles noch schlimmer zu machen, fing er auch noch an zu rollen. Ich dachte, man hätte uns abgeschossen. Abbie schrie vor Begeisterung, während ich mich krampfhaft bemühte, mir nicht in die Hose zu machen. Wir schossen auf die Erde zu, plötzlich richteten wir uns horizontal aus und drehten uns sechs oder acht Mal um die eigene Achse. Abbie hielt sich an beiden Seiten am Rumpf fest, lachte lauthals und brabbelte unaufhörlich. Offenbar war das nur ein Aufwärmmanöver, denn das, was dann kam, gab es auf keiner Achterbahn im Vergnügungspark. Wir streiften fast die Baumkronen – ich meinte rechts von mir den Fluss aufblitzen zu sehen – und schossen wieder himmelwärts, aber dieses Mal drehten wir uns einfach weiter. Als ich in Rückenlage unter uns die Erde sah und wir wieder sanken, merkte Abbie, dass sie gerade auf dem Scheitelpunkt ihres Loopings war. »Ja! Ja! Noch mal! Noch mal!«, schrie sie.

Nach dem sechsten Looping hörte ich auf zu zählen.

Vor uns sang Bob aus voller Kehle falsch, aber mitreißend. Mit einer Hand am Steuerknüppel, mit der anderen dirigierend, sang er: »*I'll fly away old Glory, I'll fly away …*«

Als das Fahrwerk später den Boden berührte und Abbie

den Kopf an meine Schulter lehnte, fühlte ich ihr den Puls – ihr Herz sprang ihr fast aus der Brust. Bob stellte den Motor ab und ließ das Flugzeug in den Hangar rollen. Ich hob Abbie heraus und legte sie auf den Boden. Mit ange-winkelten Knien lag sie da, hielt sich mit einer Hand an einem Pfosten fest, hatte die andere flach auf den Boden gelegt und stöhnte und lächelte gleichzeitig. Ihre Shorts war nass, weil sie sich in die Hose gemacht hatte. »O bitte, mach, dass die Erde aufhört, sich zu drehen.«

Ich setzte mich neben sie und tupfte mit meinem Shirt Blut und Schleim ab, die ihr aus der Nase rannen.

41

Wir fuhren zur M. D.-Anderson-Klinik in Houston, zur Sloan-Kettering-Klinik in New York, zur Mayo-Klinik in Rochester und wieder zurück nach Jacksonville. Jede Diagnose lief in unterschiedlichen Formulierungen auf dasselbe hinaus. »Ihr Krebs hat Metastasen gebildet, und wir jagen ihn.« Obwohl sie nie geraucht hatte, griff er ihre Lungen an. Als Nächstes entdeckten wir Stellen in ihrer Leber. Die Medikamente waren zwar effektiv, und die Behandlung zeigte offenbar Wirkung auf den Krebs, aber er war immer einen Schritt voraus. Dabei wurde Abbie immer schwächer. Schon bald war mir klar, dass ihre Fähigkeit beeinträchtigt war, auch nur einen Schnupfen zu überstehen. Viel mehr konnte sie nicht aushalten.

Ich hatte seit über drei Jahren nichts mehr gemalt. Leonardo da Vinci hatte einmal gesagt: »Wo die Seele nicht mit dem Verstand arbeitet, gibt es keine Kunst.« Er hatte Recht. Da niemand Abbie mehr engagieren wollte und ihre bestehenden Verträge aufgelöst wurden, weil sie die vereinbarten Leistungen, also die Präsentation ihres Körpers, nicht länger erbringen konnte, plünderten wir unsere Ersparnisse. Ich verkaufte mein Boot, und wir fingen an, von Krediten auf unser Haus zu leben.

Wir nahmen an zwei Testreihen teil, die unsere Hoffnungen stärkten. Die Computertomographien und Positronenemissionstomographien zeigten zwar eine Verkleinerung der Tumore, aber sie waren immer noch da. Ich informierte mich über experimentelle und, nach Ansicht mancher, radikale Behandlungsmethoden in Mexiko, war aber nicht zu einem so verzweifelten Versuch bereit.

Sechs Monate vergingen, wir absolvierten einen weiteren Test und warteten einen Monat auf die Ergebnisse, die zeigen sollten, ob die Medikamente gewirkt hatten. Am Ende dieses Monats brauchte ich diese Untersuchungsergebnisse nicht mehr.

Es fing in der Küche an. Sie versuchte, *Apfel* zu sagen, machte aber fünf Silben daraus. Anschließend massakrierte sie *Spaghetti* und musste bei *Kühlschrank* vollends aufgeben. Die Sprachstörungen waren ein schlechtes Zeichen.

Computertomographie, PET und Blutanalysen bestätigten, dass sie inoperable Metastasen im Gehirn hatte. Falls diese Ergebnisse überhaupt etwas Gutes hatten, dann, dass es die schlechtestmöglichen waren. Wir waren ganz unten angekommen. Dr. Hampton erklärte: »Die Lage des Tumors schließt eine Radiofrequenzablation aus, die ansonsten äußerst erfolgreich ist … aber das Gehirn durchmischen würde. Wenn wir Ihnen eine 400 Grad heiße Sonde in den Kopf schieben, können wir nicht erwarten, dass Sie anschließend wieder aufwachen.«

»Was ist mit Chemo?«

Er schüttelte den Kopf. »Chemotherapie ist bei Hirntumoren weitgehend wirkungslos, weil die Gefäße im Gehirn sich sehr effektiv gegen jede Art von Toxinen schützen. Das nennt man die Blut-Hirn-Schranke, und bislang hat die Chemotherapie noch keine Möglichkeit gefunden, sie zu durchbrechen oder zu umgehen.«

Ich saß da und hörte zu, ohne richtig hinzuhören. Dr. Hampton umriss ihren Zustand – und unsere letzte Möglichkeit. Abbie zuckte nicht mit der Wimper. Sie sagte: »Ich möchte die Höchstdosis, die Sie mir geben können.« Wir fuhren nach Jacksonville in die Mayo-Klinik, und ich drehte Däumchen, während sie Tschernobyl in meine Frau jagten.

Vierzehn Wochen lang ließ Abbie zwei sechswöchige Strahlentherapien mit ihren quälenden Nebenwirkungen über sich ergehen. Meist schlief sie, was in gewisser Hinsicht gut war. So hatte sie weniger Zeit, nachzudenken und die Auswirkungen der Tumore und der Bestrahlung zu spüren. Ich konnte es ihr nicht verübeln. Ich vermisste sie wahnsinnig, aber Schlaf war das einzige Loch, in das sie sich verkriechen konnte. Der einzige Ausweg, der ihr blieb. Alle anderen waren ihr genommen.

Wenn sie wach war, schränkte uns die Tatsache ein, dass jedes kleinste bisschen Lärm, Licht oder Bewegung ihre Übelkeit nur verschlimmerte. Das zwang uns, reglos und still im Dunkeln zu sitzen. Nur zusammen zu sein. Das war fast das Einzige, was uns blieb. Zum Glück gaben sie Abbie gegen die Schmerzen so viel sie wollte, was bewies, dass Wahnsinn ein Luxus sein konnte.

Nach ihrer letzten Behandlung machten sie einige Abschlussuntersuchungen. In Anbetracht ihres Zustands und der Tatsache, dass sie sich das Recht auf Vorzugsbehandlung »verdient« hatte, sollten die Ergebnisse im Schnellverfahren noch am Nachmittag eintreffen. Während wir darauf warteten, hatte ich das dringende Bedürfnis, spazieren zu gehen – was ich in letzter Zeit häufig getan hatte. Ich kam mir vor wie ein Verräter, als ich Abbie allein ließ, aber sie schlief, und ich musste mir unbedingt einen klaren Kopf verschaffen, bevor Ruddy mit den Ergebnissen kam. Ich flüsterte: »Schatz, ich besorge mal ein paar Muffins oder so.« Dann ging ich. Als ich zurückkam, hatte eine der Krankenschwestern Abbies Akte – und die Ergebnisse – in die Plastikbox an der Tür gesteckt. Ich starrte die Krankenakte an und dachte an meine Frau, die da drinnen lag und weitere schlechte Nachrichten fürchtete.

Zuzusehen, wie meine Frau starb, brachte mich um. Es machte mich krank und fertig, dass ich nichts, aber auch rein gar nichts tun konnte. Ich war in einen Kampf auf Leben und Tod verstrickt, den ich nicht gewinnen konnte. Schlimmer wäre nach meiner Einschätzung nur noch, zusehen zu müssen, wie das eigene Kind mit einer tödlichen Krankheit rang. Das war mir klar, denn ich hatte gelogen, als ich sagte, ich wolle Muffins besorgen, in Wahrheit suchte ich nach dem Gesicht eines Vaters oder einer Mutter, dem ich ansehen könnte, dass sie genauso litten wie ich, wenn nicht sogar noch mehr. Sobald ich eins entdeckt und eine Art absurden Trost in dem Wissen gefunden hatte, dass jemand auf diesem Planeten die gleichen Qualen durchmachte wie ich, ging ich zurück.

Ich wusste, dass so etwas falsch war. Völlig blödsinnig. Und es tat mir leid.

Ich schlug die Akte auf und fand den Brief obenauf. Er war von dem Radio-Onkologen, der die Untersuchungsergebnisse ausgewertet hatte.

Lieber Dr. Ruddy Hampton,

ich habe die letzte Computertomographie von Abbie Eliot Michaels ausgewertet. Soviel ich weiß, hat sie gerade ihre zweite sechswöchige Palliativbestrahlung abgeschlossen. Sofort nach Eintreffen der Aufnahmen aus der radiologischen Abteilung habe ich sie mir persönlich mit

Chefarzt Dr. Steve Surrat angesehen. Er ist überzeugt, dass der metastatische Tumor in ihrem Gehirn nicht kleiner geworden ist. Er ist sogar messbar gewachsen. Ich stimme dieser Auffassung zu. Beim derzeitigen Stand der Dinge hat mein Fachbereich nichts mehr zu bieten. Nach meiner fachlichen Meinung ist in solchen Fällen Hospizpflege die einzige verbleibende Möglichkeit. Ich bedanke mich, dass Sie mich zur Behandlung dieser netten jungen Frau hinzugezogen haben.

Hochachtungsvoll
Dr. Paul McIntyre
Radio-Onkologe

cc: Dr. Roy Smith; Dr. Katherine Meyer; Dr. Paul Dismakh; Dr. Gary Fencik

Ich las den Brief ein Mal und noch ein zweites Mal langsamer. Dann las ich ihn im Flüsterton ein letztes Mal in der Hoffnung, dass sich die Worte anders anhören würden, als sie geschrieben aussahen. Aber jedes Mal wenn ich sie in meinem Kopf aussprach, hörte es sich an, als zerbreche Glas.

Einzige verbleibende Möglichkeit …

Ich schlug den Ordner zu und lehnte mich an die Tür. Mit 35 Jahren hatte sie ihre körperlichen Kräfte aufgezehrt, sich emotional verausgabt und jede Hoffnung verloren. Wir waren ganz unten – der Kampf war vorbei.

Ich ging hinein und fand das Zimmer bis auf das Bett, schmutzige Wäsche und den Infusionsbeutel über dem Bett leer vor. Der durchsichtige Plastikschlauch schlängelte sich an Georgies Edelstahlbrust herunter. Ich schaute mich um und überlegte, wie viele weiß bekittelte Optimisten mit Harvard-Abschluss durch die ständig präsente Nadel, die wie ein Blutegel in ihrer Haut steckte, Gift in ihre Venen geträufelt hatten.

Ich starrte auf die Weihnachtskarten an der Wand und bemerkte, dass fast jeder Onkologe der Mayo-Klinik uns auf der Liste hatte. Ich wusste genauso viel, wenn nicht mehr, über den Krebs in ihr als die Assistenzärzte, die mit versteinerter Miene am Fußende ihres Bettes standen, nickten, sich Notizen machten und Gott dankten, dass sie nicht selber da drinlagen.

Draußen auf dem harten Fußboden klapperten Absätze. An dem langen Schritt und den harten Sohlen der Wing-tips-Schuhe erkannte ich, dass es Ruddy war. Seine Frage hallte in meinem Kopf wider: *Tanzen Sie gern?*

Ruddy kam herein, legte den Aktenordner aufs Bett und setzte sich mir gegenüber neben Abbies Füße. Er tätschelte ihr sanft die Zehen und legte mir eine Hand auf die Schulter. »Die Computertomographie ...« Er schüttelte den Kopf. »Er wächst.«

Abbie öffnete die Augen. »Wie lange habe ich noch?«

Ruddy tat sich schwer. »Ich weiß nicht, ob Sie noch eine Woche haben, einen Monat oder ...« Er schwieg. »Schwer zu sagen.« Dann lächelte er. »Sie sind die zäheste Kämpferin, der ich je begegnet bin, also ... ich gebe Ihnen länger als die Fachbücher.«

»Und was sagen die Fachbücher?«, fragte ich.

»Sie sagen, dass sie eigentlich nicht mehr hier sein dürfte.«

Er fügte hinzu: »Ich habe Sie für eine Testreihe an der M. D.-Anderson-Klinik empfohlen. Sie passen nicht ganz in die Parameter, aber ich ...« Er zuckte die Achseln. »Ich habe trotzdem angefragt. Und wir müssen noch die Ergebnisse der beiden anderen Untersuchungen abwarten, aber das dauert noch ein paar Tage. Ich denke, Sie sollten nach

Hause fahren. Wir geben Ihnen gegen die Beschwerden mit, was Sie brauchen, und dann warten wir ab, was mit Anderson und diesen beiden Untersuchungen ist.«

»Wann erfahren wir das?«, fragte ich.

Ruddy stand auf. »In ein paar Tagen.«

Ich schüttelte den Kopf. Nach allem, was wir durchgemacht hatten, blieb uns nur noch, auf zwei Anrufe zu warten.

Ich drehte mich zu Ruddy um. »Und wenn die Anrufe nichts bringen?«

Ruddy strich sich übers Gesicht. »Wir sorgen dafür, dass Sie so wenig Beschwerden haben wie möglich.«

Ich starrte an die Decke, dann auf Abbies Arm und die dünne bläuliche Vene, die daran durchschimmerte. Mir fiel die Szene aus *Der englische Patient* ein, in der die Krankenschwester Ralph Fiennes schließlich acht Phiolen Morphium spritzte.

Abbie stand auf und küsste Ruddy auf die Stirn. Sie entfernte ihr Pflaster, zog die Kanüle aus ihrer dünnen, fast durchsichtigen Haut, klebte sie an Georgies Bein und flüsterte: »Georgie, das ist Lilith. Es war schön, dich kennengelernt zu haben.« Ihre Stimme war heiser und trocken. Sie wandte Georgie ihr Ohr zu. »Nein, davon will ich nichts hören. Ich glaube wirklich, es ist Zeit, dass wir neue Leute kennenlernen.« Sie hob abwehrend eine Hand. »Ich weiß … Das habe ich die ganze Zeit, aber unsere Wege trennen sich, und du brauchst eine Frau, die zu dir stehen kann, die dich in deiner Arbeit unterstützen und dir mehr bieten kann als nur ein paar Stunden pro Woche. Wirklich …« Sie packte Georgie um die »Taille« und schob ihn an die Wand.

Ich reichte Ruddy die Hand, er umarmte mich, küsste

Abbie und ging hinaus. Auch er hatte hart gekämpft. Alle hatten hart gekämpft.

Die Bewegung brachte die übliche Übelkeit mit sich. Abbie stützte den Kopf auf eine Hand und schloss die Augen. Mit der anderen Hand rieb sie sich die Beine, um den Kreislauf auf Trab zu bringen. Sie setzte sich in den Rollstuhl, und ich schob sie durchs Zimmer. Über die Schulter hinweg raunte sie Georgie zu: »Du hast eine Bessere verdient als mich. Eine, die dein berufliches Engagement zu würdigen weiß.«

Die Nachmittagssonne, die durchs Fenster schien, war grell und blendete. Blinzelnd schob ich Abbie an den Schrank. Sie stand auf und schaute hinein. Ihr Krankenhausnachthemd war hinten nicht zugebunden und flatterte im Wind des Ventilators, der auf dem Boden stand. Ich bot ihr an, es zuzubinden, aber sie winkte ab. »Lass nur. Es ist sowieso nicht mehr viel zu sehen.« Sie ließ es zu Boden gleiten und stand nackt bis auf die Haut da, die schlaff und zwei Nummern zu groß aussah. Sie zeigte auf eine Jeans und ein T-Shirt, und ich holte sie aus dem Schrank. Dann stützte sie sich auf mich, während ich ihr in eine Unterhose half. Auch die hing lose um ihre Hüften. Als Abbie über die Schulter blickte, sah sie, dass sie ihr Hinterteil dem Flur zukehrte, wo zwei Pfleger standen und hereinsahen. »Kostenlose Werbung.« Sie stützte sich auf mich, während ich ihren Fuß in die Jeans schob. »Früher habe ich so hart gearbeitet, dieses Körperteil zu vermarkten. Jetzt kann ich es nicht mal mehr verschenken.« Ich knöpfte ihre Jeans zu und zog ihr das T-Shirt über die Arme. Einen BH brauchte sie nicht. Sie setzte sich eine Baseballkappe auf, und ich zog ihr Flipflops an. Ein letztes Mal schob ich sie ans Fenster, wo sie den Blick vom Intercoastal Waterway über die Marsch zum

Meer schweifen ließ, das in der Ferne schimmerte. Am Horizont waren Krabbenkutter zu sehen, und ein grauer Flugzeugträger befand sich gerade auf der Fahrt nach Mayport, wo die Ehefrauen mit Fähnchen und blau gekleideten Babys auf ihre heimkehrenden Navy-Männer warteten.

Das Anziehen hatte ihren Gleichgewichtssinn strapaziert. Die Übelkeit kroch an ihren Beinen hoch, schüttelte ihre Knie, verstärkte sich im Magen, stieg ihr in die Kehle und schoss aus ihrem Mund wie eine Rakete. Als ich sie über das Waschbecken hielt und ihr den Mund abwischte, näherten sich Schritte. Ein junger Mann stand in der Tür. Wir waren ihm schon einige Male begegnet – es war der pickelige Teenager, dessen Oma nebenan lag. Er war zehn Zentimeter kleiner als ich. Abbie öffnete die Augen. »Ja?«, brachte sie mühsam heraus.

Er schaute weg, wollte etwas sagen, brachte es aber nicht heraus; daher zeigte er nur auf das Nachbarzimmer und ging, ohne sich nochmals umzusehen – was noch vor zwei Jahren kaum ein Mann getan hätte. Aber auch daran hatten wir uns gewöhnt.

Wir fuhren mit dem Aufzug nach unten – zwischen dem sechsten und dem vierten Stock musste Abbie wieder erbrechen – und überquerten den Parkplatz. Ich legte sie auf den Beifahrersitz und ließ den Motor an. Vier Stunden später waren wir zu Hause.

Der Kreis hatte sich geschlossen.

42

Nach unserer Flugstunde gingen wir in die Hütte zurück. Während Abbie ein Nickerchen machte, lief ich durch den Regen zu Bob, um ihn um Kaffee zu bitten. Als ich zu ihm kam, zeigte er auf den Fernseher. »Wie's aussieht, haben deine Kumpel es kapiert.« Er machte den Ton lauter. Auf dem Bildschirm stand eine Reporterin in einem Krankenhauszimmer und hielt das Mikrofon vor einen Mann mit Waschbäraugen, schwarzblauem Gesicht und verpflasterter Nase. Seine Stimme klang näselnd und heiser, als hätte er eine schlimme Erkältung. Es war Verl, der breitschultrige Troll mit den dicken Beinen, dem ich den Revolver ins Gesicht geschlagen hatte. Neben ihm stand der Bergmann oder »Buf«. Er war der Erste, der hereingekommen war und sich über Abbie gestellt hatte. Ich erinnerte mich an sein glänzendes Gesicht und seine Brille. Sie hing ihm jetzt schief und mit Klebeband geflickt im Gesicht. Das letzte Mal, als ich ihn gesehen hatte, war er aus dem Raum gerannt, als Rocket sich in seinen Schritt verbissen hatte. Damals hatte seine Stimme schrill geklungen. Jetzt brachte er nur ein heiseres Wispern zustande. »Ja, der kam aus dem Nichts. Wie'n Tiger oder so. So was hab ich noch nie erlebt. Der war schei-, ich mein', total in Fahrt, wie'n durchgeknallter Dachs oder so.«

Die Reporterin unterbrach ihn. »Was hatten Sie vor auf dem Fluss, als Sie Mr und Mrs Michaels begegneten?«

Verl antwortete: »Wir hab'n mit'm Speer Frösche gefangen.«

Die Reporterin schwenkte das Mikrofon zu einem dritten Mann hin. Es war Hinkebein, der Größte der vier mit der grellen, teuflischen Stimme – dem Bob mit dem Kantholz eins übergezogen hatte. Sie fragte: »Hatten Sie das vorher schon mal gemacht?«

Hinkebein nickte. Sein Mund war ziemlich mitgenommen. Einem Schneidezahn fehlte eine große Ecke, mehrere andere Zähne fehlten, und als er sprach, hörte man ein pfeifendes Nebengeräusch. »Ja klar, Ma'am. Oft. Ich und Buf hier, wir hab'n das schon gemacht, wie wir noch Kinder war'n.« Die Kamera schwenkte über die drei Männer. Der Einzige, der fehlte, war der Gewehrschütze, der mich mit meinem eigenen Gewehr niedergeschlagen hatte.

Sie fragte weiter: »Und wie viele Frösche hatten Sie schon gefangen, als Mr Michaels Sie angeblich angriff?«

Hinkebein kratzte sich am Kopf. »Was?«

Verl schaltete sich als selbst ernannter Sprecher ein: »Halt's Maul, Blödmann.« Seine Hände unterstrichen seine Worte. »Also, da war ja der Sturm im Anmarsch, und da merken die Frösche, wie sich der Druck ändert, und drum hatten wir schon so fuffzehn, zwanzig Stück. Und wo wir da um die Kurve kommen, hab'n wir das Geschrei gehört …« Er schnippte mit den Fingern. »Hat sich angehört wie 'ne Frau, die in Not ist.«

Bufort tippte ihr auf die Schulter. »Stimmt. In Not.«

Verl erzählte weiter: »Jedenfalls war'n wir bei Brickyard am Paddeln – also nicht an der Rennstrecke, sondern an der Rampe –, und da sehen wir den Kerl und die Frau. Die hatte nix an, und die sah wirklich krank aus, wissen Sie, und der hatte auch keine Kleider an. Wir ha'm gedacht, die gehören vielleicht zu dem Nackedeicamp oben am Fluss. Also, wir paddeln ran, ähm … und dann rufen wir mit'm Handy 911 an … weil, ähm, die sah krank aus, und dann sind wir nah ans Ufer ran und wollen grad' aus'm Boot, da kommt der angerannt wie … wie'n Ninja Turtle.«

Bufort machte große Augen und vollführte einen Karateschlag in der Luft. »Ja. Wie ein Ninja Turtle.«

Verl zeigte auf sein Gesicht. »Haut mir auf die Schnauze und bricht Buf die Nase. Das war 'ne Riesensauerei.«

Sie hielt sich das Mikrofon vor den Mund. »So, er griff Sie drei also an.«

Bufort nickte, dann schüttelte er den Kopf. »Ja. Also … nee. Ich mein', der is' über uns drei und Pete hergefallen.« Er zählte an den Fingern ab. »Das macht vier.«

Die Reporterin starrte die drei an. »Erzählen Sie mir von Pete.«

»Der ist k. o. gegangen, da, wo dieser Mr Michaels dem mit … mit 'ner Eisenstang auf'n Kopf gehauen hat.«

»Ist er im Krankenhaus?«

Bufort schüttelte den Kopf. »Nee, der sitzt zu Hause und trinkt Bier.«

Sie nickte. »Verstehe.«

Bob lachte. »Das ist besser als Reality-TV.«

Die Reporterin hielt das Mikrofon vor den Troll. »Und was ist mit den Fröschen?«

»Ach die, ehm … die sind wieder ins Wasser gesprungen, als der das Boot umgekippt hat.«

Sie hob die Augenbrauen. »Hatten Sie nicht gesagt, Sie hätten die Frösche mit dem Speer gejagt?«

Bufort stach ihr seinen Finger in die Schulter. »Mit'm Speer.«

Verl überlegte eine Weile. »Ähm … ja. Wissen Se, wir piksen mit dem Speer nur'n bisschen, damit sie ausgenockt sind. Wir machen uns so'n bisschen aus dem Hinterhalt an sie ran. Und, ähm … als das Boot umgekippt ist, sind sie wieder wach geworden und abgehauen.«

»Was machen Sie mit den Fröschen?«, fragte die Reporterin.

Verl nickte: »Die essen wir. Schmecken wie Hühnchen.«

Bufort drängte sich ins Bild. »Und bei dem muss man aufpassen, der hat 'ne Waffe und is' gefährlich.«

Verl richtete den Finger auf die Kamera. »Genau. 'ne Waffe und gefährlich.«

»Verstehe. Vielen Dank, meine Herren.« Sie schaute in die Kamera. »Zurück zu Ihnen, Sam.«

Sam sprach zu seinem Teleprompter. »Barbara, gibt es Hinweise, wo Abbie Eliot und Chris Michaels jetzt sind?«

Barbara schüttelte den Kopf. »Wenn diese Herren tatsächlich Abbie Eliot und Chris Michaels begegnet sind, darf man wohl annehmen, dass sie auf dem St. Mary's flussabwärts unterwegs sind.« Sie zuckte die Achseln. »Aber wo genau sie sind, darüber lassen sich angesichts des Sturms nur Spekulationen anstellen.«

Sam kniff die Augen zusammen und sprach in eine zweite Kamera. »Wir schalten nun zu Senator Coleman nach Charleston. Senator, haben Sie etwas über den Aufenthaltsort Ihrer Tochter gehört und hatten Sie Kontakt mit ihr?«

Die Kamera zeigte ihren Dad in der Diele seines Hauses – acht Mikrofone drängten sich vor seinem Gesicht. Seltsamerweise hing Rosalia hinter ihm an der Wand. Sie schaute auf ihn herunter. Der Senator räusperte sich. »Wir sind dabei, sie zu orten. Kommen ihnen näher, aber Chris ist da unten aufgewachsen, daher ist er uns einen oder zwei Schritte voraus. Der Sturm ist nicht gerade hilfreich. Was die Frage nach dem Kontakt mit Abigail Grace angeht: nein. Niemand, den wir kennen, hatte in den vergangenen anderthalb Wochen Kontakt mit Abigail Grace oder Chris.« Ich schloss daraus, dass er Abbies Brief noch nicht bekommen hatte.

Bob schaltete den Fernseher aus. »Was ist das mit dem Doppelnamen?«

»Das ist so eine Charleston-Marotte.«

Bob sagte: »Ich glaube nicht, dass irgendein vernünftiger Mensch die Geschichte dieser drei Dorftrottel glauben wird, aber sie haben euch festgenagelt. Und es ins landesweite Fernsehen gebracht. Hör gut zu. Wahrscheinlich sind jetzt schon die Hubschrauber unterwegs.«

»Davon kannst du ausgehen.«

43

Wir hatten Hunderte Tests hinter uns, und bei jedem waren weitere Unwahrscheinlichkeiten herausgekommen, aber bei alledem hatte es immer die Hoffnung auf einen weiteren Test, auf eine medizinische Neuentwicklung, auf irgendeine Möglichkeit gegeben, die uns hatte weitermachen lassen. Morgens, mittags, abends und nachts hatten wir uns von Hoffnung genährt.

Während Abbie die Nachwirkungen der Chemo und Bestrahlungen ausschlief, drehte ich Runden durchs Haus und merkte, dass etwas anders war. Irgendetwas war verschwunden. Nichts nährte uns mehr. Der reich gedeckte Tisch der Möglichkeiten hatte sich nach und nach verbraucht, eine nach der anderen, und geblieben waren nur leere Warmhalteplatten und ausgebrannte Teelichter. Sterben ist eine Sache. Zu wissen, dass du stirbst, und dasitzen zu müssen und darauf zu warten, ist eine andere Sache. Und dasitzen und zusehen zu müssen, wie jemand dasitzen und darauf warten muss, ist noch mal etwas anderes.

Einige Tage vergingen. Ich tigerte durchs Haus und wartete auf zwei Anrufe, während Abbie sich das Gift aus dem Körper schlief.

Am Abend stieg ich von meinem Atelier zum »Krähennest« hoch und ließ den Blick schweifen. Der Mond warf Schatten aufs Wasser, und in der Ferne glitzerten die Lichter von Fort Sumpter. Kurz darauf klingelte mein Handy.

Auf dem Display erkannte ich die Vorwahl von Texas.

»Hallo?«

»Chris Michaels?«

»Am Apparat.«

»Hier ist Anita Becker, die Assistentin von Dr. Paul Virth.«

»Ja?«

44

Als ich wieder in die Hütte kam, war Abbie nicht da. Ich sah im Bett nach, aber da war nur ein Fleck. Die Fliegenrute lehnte in der Ecke, und ihre Kleider lagen am Fußende des Bettes. Ich kratzte mich am Kopf. Kurz darauf knarrte die Treppe. Abbie kam auf die hintere Veranda. Sie hatte sich das obere Laken als Sarong umgewickelt und setzte sich neben mich. »Bob sagt, heute Nacht müssten die Ausläufer des Sturms durchziehen«, sagte ich.

»Ja.« Sie hielt ein fleckiges Taschentuch in der Hand. Die Vene an ihrer Schläfe war sichtlich vergrößert und pochte. Sie schob ihre zitternde Hand in meine. »Ich möchte, dass du etwas für mich tust.«

»Alles.«

Sie führte mich die Treppe hinunter ans Flussufer. Sie ging vorsichtig, blieb nach ein paar Schritten immer wieder stehen, um Atem zu schöpfen und die Schmerzen zwischen ihren Augen nicht zu verschlimmern. Lange hatte sie wohl nicht geschlafen, denn sie hatte alles vorbereitet. Sie setzte mich auf den Stuhl an der Staffelei mit gespitzten Stiften und weißer Leinwand. Sie hatte mich flussabwärts ausgerichtet. Ein paar Schritte vor mir lag ein Zedernstamm am Ufer, verwittert, ausgebleicht und glatt. Die Oberseite hatte etwa die Sitzhöhe einer Bank. Ein einzel-

371

ner Aststumpf ragte eine Armlänge in die Luft und bildete mit dem Stamm eine natürliche Liege, um sich auszustrecken und auf den Fluss zu schauen. Unberührt und ungebrochen.

»Schatz, mir ist nicht nach …«

Sie legte mir den Finger auf die Lippen. »Pssst …«

Sie küsste mich, setzte sich auf den Zedernstamm, schlug die Beine übereinander und ließ das Laken fallen. Es glitt um ihre Hüften, entblößte ihre Narben und legte sich über den Baumstamm wie ein Tischtuch. Sie band das Kopftuch los und hängte es über die Spitze des Aststumpfs, wo es im Wind flatterte. Sie tupfte sich die Nase ab, musterte das Taschentuch und drehte es in ihren Händen. »Bei alledem habe ich etwas gelernt«, flüsterte sie. Ein Tropfen fiel von ihrer Nase auf ihren Schenkel. »Man muss nicht schön sein … um *schön* zu sein.« Sie hob das Kinn, atmete tief ein, füllte ihre Brust und ihre leuchtend roten Nasenflügel und raunte: »Hauche mir Leben ein.«

ᠵ

Lange schaute ich sie an. Mit und ohne meine Augen. Ich atmete tief ein, schloss die Augen, hielt lange den Atem an, fand das eine, was in mir den Wunsch weckte, noch einmal hinzusehen, und fing an.

Allmählich nahm das Bild Gestalt an. Eine Kohlezeichnung auf Leinwand. Wie dichter Nebel, der sich nach einem Gewitter vom Meer hob. Die Sonne brannte ihn weg. Ihre Zehen, die sich in den Sand bohrten; der rechte Fuß, der etwas mehr einwärts gedreht war als der linke; die schlanken Beine, langen Waden, knochigen Knie, geschlossenen Schenkel, spitzen Hüften; die geschlossene Hand um das blutige Taschentuch; die Narben, die ihre Brust überzogen wie Stacheldraht; die gelbliche, dünne Haut über ihrem Schlüsselbein; die pochende, rankendicke Vene an ihrem Hals; die schuppigen, rissigen Nasenflügel; die purpurblaue, pulsierende Vene an ihrer Schläfe; der weiße Kopf, die tief liegenden Augen, die graue Haut, die Erschöpfung. Vor dem Hintergrund der Gewitterwolken und des Flusses.

Stunden vergingen.

Ich hatte lange genug gemalt, um zu wissen, dass jedes Bild, wenn es gut gemacht war, ein Eigenleben entwickeln konnte. Dieses Bild hatte etwas eingefangen, was ich nicht beabsichtigt hatte. Es skizzierte ihre Zerbrechlichkeit – ihren blassen, kranken Körper, ihre vorstehenden Schlüsselbeine und jede einzelne Rippe, die eingefallene Brust –, gleichzeitig zeigte es aber auch ihre ungeheure Größe und Schönheit. Ihre überlebensgroße Kraft. Ihre Ich-bin-nicht-mein-Krebs-Haltung. Ich lehnte mich zurück und betrachtete meine Skizze – die Rohfassung des einen Bildes, von dem sie immer überzeugt war, dass ich es malen könnte. Und inmitten der Tränen und der Erkenntnis, was sie mir gerade geschenkt hatte, fiel es mir ein. Sie raunte es mir von der Leinwand zu – dieses eine Wort, das meine Frau erfasste.

Unbezwingbar.

In der Abenddämmerung trug ich sie von der Bank. Sie warf einen Blick auf die Leinwand. »Du hast lange genug gebraucht.«

»Entschuldige. Ich konnte mein Modell nicht dazu bringen stillzuhalten.«

Sie band sich das Kopftuch um den Kopf. »Also, das enttäuscht mich jetzt aber. Ich dachte, du hättest einfach Spaß daran, mich nackt zu sehen.«

»Also …«

Sie atmete schwer und röchelnd. Ich setzte sie auf meinen Stuhl. Meine Füße versanken im Sand. Sie betrachtete sich und ließ den Finger über jeden Strich, jede Schattierung gleiten. Nach einer Weile nickte sie. »Nicht mal Rembrandt ...«

Ihre Augen waren nur noch Schlitze. Sie lächelte flüchtig, kämpfte gegen die Schmerzen an und hielt mühsam die Lider offen. »Auf einer Skala von eins bis zehn?«, fragte ich.

Ihre Augen fielen zu, und sie lehnte sich an mich, als der Regen auf den Fluss zu prasseln begann.

45

Abbie lag auf dem Rücken, ihr Bauch hob und senkte sich von kurzen, flachen Atemzügen. Modell zu sitzen hatte sie ausradiert. Ihr Gesicht war kreidebleich. Bob saß mit einem Glas in der einen, einer Flasche Tequila in der anderen Hand da. Ich schaute über den Fluss. Bob sagte: »Du schuldest mir nichts und hast jedes Recht auf deine Privatsphäre, aber … wie seid ihr beide eigentlich hierhergekommen? Ehrlich?«

Ich fing ganz am Anfang an und erzählte ihm unsere Geschichte. Vom Jogging an der Battery. Von Rosalia. Wie ich beim Senator um die Hand seiner Tochter angehalten hatte, von unserer heimlichen Heirat und vom Kauf unseres Hauses in Charleston. Ich erzählte ihm von unserer einjährigen Reise. Von der Entdeckung des Knotens und von den letzten vier Jahren. In allen Einzelheiten. Operationen, Behandlungen, Hoffnungen und Entdeckungen. Schließlich erzählte ich ihm von Heather.

Während ich redete, zog vor dem Fenster Sturm Annie in Wellen vorüber. Er hatte sich zu einem Tropensturm abgeschwächt, aber alle paar Minuten war eine Bö zu spüren, gefolgt vom gedämpften Knacken einer brechenden Kiefer. Bis Einbruch der Dunkelheit führte der Fluss schon viel Geröll mit, das das Wasser trüb machte.

Ich schaute aus dem Fenster und sagte leise: »Als ich am Fluss aufwuchs, gab es an jeder Biegung Schaukelseile. Klettern und Schaukeln waren für uns etwas ganz Alltägliches. Knapp zwei Kilometer hinter dem Wald an unserem Trailerpark gab es eine Fabrik, die Sprungfedern für Matratzen herstellte. Sie leitete ihr Abwasser in einen Teich hinter der Fabrik. Wenn der Teich sich bei starkem Regen füllte, floss das Abwasser durch einen Überlauf in Betonschächte und von da weiter in den Fluss. Die Schächte halfen, die Erosion des Ufers zu verringern. Um zu verhindern, dass Kinder wie ich darin spielten, waren die Schächte mit Metallgittern gesichert. Aber die Versuchung war einfach zu stark. Als Asthmatiker war ich ziemlich klein. Ich band ein Seil an ein Gitter, kletterte durch das Loch und schaukelte wie Tarzan. Es war alles ganz lustig, bis ich abrutschte, das Seil mir die Hände verbrannte und ich losließ. Ich platschte in das brusthohe Wasser, stellte die Füße auf den Boden und streckte die Hand nach dem Seil aus. Der Schacht war gut 2,40 Meter tief, also gut 60 Zentimeter zu tief für einen 1,20 Meter großen Jungen mit 60 Zentimeter Reichweite. Zum Glück spülte sich das Becken täglich selbst durch, ich schwamm also nicht wie Indiana Jones in einer Schlangengrube oder Malariabrutstätte. Aber ich konnte nichts anderes tun, als dazustehen und zu zittern. Zu allem Übel hatte ich keinen Inhalator dabei. Meine Angst klemmte mir die Lungen ein und schnürte mir die Luft ab, bis mir ganz leicht im Kopf wurde. Wäre ich ohnmächtig geworden, wäre ich ins Wasser gefallen und ertrunken. Stundenlang stand ich da und konzentrierte mich nur auf eins: den nächsten Atemzug.

Nach einer ganzen Weile ging in der Fabrik eine laute Sirene, die sich nach den Flintstones anhörte. Sie signalisierte den Schichtwechsel und das Ablassen des Abwassers, das den See zum Überlaufen brachte und in den Schacht floss. Ich stellte mich an die Seite, bis es hoch genug gestiegen war, dass es mich trug, was nur ein paar Minuten dauerte. Sobald es mich noch etwas höher trug, schnappte ich das Seil, zog mich hoch, kletterte hinaus und kratzte mich am Kopf.

Dieses Gefühl der Hilflosigkeit ist nichts dagegen, an einem Krankenhausbett zu sitzen und zuzusehen, wie Gifte in deine kahlköpfige, bleiche, brustlose, hagere, kranke, ständig erbrechende Frau tropfen.«

Ich schwieg eine Weile. »Ich begreife nicht, wie ein Gott, der …« Ich deutete mit der Hand auf den Fluss und auf Abbie. »… das alles schaffen kann, es zulassen kann, dass ihr etwas so Schlimmes passiert.« Ich schüttelte den Kopf. »Ich meine, warum?«

Eine Weile verging. Er trank die Flasche bis auf einen letzten Schluck leer. Seine Augen waren rot, und von seinem Kinn tropfte Tequila. Er ging zu Abbie hinüber, kniete sich neben sie, legte ihr die Hand auf die Stirn und flüsterte: »Frage ich mich, warum Gott schweigt?« Er nickte. »Kann ich erklären, warum es Leid und Böses gibt?« Er schüttelte den Kopf. »Verzweifle ich manchmal an dieser Welt?« Er schwieg einen Moment. »Du hast verdammt Recht.« Er kippte die Flasche, angelte mit der Zunge den Wurm heraus, schob ihn zwischen seine Vorderzähne, biss ihn halb durch und schluckte ihn hinunter. Dann drehte er sich zu mir. »Trotzdem glaube ich.«

Ich starrte auf den Fluss. Die Nacht war klar, der Mond stand wieder am Himmel. Der Fluss starrte mich an. Noch 75 Kilometer. Anderthalb Tage, wenn ich alles gab. Ich wollte es zu Ende bringen, Zeit stehlen.

Ich legte die Hand auf Abbies Bauch. »Darf ich dich um einen Gefallen bitten?«

Er nickte. »Sag schon.«

»Du brauchst dazu deinen Priesterkragen.«

Ich rüttelte Abbie wach. Sie öffnete die Augen einen Spalt. Benommen und verschlafen. Sie brauchte eine Weile, um zu sich zu kommen. »Hi«, brachte sie mühsam heraus.

»He. Fühlst du dich in der Lage, etwas abzuhaken, was nicht auf der Liste steht?«

»Alles.«

»Willst du mich heiraten … noch mal?« Ich deutete auf Bob. »Richtig?«

Sie hob den Kopf. »Liebend gern.«

～

Wir wateten durch die strudelnde Strömung, gingen durch das, was vorher ein Bach war, hinauf bis in den früheren Weiher, in dem der alte Holzbau stand. Ich stieß die Tür auf und trug sie hinein. Hatten die Bretter vorher noch gequietscht, so blieben sie nun still. Das Wasser stand bankhoch und stieg weiter. Ich watete den schmalen Mittelgang entlang, während Bob Rocket auf den Altar setzte und einige Fensterläden aufstieß, um Licht und Luft hereinzulassen. Der alte Bau schwankte auf seinen Gründungspfählen – nur einen kräftigen Windstoß oder eine starke Strömung vom Einsturz entfernt. Ein Kartenhaus. Es würde ins Meer treiben. Rocket ging auf dem Altar herum und wog die Alternativen ab, während Petey auf Bobs Schulter hockte und den glasigen Boden hinter ihm musterte. »Fahr zur Hölle. Fahr zur Hölle.«

Der Sturm hatte die Rückwand der Kirche weggerissen.

Zimperlich war er dabei nicht vorgegangen. Ein schwerer Ast war wohl auf den Balken gefallen, an dem ich die Buchstaben ertastet hatte. Der Ast und der Balken waren verschwunden. Abgetrieben. Sie hatten Teile des Daches mitgerissen. Jeden Moment konnte der Wind weitere Schindeln vom Dach lockern, die dann in der Luft baumeln und schließlich herunterfallen würden.

Bob stellte sich vor uns hin. Er trug ein weißes Gewand mit einer weißen Kordel um die Taille und darüber einen purpurroten Überwurf, der wie ein Poncho aussah. Ein großes Kreuz hing ihm bis auf den Bauch. Petey hüpfte auf seine rechte Schulter. Bob schwitzte, und im Nacken hatte sich seine Haut in Falten über den Kragen gelegt. Er ließ den Finger an der Innenseite des Kragens entlanggleiten, um ihn zu lockern, und schob damit die Haut hinein. Dann schaute er sich lachend um: »Passend.«

Um uns herum glänzte der Fluss. Seit wir hier standen, war er um weitere Zentimeter gestiegen.

Abbie legte den Kopf an meine Schulter und schlang die Arme um meinen Nacken. Sie war zu sich gekommen und flüsterte: »Ich kann stehen.«

»Bist du sicher?«

Als sie nickte, setzte ich sie ab. Ich faltete das Laken auseinander, das ich vom Haus mitgebracht hatte, legte es einmal zusammen, schlang es um sie und steckte einen Zipfel wie bei einem Badetuch hinter die Oberkante. Das blaue Kopftuch hing lose um ihren Kopf. Sie band den Knoten neu und hakte sich bei mir unter. Ihre Bettlakenschleppe trieb hinter ihr auf dem Wasser. Wir waren eine seltsame Mannschaft.

Bob hielt ein in rotes Leder gebundenes Büchlein in der Hand. Er blätterte darin, schaute uns an, dann in das Buch.

Schließlich klappte er es zu und legte es hinter sich auf den Altar. Rocket musterte es und setzte sich dann gehorsam hin.

Ich schaute auf das Buch. »Brauchst du das nicht?«

Er schüttelte den Kopf. »Ich weiß es noch auswendig.«

Bob räusperte sich. »Ihr habt euch heute hier eingefunden, um den Segen Gottes und …«, er schaute sich in dem dämmrigen Raum um, »seiner Kirche für eure Ehe zu erbitten. Ich fordere euch daher auf, zu geloben, dass ihr mit Gottes Hilfe die Pflichten erfüllt, die eine christliche Ehe euch auferlegt.«

Er wandte sich mir zu. »Chris, du hast Abbie zur Frau genommen.« Aus dem Mundwinkel flüsterte er: »Wie lange ist das her?«

Ich beugte mich vor: »Vierzehn Jahre.«

Bob räusperte sich noch einmal. »Du hast Abbie vor vierzehn Jahren zur Frau genommen. Da du den Wunsch geäußert hast, dein Eheversprechen zu erneuern, gelobe nun hier im Angesicht Gottes und …«, er warf einen Blick über die Schulter auf Rocket und Petey, »und dieser Zeugen, sie zu lieben und zu ehren, ihr beizustehen und für sie zu sorgen …« Ich sah, wie seine Lippen sich bewegten, aber seine Worte brachten etwas tief in mir zum Klingen. Aus den Augenwinkeln beobachtete ich Abbie. Sie hatte sich kerzengerade aufgerichtet, das Kinn hoch erhoben, und ihr Gesicht reflektierte das Licht des Flusses. Nach kurzem Zögern fuhr Bob fort: »… in Krankheit und Gesundheit, und allen anderen zu entsagen und ihr die Treue zu halten, so lange ihr beide lebt.«

Ich ließ die Aufzeichnung der letzten vier Jahre zurücklaufen und vor meinem geistigen Auge ablaufen wie ein Video. Es war schwer anzusehen. Wir hatten Gutes, Schlechtes und Unvorstellbares erlebt. Seine Worte verhallten auf dem Fluss.

Ich nahm Abbies Hände. »So lange ich lebe.«

Abbie atmete aus, lehnte sich an mich und schob ihre Arme unter meine. Bob nickte. »Das geht auch.«

Petey flatterte mit den Flügeln und nickte mit dem Kopf. »Teufel ja. Teufel ja.«

Bob schaute Abbie an. »Abbie, du hast Chris zu deinem Mann genommen. Gelobst du, ihn zu lieben und zu ehren, ihm beizustehen und für ihn zu sorgen, in Krankheit und in Gesundheit, allen anderen zu entsagen und ihm die Treue zu halten, so lange ihr beide lebt?«

Sie nickte. »Ich gelobe es.«

Bob segnete uns und hielt die Hände erhoben. »Herr, segne …« Er wollte etwas sagen, schüttelte aber den Kopf. Vergebens rang er um Fassung. Er schloss die Augen, die an beiden Seiten feucht wurden, und flüsterte: »Amen. Du darfst deine Frau jetzt küssen.«

Petey schlug mit den Flügeln und setzte sich auf Bobs Schulter. »Küssen. Küssen.«

Abbie schaute zu mir auf. Es gab so viel, was ich noch gern gesagt hätte. So viel, was ich noch wünschte. Aber nichts davon kam mir über die Lippen. Sie nickte und sagte: »Ich weiß.« Ich nahm ihre schmalen Wangen in meine Hände und presste meine bebenden Lippen auf ihre.

Abbie drehte sich im Wasser um und sagte zu den leeren Kirchenbänken: »Ich möchte euch allen danken, dass ihr gekommen seid. Zumal so kurzfristig.« Auf der Fensterbank hob eine Eidechse den Kopf und ließ ihn wieder sinken. Abbie wandte sich zu mir und stach mir den Finger in die Brust. »Nach vierzehn Jahren habe ich endlich in einer Kirche geheiratet.« Sie schaute durch das Loch im Dach und lachte. »Zumindest in den Überresten einer Kirche.« Sie hakte sich wieder bei mir ein und hing eher an mir, als sie auf eigenen Füßen stand. »Komm. Du schuldest mir Flitterwochen.«

Wir wateten durch die Tür und schwammen zwischen den Bäumen durch zur Hütte, wo wir den Abend eingemummelt in eine Decke verbrachten und durch das Fenster zusahen, wie das Wasser stieg.

Sturm Annie strampelte sich nach Norden vor, spie ihre Innereien aus und lud pro Stunde mehr als zehn Zentimeter Regen an der »ersten Küste« ab. Mit einem Kriechtempo von fünf Knoten schüttete sie von Tallahassee bis Jacksonville und hinauf nach Savannah durchschnittlich über fünfzig Zentimeter Regen aus. Laut Wetterkanal registrierten sogar einzelne Bergstationen in den Ausläufern der Great Smoky Mountains in Tennessee und Georgia Rekordniederschläge. An der Ostküste entlang zog Annie weiter nach Norden. Am 10. Juni gegen Mitternacht verzettelte Annie sich an der nordöstlichen Küstenlinie und zog sich auf den Nordatlantik zurück, wo sie schließlich abtauchte und verschwand.

Das Hauptproblem in ihrem Gefolge waren nicht Wind, umgestürzte Bäume, weggewehte Häuser oder Tornados, die sie wütend hinter sich herzog, und auch nicht die Kosten der angerichteten Schäden, sondern die Millionen Liter Regen, die sie auf ihrem Weg über das Land ergossen hatte.

Dieser ganze Regen musste irgendwohin.

ॐ

Um Mitternacht war der Himmel ruhig und klar, und der Mond schien heller denn je. Bobs Kanu war 4,85 Meter

lang, aus Aluminium und vor langer Zeit mal grün ange-
strichen worden. Es war nicht gerade das bequemste und
wendigste Boot, aber schnell, und Schnelligkeit war für uns
wichtiger als Bequemlichkeit. Ich rollte die *Unbezwingbare*
zusammen und schob sie in eine Kunststoffröhre mit was-
serdichten Verschlusskappen. Bob reichte mir einen Schirm
in Regenbogenfarben und sagte: »Um sie vor der Sonne zu
schützen.« Ich klemmte beides neben den Sitz und legte
Abbie auf eine Schaumstoffmatte im Boot.

In ihrer abgeschnittenen, ausgefransten kurzen Hose und
dem Bikini-Oberteil sah sie aus wie bei unserer ersten Pad-
deltour auf dem Fluss. Bob trug immer noch seine Pries-
tergewänder. Er zog den purpurroten Talar aus und legte
ihn Abbie über wie eine Decke. Ich reichte ihm die Hand.
»Danke.«

Er nickte. »Dir ist klar, dass sie wahrscheinlich auf sämtlichen Brücken Leute postiert haben.«

»Ja.«

»Kommst du daran vorbei?«

»Keine Ahnung.«

»Ich glaube nicht, dass ihr weit kommt.«

»Ich hätte nie gedacht, dass wir überhaupt so weit kommen.«

»Du kannst mich jederzeit anrufen«, erklärte Bob. »Ich
kann die Maschine auf einem Zehncentstück landen.« Er
stieß uns vom Ufer ab. Ich tauchte das Paddel tief ein, zog
und schaute 75 Kilometern und einem ganzen Leben ins
Gesicht.

46

Auf der Florida-Seite hatte der Fluss das Ufer weit überschwemmt. War er vorher vielleicht 30 Meter breit, so reichte er jetzt 800 Meter weit zwischen die Nadelbäume und Zwergpalmen. Es erinnerte mich an Bilder von den Everglades, die ich mal gesehen hatte. Nach meinen Erfahrungen mit dem Fluss und meinen begrenzten Kenntnissen, wie er das Wasser ableitete, hatten die größten Regenmengen ihn noch nicht erreicht. Sie würden erst in den nächsten 24 Stunden eintreffen. Gegen Morgen wäre der Fluss nicht mehr wiederzuerkennen. Selbst für mich nicht. Weiter flussabwärts würde die Strömung immer schneller werden. Daher würde ich unser Fortkommen nicht mehr unbedingt an bekannten Landmarken festmachen können. An manchen schon, aber ansonsten musste ich mich einfach auf die Strömung verlassen.

Mit genügend Strömung konnten wir im Schnitt bis zu 13 Kilometern in der Stunde schaffen. In einem Kanu auf dem Fluss reichte dieses Tempo an die Schallmauer heran. Das Gute am Hochwasser war, dass die Brücke am Highway 17 wegen Überflutung geschlossen wäre. Damit bliebe nur noch die Überführung der I-95. Wir konnten versuchen, unbemerkt unter ihr durch oder an ihr vorbeizuschlüpfen. Mir war klar, dass Leute nach uns Ausschau hal-

384

ten würden, aber darüber wollte ich mir erst Gedanken machen, wenn wir dort ankamen. Wir hatten immer noch die Möglichkeit, im Schutz der Dunkelheit zu paddeln, und wenn genug Treibgut im Wasser war, hatten wir vielleicht eine Chance.

Das Treibgut konnte natürlich auch unser Fortkommen behindern. Das Wasser, das von Minute zu Minute stieg, riss Äste und Reisig mit und trieb alles in die Hauptströmung. An manchen Stellen, wo sich Strudel bildeten, sammelte sich das Treibgut zu einem verwobenen Flickenteppich in der Größe eines Footballfeldes. Oder mehrerer solcher Felder. Es bot uns zwar Deckung, konnte aber auch die Wasseroberfläche verdecken. Falls wir kentern – und untergehen – sollten, war ich nicht sicher, ob wir das Boot je wieder flottbekommen würden.

Wir waren seit zwei Stunden unterwegs, als ich die Motoren hörte. Auf der Georgia-Seite hatte jemand acht Palmen in einer Reihe gepflanzt. Sie waren ausgewachsen, und ihre Blätter hingen ins Wasser. Ich lenkte das Boot hinter die Palmzweige, zerrte fest daran, riss zwei der Länge nach durch und ließ sie hinter uns fallen. Zwei Pathfinder-Boote rasten mit Tempo flussaufwärts und leuchteten mit Scheinwerfern das Ufer und das Wasser vor ihnen ab. Der Lichtstrahl streifte uns, aber die Palmzweige tarnten unsere Umrisse. Sobald sie verschwunden waren und das Kanu in ihrer Bugwelle schaukelte, stieß ich rückwärts unter der Palme hinaus. Es wurde immer schwieriger.

Eine Stunde vor Tagesanbruch passierten wir Coopers Neck Road, wie ich meinte, obwohl ich es im Dunkeln und bei Hochwasser nicht sicher sagen konnte. Wir glitten unter der Traufe der Baptistenkirche Mount Horeb vorbei. Sie stand unter Wasser, nicht aber das Taufbecken aus weiß gestrichenen Betonsteinen. Es stand auf einem grasbewachsenen Hügel und war von einem Rohrgeländer umgeben. Dahinter zogen drei Enten ihre Kreise.

In den letzten Stunden hatte ich zu neunzig Prozent ununterbrochen gepaddelt. Der Fluss hatte sich über Nacht völlig verändert und hatte eine Strömung, wie ich sie noch nie erlebt hatte. Ich bemühte mich nach Kräften, den Bug flussabwärts zu halten, aber die ständige Anstrengung zehrte an meinen Kräften. Ich war fix und fertig.

Vor Tagesanbruch erreichten wir Brickyard Landing und glitten dicht am anderen Ufer daran vorbei. Damit hatten wir die 25 Kilometer wieder aufgeholt, die wir verloren hatten, als Bob uns mit zu sich nach Hause genommen hatte. Die starke Strömung hatte die Gezeitenwirkung aufgehoben. Ich vermochte nicht mehr zwischen Ebbe und Flut zu unterscheiden, weil der Fluss so viel Wasser führte. Normalerweise war in diesem Abschnitt des Flusses an einem schwarzen Streifen im Sumpfgras abzulesen, wie stark der Wasserstand durch die Gezeiten gestiegen und gesunken war, aber nun stand das Wasser weit über der sonstigen Hochwassermarke.

Ich war recht zuversichtlich, dass wir White Oak mit seinem 11 Kilometer langen Uferstreifen unbemerkt passieren konnten, aber es blieben noch zwei Hürden zu nehmen. Die Brücke des Highway 17 und die der I-95. Der Senator war nicht dumm. Sicher hatte er auf beiden Brücken Leute postiert. Vermutlich auch Fernsehkameras. Wenn wir Glück hatten und unbemerkt unter der ersten Brücke durchkamen, hatten wir nur noch acht Kilometer bis zu der größeren – und problematischeren – Brücke der I-95. Da sie sehr hoch war, hatte man von dort einen weiten Blick flussaufwärts. Außerdem boten der breite Fluss und das sumpfige, morastige Ufer mit vielen Austernbänken keinerlei Versteck, wo wir uns hätten ausruhen können. Wenn wir es schaffen wollten, müssten wir genau auf der Flussmitte paddeln und würden uns als Silhouette gegen das spiegelnde Wasser abheben wie die Enten auf dem Taufbecken.

Aber 20 Kilometer jenseits der Brücke lag Cedar Point. Da ich ziemlich sicher war, dass er Abbies Brief mittlerweile bekommen hatte, vermutete ich ihn in St. Marys. Vielleicht sogar in Cedar Point, falls er es finden sollte. Aber ich war so müde, dass es mich nicht sonderlich kümmerte.

Als ich mit dem Paddel auf den Beinen dasaß und auf das Wasser starrte, merkte ich, dass ich mehr als müde war. Erschöpft bis auf die Knochen. Aus irgendeinem Grund drückte mich gerade jetzt alles nieder. Zum ersten Mal fiel mir der Revolver in meinem Rücken für Zwecke ein, die nicht außerhalb von mir lagen.

Der Ort hatte etwas Finsteres.

So oft hatte ich es ihr sagen wollen. Erklären wollen, wie Heather in mein Zimmer gekommen und was eigentlich passiert war. Ich hatte mir eingeredet, dass es besser für sie sei, nichts davon zu wissen. Sofern ihr Vater es ihr nicht schon erzählt hatte. In dem Fall hätte sie mit dem Zweifel an mir gelebt, und wir hätten Katz und Maus miteinander gespielt. Wenn er ihr aber nichts gesagt haben sollte und ich es anspräche, wäre es für sie völlig neu und würde ihr wehtun.

Ich fand keine einfache Lösung.

»Abbie?«

Sie öffnete die Augen einen Spalt und lächelte mich an. »He, Heftpflasterchen.«

»Ich muss dir was sagen.«

Sie schüttelte den Kopf. »Nein, musst du nicht.«

»Aber … du musst wissen, dass …«

Sie öffnete die Augen. Sie waren glasig und blutunter-laufen. Kopfschüttelnd hob sie eine Hand. »Du meinst das mit Heather?«

»Du weißt davon?«

Sie nickte. »Heather kam zu mir. Erzählte mir von dem Abendessen, entschuldigte sich. Wir haben zusammen dar-über geheult. Sie sagte, du seist ...«, Abbie stützte den Kopf auf ihre Hände und zog die Knie bis an die Brust, »al-les, was sie sich je von einem Ehemann gewünscht hätte.« Sie schluckte, nahm meine Hand und legte sie an ihre Brust.

»Aber, Schatz ...«

Ihr Flüstern wurde noch leiser. »Chris, du hast mir nie wehgetan.« Die Worte kamen nur mühsam heraus. »Keine Narben.«

☙

Am Florida-Ufer stand friedlich ein Ford-Pritschenwagen. Auf der Ladefläche saß ein Jugendlicher mit Igelfrisur, ließ die Füße und eine Angelrute mit zappeliger Grille bau-meln. Neben ihm am Strand brannte ein Feuer, in dem er die gefangenen Fische räucherte. Während die Welt um ihn herum überschwemmt war, hatte er anscheinend keinerlei Sorgen – ein Bild, wie ich es vor zwanzig Jahren geboten hatte.

Er trank eine Diätcola, aß einen MoonPie-Keks und hörte ein altes Keith-Whitley-Stück: *When You Say Nothing at All*. Es war einer unserer Lieblingssongs.

Abbie hatte ihn ebenfalls gehört. Sie tippte mit den Ze-hen im Takt an die Seitenwand des Kanus. Ich winkte ihm und steuerte das Boot auf das Ufer zu. »Was gefangen?« Er nickte und warf einen Blick auf das Feuer. Dann schob er seinen Hut in den Nacken, kratzte sich das Kinn und musterte mich abschätzig.

Ich zog das Kanu an den Strand und hob Abbie heraus. Da ihre Nase wieder blutete, nahm sie das Kopftuch ab und tupfte das Blut damit ab. Seine Miene änderte sich. Er griff in seine Kühltasche, drehte eine Verschlusskappe ab und reichte mir eine Cola. Ich hielt sie ihr an den Mund, und sie trank. Sie lächelte, wobei ihr Cola vom Kinn tropfte. »Mmmm … lecker.«

Der Junge stocherte sich mit einem Zahnstocher zwischen den Zähnen und flüsterte: »Sind Sie der Kerl? Der aus den Nachrichten?«

Ich schob meinen Hut zurück. Mein linkes Auge war noch immer geschwollen und empfindlich. »Ja.«

Er legte den Kopf schief. »Sie sehen aber gar nicht gefährlich aus.«

»Ich fühl mich auch nicht so.«

»Haben Sie die beiden Pathfinder gesehen?«

»Ja.«

»Ich glaube, die suchen nach Ihnen.« Er schaute nach Süden Richtung Highway 17. »Ich habe gehört, sie haben Leute auf der Brücke am Highway 17 postiert. Und ich habe Hubschrauber gehört, die waren aber weiter weg. Vielleicht an der Interstate.«

Ich nickte und dachte nach.

»Haben Sie einen Plan?«

»Eigentlich nicht.«

»Kennen Sie Miller's Creek?«, fragte er.

Früher floss Miller's Creek an der Südseite der Brücke entlang durch die Sümpfe und an der niedrigsten Stelle unter der Brücke durch. Aber als die Brücke fertig war, warfen die Bauarbeiter den gesamten Bauschutt und die gebrauchten Armierungen mitten in den Bach, was den Brückenfuß zwar schützte, aber den Bach blockierte. Ich nickte. »Früher, bis sie ihn dicht gemacht haben.«

Er schüttelte den Kopf. »Nicht mehr. Die Ökos sind dahintergekommen. Haben gesagt, das wär nicht umweltfreundlich, was immer das heißt.« Er trank einen Schluck und kaute. »Dann sind die vom Amt gekommen und haben aufgeräumt.« Er musterte das Kanu. »Da könnten Sie versuchen, auf die andere Seite zu kommen, ohne dass jemand was merkt.«

Ich wusste nicht, ob ich ihm trauen konnte, aber mir blieb nicht viel anderes übrig. So wie der Bursche aussah, kannte er diesen Teil des Flusses besser als ich.

»Vielen Dank.«

47

Abbie schnarchte leise. Ich wollte sie wecken, aber Schlaf war gut. Wenn sie schlief, spürte sie keinen Schmerz. Der Fluss um uns herum war lebhaft – eine Mischung aus Wasser, das schnell aus den Austernbänken aufstieg, und Fischen auf der Jagd nach Winkerkrabben, die es aus ihren Löchern trieb. Am Ufer ragten Maispflanzen in vier ordentlich gepflanzten Reihen aus dem Wasser. Wie groß sie waren, konnte ich nicht sehen, aber sie hatten Kolben ausgebildet, und auf dem Wasser trieben Maiskörner. Über uns glitt ein Kanadareiher lautlos durch die Luft. Einmal schlug er über dem Fluss mit den Flügeln und landete irgendwo im Marschland. In der Ferne hörte ich eine Kettensäge heulen und einen Baumschneider brummen.

Vom Flussufer erstreckte sich der Sumpf fast einen Kilometer weit, bevor trockener Boden anfing. Es war ein Feuchtgebiet mit Rispengras, Schlick und Morast. Selbst die Baumkronen wurden flacher. Es roch durchdringend nach Marsch, vermischt mit einem Hauch von Nadelbäumen und Salz.

Abbie rührte sich unter der Decke. Sie zog sie von ihrem Gesicht, tupfte ihre verkrustete Nase ab und rang sich ein Lächeln ab. »Müde?« Das Nuscheln hatte vorübergehend nachgelassen, aber das Nasenbluten hatte wieder angefangen.

Mir tat alles weh, aber ich schüttelte den Kopf. »Ich paddle dich bis nach China, wenn du weiter mit mir redest.«

Sie schloss die Augen. »Das wäre schön.« Am Ufer sangen die Zikaden ihr psychedelisches Lied. Sie deutete über den Rand des Kanus in Richtung des Lärms. »Kannst du sie nicht dazu bewegen, ruhig zu sein? Das mischt sich allmählich mit dem Klingeln in meinem Kopf.« Gut fünf Meter entfernt hing ein Kardinalvogelmännchen an einem einzelnen Rispengrasstengel.

Über Cabbage Bend ging stechend hell die Sonne auf. Das grelle Licht tat weh. Im Laufe des Vormittags erreichten wir die Eisenbahnbrücke am Highway 17. Zum Glück hatte der Fluss die Ufer und die Brücke überschwemmt. Das Wasser reichte bis über die Betonpfeiler der Eisenbahnbrücke und der Straßenbrücke und umspülte die riesigen Lager der Eisenbahnbrücke. Oben auf dem Brückenbogen blinkte ein orangefarbenes Licht. Hinter der Brücke gab es eine alte Fischerhütte auf Pfählen. Darunter hatten immer zwei alte Autos gestanden. Es war eine achteckige Blockhütte voller Einschusslöcher und mit Fischernetzen umgeben. Falls die Autos noch da waren, konnte ich sie nicht sehen, denn das Wasser reichte bis an den Fußboden des Hauses. Alle paar Sekunden spülte eine Welle ans Haus, schwappte hinein und ließ Wasser durch die Schusslöcher herausprudeln. In den Balken unter dem Haus hatte sich ein Hirschkadaver verfangen, dessen Kopf sich mit dem Wasser hob und senkte. Am Hinterteil hing ein Alligator, der sich wand und große Stücke herausriss.

Über uns war ein schwarzer Schweinekadaver in das Lager der Eisenbahnbrücke verkeilt. Seine Beine waren zerquetscht oder abgerissen, die Augen sprangen vor, ein Stoßzahn war abgebrochen, der Leib aufgedunsen und von

Millionen Fliegen umschwärmt. Unter der Brücke war die Luft voller Wespen, Tauben, Purpurschwalben und den Rufen von Schornsteinseglern, obwohl ich keine sah.

Ich paddelte langsam und beobachtete das Wasser vor und neben mir. Neben uns flatterte eine Libelle. Gleich darauf sprang ein Fisch nach ihr und brachte sie zum Absturz, sodass sie reglos mit dem Bauch nach oben auf dem Wasser schwamm.

Wir glitten an Scrubby Bluff vorbei, wo die Marsch um uns herum kilometerweit überschwemmt war. In alten Häusern, die man am Ufer gebaut hatte, bevor erhöhte Pfahlfundamente Vorschrift waren, floss das Wasser zu den Küchenfenstern hinein und zur Haustür heraus.

Vor uns machte der Fluss eine Biegung nach Süden, wandte sich in einer scharfen Kehre wieder nach Norden und floss dann östlich unter der Interstate-Brücke durch. Ich hielt mich gut sechs Kilometer lang an der Florida-Seite und bog in Miller's Creek ein, der rechts abzweigte. Er brachte uns vom Hauptfluss weg an das Florida-Ufer heran, an dem Nadelbäume wuchsen. Wir paddelten dicht am Ufer durch Kiefernnadeln, die alle Geräusche dämpften, und glitten an den Steinblöcken vorbei, die das Fundament der Autobahntrasse bildeten. Blinklichter blitzten oben auf der Brücke. Dort standen Männer mit Kameras, wie es aussah, und Uniformierte regelten den Verkehr in Südrichtung. Sie hatten wohl eine Fahrspur gesperrt und damit nördlich der Brücke einen erheblichen Stau verursacht. Ich steuerte das Kanu unter einige Bäume, wartete und dachte nach. Knapp zehn Meter rechts über mir war die Interstate. Etwa 100 Meter vor uns bog Miller's Creek scharf rechts unter der Brücke durch. Falls sie unter der Brücke Leute postiert hatten, waren sie auf der Georgia-

Seite, denn auf der Florida-Seite war kein Platz zum Stehen. Zu schmal.

Die Leute nutzten das Ufer an der Autobahnbrücke für alles Mögliche, und das meiste war illegal. Es war übersät mit Müll und gesäumt von Zwergpalmen, hohen, abgestorbenen Eichen und einem Sandstrand. Am anderen Ende begrenzte ein Steinkreis eine viel genutzte Feuerstelle. Nördlich von uns, auf der Autobahn, ragte ein Hinweisschild für eine LKW-Raststätte mit Billigtankstelle in den Himmel. Es war eine Landmarke, die gut sechs Kilometer vor und acht Kilometer hinter der Brücke zu sehen war. Wenn man mit einer langsamen Gruppe unterwegs war, paddelte man fast einen ganzen Tag im Schatten dieses Schildes.

Ich wartete ab und nickte wohl ein. Für wie lange, weiß ich nicht. Das Scheppern von Metall und Splittern von Glas weckte mich. Als ich aufschaute, sah ich ein weißschwarzes Rauchwölkchen. Die Männer auf der Brücke traten vom Geländer weg. Ich wartete nicht länger, stieß unter den Bäumen hinaus, legte mich ins Zeug und sprintete. Ich paddelte 50 Meter, 75 Meter, und als endlich rechts die Wasserrinne auftauchte, bog ich scharf ab und steuerte das Kanu in die Strömung, die uns unter der Brücke hindurchtrug. Wir glitten unter der Fahrbahn Richtung Süden durch, dann unter der Fahrbahn Richtung Norden und tauchten wieder in Sonnenschein, der unsere Silhouette vom Fluss abhob. Voller Sorge, was ich sehen würde, drehte ich mich um. Am Ufer stand ein etwa vierjähriger Junge in Cowboyhut, Spiderman-T-Shirt, Pistolengurt mit zwei Holstern und einem Plastikschwert und kniehohen Stiefeln, hatte die Hose auf den Knöcheln und pinkelte im hohen Bogen ins Wasser. Sein Dad beugte sich über ihn und versuchte angestrengt, die Hose vor dem Strahl zu sichern. In der Hoffnung, dass der Junge still sein möge, winkte ich. Das war wohl falsch. Es zeigte, wie wenig ich von Kindern verstand, denn er sagte: »Guck mal, Daddy.«

Sein Dad schüttelte den Kopf, ohne aufzusehen. »Jetzt nicht, Söhnchen. Pass lieber auf, was du machst.«

Wir hatten 45 Kilometer geschafft. Meine Haut war sonnenverbrannt und glühte, meine Hände waren wund. Meine Finger bluteten an den Nägeln, wo die Haut durch den ständigen Druck aufgerissen war. Schon das Paddel zu halten war quälend, ganz zu schweigen davon, es kräftig durchs Wasser zu ziehen. Ich sah das Kind kleiner werden, während der Wind um uns herumstrich.

Wir schlängelten uns um die S-Kurve, glitten durch die Spitzen des Sumpfgrases, verließen den Schatten der I-95, folgten der Flussbiegung und waren auf dem Weg nach Crandall – einer öffentlichen Bootsrampe in den Wäldern, die dem Energiekonzern Georgia Power gehörte. Wenn ich den Kopf gesenkt und das Paddel im Wasser hielt, konnten wir uns am Rand vorbeischmuggeln, ohne gesehen zu werden, denn an dieser Stelle war der Fluss einen bis zwei Kilometer breit. Südöstlich von uns quoll in der Ferne weißer Rauch aus den Schornsteinen der Papiermühlen in Fernandina und zog in Schwaden nach Süden. Abends schossen mit dem Rauch Funken aus den Schloten. Als ich noch für Gus arbeitete, nannten wir es das Licht am Ende des Tunnels.

Crandall war zwar öffentlich zugänglich, aber nur wenig bekannt. Die breite Bootsrampe aus zerstoßenen Austernmuscheln reichte tief ins Wasser hinein. Riesige Eichen ragten auf der grasbewachsenen Böschung auf, wo jemand vor Jahren einen Picknicktisch aus Stein gebaut und einen artesischen Brunnen tief ins Grundwasser gebohrt hatte. Ich brauchte das Wasser. Nach einem knappen Kilometer glitten wir auf die Rampe. Da das Wasser darunter durchpeitschte, stabilisierte ich das Kanu, indem ich den rechten Fuß auf die Rampe stellte, und spürte sofort einen stechenden Schmerz. Eine Welle der Übelkeit stieg in mir auf und ich kämpfte verzweifelt dagegen an, dass mir schwarz vor Augen wurde. Ich schnappte die Bugleine, stieg aus dem Boot und zog im Fallen an der Leine. Das Kanu drehte sich in die Strömung und glitt sanft auf die Muscheln. Die Rampe war übersät mit Fischskeletten. Einige waren fast einen Meter lang und bis auf den Kopf abgenagt. Ich band die Leine fest, hob Abbie aus dem Boot und trug sie humpelnd an den Tisch. Mein Fuß pochte vor Schmerz und hinterließ Blutspuren auf dem Gras. Ich legte Abbie auf den Tisch und schob ihr einen roten Plastikschlauch als Kissen unter den Kopf. Dann drehte ich den Wasserkran auf. Um uns herum wuchs armdicker Bambus zwischen Zwerg- und Mooreichen, die sich gegenseitig den Platz an der Sonne streitig machten. Zwischen den Bäumen wucherten Kamillen, Azaleen und Mimosenbäumchen. Ein halb erblühter indischer Flieder spendete Abbie Schatten. Seine Zweige waren schwer von Knospen, die bald aufgehen und ihre rosa Blütenpracht entfalten würden. Der Brunnen prustete unter Druck, blubberte und schoss seitlich eine zweieinhalb Meter lange Fontäne heraus, die eine hervorragende Dusche für Roald Dahls Oompa-Loompas aus der Schokoladenfabrik abgegeben hätte. Eine Weile floss rostiges Wasser heraus, bis es schließlich kalt und klar wurde und leicht nach Eiern roch. Ich ließ es mir über den Kopf laufen, füllte dann eine Wasserflasche und ging zu Abbie, um ihr die Lippen anzufeuchten und das Gesicht zu waschen. Nachdem sie getrunken hatte, setzte ich mich auf die Bank und schaute mir meinen Fuß an. Eine zehn Zentimeter lange Fischgräte steckte in der Fußmitte. Sie war etwa drei Millimeter dick und hatte die Sohle meiner Trekkingsandale durchstochen. Ich löste die Klettverschlüsse meiner Sandale, hob meinen Fuß heraus und zog die Gräte heraus. Die Wunde blutete und färbte meine Fußsohle und die Sandale rot. Ich hielt sie unter den Wasserstrahl und zog die Gräte aus meiner Sandale. Dann trank ich ausgiebig, machte meinen Hut nass und ließ mir das Wasser auf meinen sonnenverbrannten Nacken und die Schultern tropfen.

Die Sonne sank, und mir war klar, dass uns nicht mehr viel Zeit blieb. Ich legte Abbie wieder ins Kanu und schob den Bug in die Strömung. Sobald sie uns erfasste, schossen wir vom Ufer weg. Ich bemühte mich, meinen Fuß nicht anzusehen. Er blutete zwar nicht mehr so stark, aber die Haut war klebrig.

Im Nordosten ragte der rote Backsteinkamin der stillgelegten Eisenhütte am Nordrand der Stadt dreißig Meter oder höher in den Himmel. Davor glänzten über den Luftspiegelungen der Sümpfe über hundert Masten von Segelbooten, die im Yachthafen vertäut lagen, in der Sonne. Falls der Senator seine Leute überall hatte, dann standen sie mit Ferngläsern am Kai bereit und versuchten, uns zu sichten.

Von Crandall schlängelte sich der Fluss um fünf S-Kurven nach Reed's Bluff, wo das Wasser tief und gefährlich war. Knapp zwei Kilometer hinter Reed's Bluff mündete Burrell's Creek in den Fluss. Die beiden flossen an einer schmalen Stelle zusammen, die Devil's Elbow, »Teufelsellbogen«, hieß. Jenseits dieser Biegung führte der Fluss vorbei am Yachthafen, an Fischerhäusern und Restaurants nach Cedar Point, wo er in einer Schleife in den Ozean mündete.

Ich schaute zurück. Vierzehn Jahre hatten uns hierher geführt. Nun blieben nur noch elf Kilometer. Elf unmögliche Kilometer.

Die Sonne, die vorher heiß und hoch am Himmel gestanden hatte, drohte nun im Westen hinter den Baumkronen zu verschwinden. Und sosehr ich es auch versuchte, gelang es mir nicht, sie aufzuhalten.

48

11. Juni, nachmittags

Eine Stunde später erreichten wir die letzte Biegung vor Reed's Bluff. Die Strömung war stärker, als ich es je erlebt hatte. Es herrschten die schlechtesten Wasserbedingungen. Keine Stromschnellen, sondern Unterströmungen. Das Wasser war hier sicher zwölf Meter tief und zwängte sich wild brodelnd durch die Engstelle. Ich steuerte das Kanu in die Strömung. Sie erfasste uns und drückte das Heck herum. Ich grub das Paddel ins Wasser, kämpfte dagegen an, zog, aber es war sinnlos. Die Unterströmung schob erst das Heck herum, dann den Bug und wieder das Heck. Strudel brodelten von unten herauf und warfen uns in den Hexenkessel. Das gesamte Treibgut, Bäume, Äste und Müll hatten sich in einem Loch unmittelbar vor der Schlucht gesammelt und wirbelten herum wie in einem Mixer. Das Kanu donnerte mitten hinein, schob sich auf den Haufen, und als das Wasser das Heck überspülte, konnte ich gerade noch Abbies Hand packen. Mit wütender Wucht strömte das Wasser ins Boot, überschwemmte meinen Sitz und schleuderte uns in die Luft wie eine Kanone. Ich schlug ins Wasser, ließ mich nach oben treiben, aber sofort zog die Strömung uns nach unten, riss uns auseinander, wirbelte uns herum, drehte uns und verschlang uns zu einem Knoten. Ich kämpfte mich nach oben an die Luft, konnte aber nicht durch die dichte Treibgutdecke brechen, die mich unter Wasser hielt. Meine Lungen barsten fast, als ich den Arm nach Abbie ausstreckte, aber sie war verschwunden. Ich schlug um mich, zerrte, trat, konnte mich aber nicht befreien. Ich war eingeschlossen in einen endlosen Purzelbaum und brauchte dringend Luft. Der Grund war gut zwölf Meter unter mir. Die Wasseroberfläche keine dreißig Zentimeter über mir. Aber ich konnte weder das eine noch das andere erreichen. Meine Lungen krampften sich zusammen, und ich sah die altbekannten Sterne.

Sollte alles darauf hinauslaufen?

Von unten erfasste ein Wasserwirbel meinen Fuß, richtete mich gerade aus, trieb mich nach oben wie den Schwimmer an einer Angelschnur und befreite mich. Als meine Augen aus dem Wasser tauchten, sah ich einen Bikini aufblitzen. Mit drei Schwimmzügen war ich bei Abbie, packte ihren Fuß, schob meine Arme unter ihre und zog sie an die Luft. Sie atmete ein, röchelte und hustete. Das Ufer war nur drei Meter entfernt. Ein umgestürzter Baum ragte über das Wasser. Direkt über mir war ein unbelaubter Ast. Ich streckte den Arm danach aus und erwischte ihn, aber er brach ab. Wir beide wirbelten herum, trudelten und drehten uns im Wasser. Meine Schulter knallte ans Ufer, und wieder wirbelte das Wasser uns herum, aber ich hielt den abgebrochenen Ast und Abbie fest. Wir schlugen einen Purzelbaum, und als mein Arm unten war, rammte ich den Ast in den weichen Grund. Das gespaltene Astende bohrte sich in den Sand und bot uns vorübergehend Halt. Ich schlang meinen Arm um Abbies Brust, zog und warf mich ans Ufer. Der weiche Sand gab unter mir nach, und wieder zog das Wasser uns nach unten. Ich krallte meine Finger in den Sand, bohrte die Zehen hinein und arbeitete mich

Stück für Stück auf den Strand hinauf. Langsam zog ich Abbie zu mir. Sie spuckte Blut und Wasser, ihr Gesicht war ganz verschmiert damit. Sie atmete röchelnd und hastig. Die Anstrengung, nicht zu ertrinken, hatte sie völlig erschöpft. Sie war wie eine Lappenpuppe. Ich suchte das Ufer ab, aber alles war weg. Das Kanu. Die purpurrote Decke. Der Revolver.

Nur wir waren noch da.

Reed's Bluff ragte 18 Meter hoch über mir auf. Aus unerfindlichen Gründen fiel diese Sanddüne, die sich über nahezu zwei Kilometer von Ost nach West erstreckte, steil zum Wasser ab. Der Grat war vielleicht anderthalb Meter breit und ging an der Rückseite in ein ebenso steiles Gefälle über. Zwergeichen und Rispengras hielten den Sand zusammen. Wenn man den Steilhang erklommen hatte, bot sich oben ein kilometerweiter Blick. Vor allem konnte man von dort aus St. Marys sehen. Das musste ich Abbie zeigen. Sie musste wissen, wie nah wir unserem Ziel waren.

Ich hob sie auf und legte ihre Arme um meinen Nacken. Sofort fielen sie wieder herunter. »Halt dich an mir fest.« Sie reagierte nicht.

Ich grub meine Zehen in den Sand, zog mich am Rispengras hoch und kroch den Hang hinauf. Alle paar Schritte gab der Sand nach, brach unter uns weg und zwang mich dazu, mich tiefer hineinzugraben und besser festzuhalten. Es dauerte einige Minuten, bis wir oben ankamen. Endlich legte ich sie auf den schmalen Grat, schöpfte Atem, richtete sie auf und lehnte sie an mich. »Schatz, schau dort.« Ich hob ihren Arm und richtete ihren Zeigefinger aus. »St. Marys. Nur noch acht Kilometer. Das ist alles.« Sie konnte nicht durch die Nase atmen, ohne zu husten.

»He!« Ich hielt sie. Klammerte. »Wenn wir ankommen,

rufe ich im M. D. Anderson an. Vielleicht hat sich ja was Neues ergeben. Heute Abend könnten wir im Sterlings essen, und morgen fliegen wir nach Hause.«

Ihre Augen öffneten sich einen Spalt. Sie beugte sich zu mir und tippte mir an die Brust. »Chris …«, flüsterte sie leise und gurgelnd. »Ich sterbe. Ich bin nicht blöd.«

»Du weißt es also auch?«

Sie nickte und spuckte. »Mmmm.« Lächelnd sagte sie: »Du bist kein guter Lügner.« Sie schlang die Arme um mich, küsste mich auf die Wange und raunte: »Keine Narben.«

Ich starrte in die Ferne. Der Wind kam aus zwei Richtungen und traf sich in der Mitte. Aus Nordwesten wehte er über das Marschland, das sich kilometerweit vor uns erstreckte, und bog Gras und Bäume in unsere Richtung. Hinter uns blies er von Südwesten den Steilhang herauf, zerrte an Ästen, Zweigen, Rispengras und Tillandsien und kämmte sie über das Wasser wie Haare. Wir saßen mittendrin und schauten auf eine Welt, die sich eingestellt hatte, um ihr die letzte Ehre zu erweisen.

»Abbie … schau. Alles ist …« Die Welt verneigte sich, aber sie sah es nicht.

Sie verdrehte die Augen nach hinten, ihre Zunge wurde dick und weiß. Ich fühlte ihren Puls. Er war schwach. Kaum noch vorhanden. Ich rutschte den Steilhang hinunter und suchte nach der Pelican-Box, aber sie war nirgendwo zu sehen. Ich lief am Ufer hin und her, hielt Ausschau. Konnte eine gelbe Plastikbox denn so schwer zu finden sein? Ich lief fast einen halben Kilometer am Ufer flussabwärts bis zu einem Baum, der vom Steilhang ins Wasser gefallen war. Die Strömung hatte das Laub mitgerissen, aber die dünnen Zweige waren noch da. Wie Finger ragten sie ins Wasser und verlangsamten die Strömung. Und mittendrin hatte sich eine gelbe Box verfangen.

Ich tauchte ins Wasser.

Sobald ich wieder an die Oberfläche kam, schnappte ich die Box und kämpfte mich gegen die Strömung ans Ufer. Ich grub eine Hand in den weichen Sand, zog mich hoch und grub mich mit der anderen Hand ein. Nach drei Zügen hatte ich mich aus der Strömung befreit, die mich ins Meer spülen wollte. Ich lief am Ufer zurück, kroch und krallte mich den Steilhang hinauf und ließ mich neben Abbie fallen. Schnell klappte ich die Pelican-Box auf, kappte die letzte Dopamin-Spritze und jagte sie ihr in den Oberschenkel – in die Arterie. Gleich darauf spritzte ich ihr das Dexamethazon in den Arm. »Abbie, bitte komm zurück. Geh nicht. Noch nicht.« Hastig kramte ich zwischen den verbrauchten Spritzen herum und fand einen letzten Actiq-Lutscher. Ich las das Etikett: 800 Mikrogramm.

Ich wickelte ihn aus und schob ihn ihr in den Mund. Die drei Medikamente wirkten rasch.

Sie rührte sich. »Hast du je ein Versprechen gebrochen, das du mir gegeben hast?«

Ich schaute flussabwärts. Sie strich mit dem Finger über mein Gesicht und atmete so tief, wie sie konnte. »Dann fang jetzt nicht damit an.« Ich nahm sie auf meinen Schoß und rutschte mit ihr auf dem Sand hinunter. Am Ufer legte ich sie ab und suchte im Treibgut nach etwas Schwimmfähigem. Einem Stück Plastik, einer alten Kühlbox, einem Stück Styropor. Wenn ich etwas hätte, was sie über Wasser halten würde, könnte ich neben ihr herschwimmen. Dann könnten wir es schaffen. Wir konnten es immer noch schaffen.

Ich dachte über ein improvisiertes Floß nach, aber ein Floß würde niemals die Biegung am Devil's Elbow schaf-

fen. Ich lief einen knappen Kilometer flussauf- und flussabwärts und durchstöberte den gesamten angeschwemmten
Müll und das angetriebene Holz am Strand. Dabei fand ich
ihn.

An der Südseite der Steilklippe hatte sich ein Balken in
den Sand gerammt. Er wirkte verwittert, war an einer Seite
von Würmern durchlöchert, grob behauen – vielleicht sogar von Hand – und sicher dreieinhalb Meter lang. Aber
vor allem schwamm er an der Wasseroberfläche.

Und er war schwer, was wir zehn Kilometer weiter dringend brauchten. Ich lief zu Abbie zurück und trug sie am
Ufer entlang. Als wir den Balken erreichten, legte ich sie
darauf, schlang ihre Arme um das Holz und stieß uns ab.
Ich umklammerte das vordere Balkenende und bugsierte
uns strampelnd in die Strömung. Sobald sie uns erfasste,
richtete sie uns aus und riss uns mit.

Von vorn konnte ich den Balken stabilisieren, Abbie
über Wasser halten und winzige Richtungskorrekturen
vornehmen. Außerdem hatte ich Abbie im Blick. Nachdem
wir einige Minuten im Wasser waren, regte sie sich. Blut
rann von ihrem Gesicht auf den Balken, vermischte sich
mit dem Wasser und zog eine Spur hinter uns her.

Der Fluss war nach allen Seiten über die Ufer getreten.
Die Wassermengen überstiegen alles, was ich mir je hatte
vorstellen können. Die Geschwindigkeit ebenso. Selbst
ohne Paddel brachten wir es auf acht bis zehn Stundenkilometer, obwohl ich mich neben dem Balken hertreiben
ließ. Bei normalem Wasserstand hätte es mich über die mes-
serscharfen Austernbänke geschleift und mir Beine und
Rücken in Fetzen gerissen. Das Hochwasser verhinderte
das. Das einzige Problem bei dieser Geschwindigkeit war
Devil's Elbow.

Die Strömung und das Gewicht des Balkens hielten uns in der Flussmitte. Eigentlich hatten wir gar keine andere Wahl. Je weiter wir kamen, umso mehr Wellen mit Schaumkronen traten auf. Bald spülten sie über Abbie hinweg. Das Gute war, dass sie uns nicht zum Sinken bringen konnten. Das Schlechte war, dass sie mich beinah ertränkten. Ich klammerte mich an den Balken und strampelte mit den Beinen, ohne viel zu bewirken. Die Wellen schlugen über uns zusammen und zerrten an meinen Händen.

Wir trieben zwei, drei, vier Kilometer, nahmen die weite Biegung um Rose's Bluff nach Süden und waren schließlich auf dem letzten geraden Teilstück Richtung Osten vor Devil's Elbow. Um uns herum in Ufernähe feierten Rote Trommelfische und Tarpune wahre Fressorgien. Das Wasser hatte den Schlick überschwemmt und die Winkerkrabben aus ihren Löchern getrieben. Einige klammerten sich mit ihrer langen Schere an das Rispengras, andere trieben hilflos an der Wasseroberfläche.

Ich hörte es schon lange, bevor ich es sah.

Devil's Elbow ist die letzte Flussbiegung vor St. Marys. Mit dumpfem Tosen, das nach Stromschnellen klang, brauste das Wasser zusammen. Über einen Meter hohe Wellen mit weißen Schaumkronen konnten jedes Kanu zum Kentern bringen. Als Flussführer hatten wir gelernt, die Klippe in weitem Bogen außen am Südrand zu umfahren. Aber über den Balken, an dem ich mich festklammerte, hatte ich kaum Kontrolle. Da ich nicht paddeln konnte, würde ich die weite Schleife verpassen.

Das Tosen weckte Abbie. Sie packte meine Hand und klammerte sich mit den Beinen am Balken fest. Die Strömung riss uns mit und trieb uns durch die Mitte der Biegung. Wellen donnerten über uns weg, brachen über uns zusammen und zerrten von allen Seiten an mir. Ich klammerte mich an den Balken und versuchte ihn am Kippen zu hindern, konnte aber kaum etwas ausrichten. Zum Glück für uns war er so lang und schwer, dass er einfach durch und über das Brodeln hinwegglitt. Zum ersten Mal spürten meine Finger an der anderen Seite des Balkens Vertiefungen. Ich zog mich seitwärts, schlang einen Arm um Abbie, grub meine Finger in die Kerben und hielt mich fest. Wir trieben durch die Kabbelwellen, drehten nach links, also nach Nordwesten, und sahen zum ersten Mal in der Ferne St. Marys liegen. Alle Häuser waren weiß, und davor ragten die Masten von mindestens hundert vertäuten Segelbooten auf. Ich schwamm auf die andere Seite des Balkens, und da fiel es mir wie Schuppen von den Augen. Die Kerben waren Buchstaben, die ins Holz geschnitzt waren. Ich schaute mir den Balken genauer an und erkannte ihn schließlich. *Selbst Piraten brauchen Gott.* Als ich die Kerben abtastete, entzifferte ich den zweiten Teil des Satzes: »… *werde ich bei euch sein.*«

Strampelnd zog ich an dem Balken und steuerte uns auf die Florida-Seite, möglichst weit weg von St. Marys. In der Ferne standen Ü-Wagen mit Satellitenantennen am Kai. Prominente Nachrichtenreporter hatten sich mit ihren Kameraleuten am Hafen aufgebaut und beobachteten das Wasser. Zwischen dem Treibgut auf der Wasseroberfläche trieben wir relativ gut getarnt auf der Florida-Seite in einigen hundert Metern Entfernung vorbei. Abbie hielt meine Hand fest. Es dämmerte, die Sonne war schon lange untergegangen.

Abbie legte den Kopf auf den Balken und schaute ans ferne Ufer. »Sieh dir all die Menschen dort an.«

»Ja.«

Sie hustete. »Ich glaube, wir haben ganz schön Ärger gemacht.«

»Das war kein Ärger.«

✧

St. Marys glitt vorüber. Möwen spazierten über die Kaimauern, und auf den Dächern warteten Pelikane darauf, dass die Krabbenkutter zurückkamen und ihre Netze leerten. Links von uns tauchte Cedar Point auf. Ich strampelte gegen die Strömung an, steuerte uns quer durch den Fluss und ließ uns über das Sumpfgras und durch die Meeräschenschwärme gleiten, die sich darin gesammelt hatten. Auch sie suchten Sicherheit. Das Wasser schob uns Stück für Stück vorwärts und setzte unser Ein-Balken-Floß sanft am Ufer ab.

Wir hatten es geschafft. Den ganzen Weg ab Moniac.

Ich nahm Abbie auf die Arme, trug sie an den Strand, kniete mich hin und legte sie behutsam auf den Sand. Oberhalb von uns wuchsen gut dreißig Sonnenblumen. Sie waren fast zweieinhalb Meter hoch und standen in voller Blüte. Ihre Blütenkränze waren der Sonne gefolgt, die hinter den Bäumen untergegangen war, und waren nun auf uns gerichtet.

Abbie streckte die Füße im Sand aus, bis ihre Zehen im Wasser waren. Sie holte tief Luft. Ihr entspanntes Gesicht zeigte mir, dass sie sich erinnerte. »Schatz … Abbie?« Von ferne war ein Hubschrauber zu hören. »Schatz … Abbie …« Ihre Lider flatterten. »Wir sind da.« Ich hörte Männer durch den Sumpf näher kommen. Im Hintergrund die Stimme ihres Vaters.

Sie drehte sich zu mir und schlang die Arme um meine Taille. Ich wischte ihr das Gesicht mit dem Kopftuch ab, aber das Blut sickerte durch. Ich legte ihren Kopf auf meinen Schoß und brachte kaum ein Wort heraus. »Abbie …?«

Sie zog meine Hand an ihr Gesicht, legte meinen Zeigefinger knapp über ihr Ohr an ihre Schläfe und schloss die Augen.

Bald darauf war sie gegangen.

49

Die Sonne schien durch die Gitterstäbe meiner Zelle in mein Gesicht und wärmte meine Haut, aber mehr nicht. Es war dieselbe Sonne, die uns gestern Morgen geweckt hatte. Hell, einsam und nun hohl. Der Jugendliche neben mir kaute auf den Resten eines Fingernagels und ließ die Beine schlenkern wie hüpfendes Popcorn.

Etwa ein Dutzend Männer hockten dicht gedrängt in der Zelle, in der sie mich bis zu meiner Anhörung beim Richter eingesperrt hatten. Da Sonntag war, vermutete ich, dass der Richter sich nicht sonderlich darüber freuen würde. Pech. Der junge Bursche beugte sich vor. »Wofür hab'n se dich eingebuchtet?«

Da ich seit vier oder fünf Tagen nicht geschlafen hatte, schob ich die Worte in meinem Mund herum, bevor ich sie herausbrachte. Er war schlaksig, und seine Augen standen offenbar keinen Moment still. *Wo fange ich an?* »Eh … ähm … Mord.«

Seine Augen leuchteten. »Hast du 'nen Bullen umgenietet?« Die Wände um mich herum waren vollgekritzelt. Nach der gründlichen Untersuchung sämtlicher Körperöffnungen, der sie mich unterzogen hatten, bevor sie mich hier hereingeführt hatten, konnte ich mir nicht vorstellen, woher die Häftlinge hier drin einen Stift hatten. Ich schüttelte den Kopf. Er spuckte ein Stück Fingernagel aus. »Wen dann?«

Neben mir stand ein Mann auf, ging an das Urinal an der Wand und pinkelte überallhin, nur nicht in das Becken. Der Urin lief an der Wand hinunter und rieselte in einen Abfluss im Boden. »Meine Frau.«

Er hörte auf, an seinem Fingernagel zu kauen, richtete den Blick auf mich und bekam große Augen. »Du bist der, von dem se im Fernsehen die ganze Zeit reden. Der, der die Tochter vom Senator umgebracht hat. Das Model.« Er schnippte mit den Fingern. »Die immer vorne auf den Zeitschriften war. Wie heißt die noch?«

Die meisten Gesichter in der Zelle richteten sich auf mich. »Abbie«, flüsterte ich.

»Ja, genau. Du bist der, der die Abbie umgebracht hat.« Er brüllte in die Zelle: »He, das ist der Weiße, der das Bikinimodel erschossen hat!«

»Ich habe sie nicht umgebracht.«

Er zuckte die Achseln und schlenkerte wieder mit den Beinen. »Jedenfalls is' se tot.«

Ich schüttelte den Kopf. Ein großer, stinkender Mann, der in der Ecke lag, hob den Kopf vom Arm und maulte: »Nervy! Halt's Maul, verdammt!«

Kurze Zeit saß der Junge still da. Dann deutete er mit einem Kopfnicken auf den großen Mann und flüsterte: »Der sagt Nervy zu mir, weil ich nervöse Beine hab.« Eine Weile verging. »Und wenn der sagt, du sollst das Maul halten, machst du das besser auch. Der ist nämlich stark.« Wieder verging eine Weile. »Du hast sie abgeknallt?« Ich schüttelte den Kopf. »Die hab'n aber gesagt, dass se 'ne Knarre gefunden hab'n. Ne Füffie.« Ich versuchte, mir das zu übersetzen, schaffte es aber nicht. Langsamer flüsterte er: »'ne

45er.« Ich nickte. »War das deine Knarre?« Ich schaute ihn stirnrunzelnd an. »Die von CNN sagen, du willst an die Kohle von der Familie ran.« Ich gab keine Antwort.

Der große Mann stand vom Boden auf, schwankte vor und zurück, kam drei Schritte auf uns zu, packte meinen nervösen Freund und hob ihn mit dem Kopf bis unter die Decke, dass die Füße einen Meter über dem Boden baumelten. Zwei Mal donnerte er ihn mit dem Kopf gegen die Gitterstäbe, trug ihn dann an das Urinal, tauchte seinen Kopf in das Becken und drückte auf die Spülung. Der Junge spuckte und wimmerte, was den dösenden Wachmann auf dem Flur weckte. Pflichtschuldig schlug er mit seinem Stock an die Gitterstäbe und brüllte: »He, Ruhe da!«

Der Schwankende legte sich wieder auf sein Lager am Boden, während der Junge sich neben mich setzte. Dieses Mal näher. Tropfend beugte er sich zu mir. »Ist es um die Kohle gegangen?«

Ich schaute von dem Mann am Boden auf den Jungen und fragte mich, ob er den Verstand verloren hatte. Er kniff die Augen zusammen. »Hör mal, Mann, du bist seit zwei Wochen im Fernsehen. Du bist durchgeknallt. Ich nicht.« Da war was dran. Er hob die Hände mit den Handflächen nach oben. »Also?« Ich schüttelte den Kopf. Er legte seinen schief. »Nicht wegen der Kohle? Sagst du mir, wo sie's versteckt haben?«

»Nein.«

»Schei...« Er brach ab. »Du bist so blöd wie'n Sack Hämmer. Warum hast du dir nicht einfach die Kohle geschnappt und hast die Flatter gemacht.« Er winkte, als halte er auf dem Highway den Arm zum Autofenster hinaus. »Ab durch die Mitte.«

Obwohl mein Freund die englische Sprache malträtierte, machte er seinen Standpunkt deutlich. Die meisten Köpfe in der Zelle waren auf mich gerichtet. Meine Augen waren schwer vor Müdigkeit. Meine Shorts und Abbies Blut auf meinem T-Shirt und an meinen Händen waren getrocknet. Das Sprühpflaster über meinem linken Auge juckte, die Wunde hatte sich entzündet. Er deutete darauf: »War sie das?«

Die kalten Betonwände waren mit vernieteten Stahlblechen verkleidet – eine Welt, die von Stacheldraht umgeben und darauf ausgerichtet war, Bleiprojektile zu beschleunigen. Aber das war nicht das Härteste. Ich war erst einige Stunden hier, aber das Gefängnis erschien mir im Vergleich zu den Alternativen geradezu wie ein Paradies. Um Schmerz zu spüren oder Strafe zu empfinden musste man lebendig sein, aber ich lebte nur noch halb. So gesehen tat der Schmerz in meinem Kopf nur halb so weh. Mit dem Schmerz in meinem Herzen sah es anders aus.

Ich betrachtete meine Hände. Die Handflächen waren feuerrot und voller Blasen, die Knöchel wund gescheuert. Er deutete darauf: »Schei… Tut's weh?«

Ich drehte die Hände um. »Keine Ahnung.«

»Sieht aber so aus, als ob's höllisch wehtut.«

Hölle. Das war eine Idee.

Er fragte noch einmal: »Hat sie das gemacht?«

Der große Mann auf dem Boden rührte sich nicht, aber ich verhielt mich still und schüttelte nur den Kopf. »Wer dann?« In seinem Gesicht blühten zehn oder fünfzehn eitrige Pusteln, und einige seiner Zähne waren weggefault. Bei seinem nach Verwesung riechenden Atem konnte ich mir vorstellen, dass die Fäulnis in ihm fortschritt. Ich war zwar kein Drogenexperte, aber er erinnerte mich an Bilder von Leuten, die von Crystal Meth abhängig waren.

»Ein paar Männer, denen wir … auf dem Fluss begegnet sind.«

»Hast du die auch abgeknallt?«

»Nein, und meine Frau habe ich auch nicht erschossen.«

»Aber alle sagen das.«

Einige der anderen Männer in der Zelle lachten, einer schlug sich aufs Bein und sagte: »Das sage ich doch die ganze Zeit.« Drei Plätze weiter lehnte ein grauhaariger Mann mit Zweitagebart in einem schmutzigen blauen Anzug an der Wand. Ein Auge war violett und zugeschwollen, und er stank nach Alkohol und Erbrochenem. Sein Hemd hing halb aus der Hose, auf der sich vorn ein nasser Fleck abzeichnete, und ihm fehlte ein Schuh, aber seltsamerweise saß sein Windsorknoten perfekt. Ich bezweifelte, dass es ihm was nützen würde.

Der Wachmann schloss unsere Zelle auf und führte uns nacheinander an einen Tisch, wo zwei weitere Wachen uns Hand- und Fußfesseln anlegten. Im Gänsemarsch brachten sie uns drei Treppen hinunter in Gerichtssaal 4. Mein pickeliger Freund flüsterte mir zu: »Das is' nich' gut. Gar nich' gut. Da sitzt Richter Fergy, und wir hab'n Nordostwind.«

»Und?«

»Prima zum Surfen, und der sitzt hier mit uns fest.« Er deutete mit einem Kopfnicken zum Richtertisch. »Am besten legst du dir 'ne gute Geschichte zurecht.«

Der Gerichtsdiener stand auf und sagte: »Alle aufstehen.« Verkatertes Stöhnen und ennervierendes Kettengerassel hallte durch den Saal, als wir der Aufforderung folgten. Ein sonnengebräunter Mann mit Stirnglatze und schwarzer Robe kam durch eine Tür in der rückwärtigen Wand. Er setzte sich, tippte mit dem Fuß einen Takt auf den Boden und las in einem Stapel Papiere. Schließlich nickte er dem

Gerichtsdiener zu. »Das Gericht ruft auf …« Er schaute in die Unterlagen und schüttelte den Kopf. Mit schmalen Augen schaute er Nervy an. »Ellswood Maxwell Lamont Augustus der Dritte.«

Nervy stand auf. Der Richter ließ die Papiere vor sich auf den Tisch fallen und faltete die Hände. »Nervy, ich dachte, ich hätte dir gesagt, dass ich dich nie wieder in meinem Gerichtssaal sehen will.«

Nervy grinste. »Ich hab Se vermisst, Euer Ehr'n.«

Richter Ferguson schaute auf seinen Tisch und dann wieder auf den Jungen. »Wie es aussieht, mischst du immer noch Zeug in deinem Hinterhof zusammen.«

Nervy schüttelte den Kopf. »Nee, Sir.« Er zeigte auf den kräftigen Mann, der seinen Kopf in das Urinal gesteckt hatte. »Der da.«

Der Richter runzelte die Stirn. »Und was ist mit deinem Gesicht?«

Nervy zuckte die Achseln. »Hautkrebs?«

»Willst du mir etwa erzählen, dass die Pusteln in deinem Gesicht, die nach Lepraschwären aussehen, von der Sonne stammen?« Nervy nickte nachdrücklich.

Der Richter lehnte sich zurück. »Lass mich raten. Du bist natürlich unschuldig.«

Nervy grinste. »Absolut-total-hundertfuffzigprozentig.«

»Ist das deine Einlassung?«

Er zeigte auf den großen Mann. »Der ist schuld. Ich nicht. Ich hab mich nur um meinen eignen Kram gekümmert. Fernsehn geguckt. *American Idol*. Hab überlegt, ob ich's auch mal probier'n soll, als …«

»Nervy, warst du in letzter Zeit mal im Leichenschauhaus?«

Neben mir zischte der Urinalmann in einem Ton, der es

mit James Earl Jones hätte aufnehmen können: »Nee, aber wenn der so weitermacht, kommt er da bald hin.«

Nervy machte große Augen. »Richter, ähm … Euer Ehr'n, der droht mir.«

Richter Ferguson beugte sich über den Tisch. »Das Leichenschauhaus ist voll mit Jungs wie dir. Ich bin mit meiner Geduld am Ende.« Der Richter verdrehte die Augen und wandte sich an den Gerichtsdiener: »Setzen Sie einen Gerichtstermin fest, besorgen Sie ihm einen Anwalt. Die Kaution wird auf zwanzigtausend festgesetzt.«

Nervy setzte sich und nickte grinsend. »Der is' gut drauf.«

Der Gerichtsdiener sagte: »Das Gericht ruft Stephen Chris Michaels auf.«

Ich stand auf.

Richter Ferguson schaute mich an, kaute an seiner Unterlippe und spuckte etwas von seiner Zungenspitze über den Richtertisch. Nervy beugte sich vor. »Das macht er schon mal, wenn er nachdenkt.«

Mühsam brachte ich hervor: »Ja, Sir.«

Er lehnte sich zurück, dass sein Stuhl knarrte, und schaukelte eine Weile. »Wie es aussieht, hat man Sie schließlich doch noch erwischt.«

»Ja, Sir.«

»Muss schwer sein, dem Fernsehen davonzulaufen. Bei all den Hubschraubern.« Ich antwortete nicht. Er tippte sich an die Brust. »Wie die meisten in diesem Land habe ich Ihre Geschichte verfolgt. CNN. Fox. Die ganzen Großen.« Er machte eine Pause. »Wo hat man Sie gefasst?«

Gute Frage. »Am Ende, Sir.«

»Wollen Sie etwa frech werden?«

Ich schüttelte den Kopf. »Sir?«

Er runzelte die Stirn. »Verstehen Sie die Anschuldigungen, die gegen Sie erhoben werden?«

»Wie bitte, Sir?«

»Verstehen Sie, warum Sie an einem herrlichen Sonntagmorgen in meinem Gerichtssaal stehen, während 1,80 Meter hohe Wellen sanft an den North Jax Beach rollen?«

Nervy nickte mit schlenkernden Beinen. »Au, jetzt is' er stinkig.«

Der Richter griff hinter sich und schaltete einen Ventilator ein, dessen Luftstrom auf den Saal gerichtet war. Vermutlich wehrte er damit unseren Gestank ab. Mr Windsorknoten-ohne-Schuh-mit-nasser-Hose bekam einen Schluckauf. Als er einmal würgte, ahnten wir schon, was kommen würde. Er beugte sich vor und spie nach einem letzten Schluckauf das Gelage der vergangenen Nacht auf den Fußboden des Gerichts. Kopfschüttelnd winkte der Richter einen der vier Beamten heran, die im Saal saßen. Während der Mann sich das Gesicht mit seiner Krawatte abwischte, was er in den letzten Stunden wiederholt getan hatte, führte der Beamte ihn aus dem Saal.

Der Ventilator wehte sanft einen Duft zu mir herüber, der meinen Blick auf die Protokollführerin des Gerichts lenkte. Sie war etwa Mitte fünfzig und tippte so schnell, wie Nervys Beine zuckten.

Ich starrte die Protokollführerin an, aber im Geiste saß ich auf einer Bank im Central Park und fragte mich: Wie heißt dieses Parfüm?

Richter Ferguson schlug mit seinem Hammer auf den Tisch und sagte mit lauter Stimme: »Entschuldigen Sie, Mr Michaels. Störe ich Sie?« Er lehnte sich mit schmalen Augen zurück. »Dann warten wir einfach, bis Sie so weit sind.«

Nervy rutschte ein Stück von mir ab. »Au Mann, du hast's geschafft. Jetzt is' er richtig sauer.«

Die Fessel an meiner linken Hand saß so eng, dass meine Finger kribbelten. Meine Hand fühlte sich vom getrockneten Blut ganz steif an. Die Kante der Fessel scheuerte rote Blutkrusten von meinem Handgelenk. Ich öffnete meine Hand und starrte auf die vier offenen Blasen. Wieder schlug er mit dem Hammer auf den Tisch.

»Entschuldigung, Sir.«

Wie heißt dieses Parfüm?

Er atmete tief durch. »Verstehen Sie die Anschuldigungen, die gegen Sie erhoben werden?«

Ich schüttelte den Kopf. Nervy rutschte noch ein Stück weiter von mir ab. »Nee, mach das nicht. Der will 'ne Antwort, wenn der mit dir redet. Wenn der was fragt, musst du was sagen.«

Ich schaute den Richter an. »Nicht … nicht wirklich, Sir.«

Der Richter hob eine Augenbraue und sagte mehr zu sich selbst: »Womit hab ich das bloß verdient, Nordostwind und Idioten!« Er beugte sich vor: »Mr Michaels, Ihnen wird vorgeworfen …« Er warf einen Blick auf die Papiere auf seinem Tisch. »Entführung. Einbruch. Hausfriedensbruch. Diebstahl. Schwerer Diebstahl. Besitz verbotener Substanzen. Entziehung der Verhaftung. Tätlichkeit. Widerstand gegen die Staatsgewalt. Illegale Verabreichung einer Droge. Und *last, but not least* Mord.« Er tippte mit dem Zeigefinger auf den Tisch. »Hier unten, Mr Michaels, ist ›Euthanasie‹ nur ein beschönigendes Wort für Mord. Zudem noch für einen vorsätzlichen Mord.«

Nervy nickte und schaute die Männer neben uns der Reihe nach an. »Der ist gut.«

Ich schluckte. Der Richter führte weiter aus: »Verstehen

Sie die Anschuldigungen, die ich Ihnen gerade vorgelesen habe?«

»Ja, Sir.«

»Worauf plädieren Sie?«

»Also, ich meine …«

»Mr Michaels.« Schweiß perlte auf seiner Stirn und lief ihm über den Nasenrücken. »Die gegen Sie erhobenen Vorwürfe entsprechen entweder der Wahrheit … oder nicht. Ja? Können wir uns zumindest darauf einigen?«

Der Ventilator klickte bei jeder Drehung. Der Name des Parfüms lag mir auf der Zunge.

»Mein Sohn.« Der Richter winkte mich zu sich. »Sind Sie schuldig oder nicht schuldig?«

Ich wandte mich an die Protokollführerin: »Ma'am? Entschuldigen Sie, Ma'am?« Sie hörte gerade lange genug auf zu tippen, um aufzuschauen. »Wie heißt Ihr Parfüm?«

Der Richter stand auf und knallte den Hammer auf den Tisch. »Mr Michaels! Ich werde Sie wegen Missachtung des Gerichts bestrafen, wenn Sie meine Frage nicht beantworten. Also!« Seine Stirn fing an zu glänzen. »Solange es noch ein Meer zum Surfen gibt: schuldig oder nicht schuldig?«

Die Bilder der vergangenen beiden Wochen spulten vor meinem inneren Auge ab. Kummer, Lachen, tiefer Schmerz und etwas, das ich nicht recht fassen konnte, flossen ineinander. Regentropfen im Fluss. Ich starrte den Richter an und war im Geiste meilenweit von diesem eichenvertäfelten Gerichtssaal entfernt. »Sir, ich habe meine Frau nicht getötet. Zumindest nicht absichtlich.«

»Es gibt aber Leute an sehr hoher Stelle, die da anderer Ansicht sind.« Er kritzelte etwas in die Unterlagen auf seinem Schreibtisch. »Ich fasse das so auf, dass Sie die Anschuldigungen nicht bestreiten.«

»Sir, Sie können das auffassen, wie Sie wollen, aber …« Er hob die Hand, aber ich sprach einfach weiter: »Ich würde es wieder tun.«

Er schüttelte den Kopf. »Mr Michaels, haben Sie juristischen Beistand?«

»Sir?«

»Haben Sie einen Anwalt?« Ich schüttelte den Kopf. »Können Sie sich einen leisten?«

»Ich glaube nicht.«

Er musterte mich. »Bei der Popularität, die Sie in den letzten beiden Wochen erlangt haben, glaube ich kaum, dass Sie Schwierigkeiten haben werden, einen zu finden. Übrigens habe ich heute Morgen persönlich Anrufe sowohl vom Gouverneur als auch vom Senator erhalten – die Sie beide nicht sonderlich mögen.« Er wandte sich dem Gerichtsdiener zu und wollte gerade etwas sagen, als der Senator hereinstürmte. »Euer Ehren, kann ich Sie in Ihrem Zimmer sprechen?« Er wartete die Antwort gar nicht erst ab, sondern ging durch die Schranke hinter die Richterbank und verschwand mit dem Richter in dessen Zimmer. Während wir warteten, wurde das Getuschel im Saal immer lauter.

Der Richter kam unangekündigt wieder herein, schwang seinen Hammer und verkündete: »Die Kaution wird auf 250 000 Dollar festgesetzt.«

Nervy flüsterte verhalten: »Der kann dich echt nicht ausstehen.«

Ich setzte mich und reckte die Nase in die Luft.

Das Band spulte zurück. Zwei Jahre. Drei. Zehn. Fünfzehn. Ich durchlief vergangene Momente. Gute. Weniger gute. Alle taten weh. Ich schaute mich um und sah mich irgendwo zwischen Central Park, Battery Road und Cedar Point schweben.

50

DER DRITTE TAG

Zwei Tage waren vergangen. Man hatte mich bis zur Verhandlung ins Duval-County-Gefängnis verlegt. Da ich die meisten meiner »Verbrechen« an der Grenze zwischen Florida und Georgia begangen hatte und Florida die Todesstrafe kannte und weidlich nutzte, drängte der Senator darauf, dass dieser Bundesstaat sich für zuständig erklärte. Was er denn auch tat.

Jesse war Gefängniswärter in Zellenblock E. Meinem Trakt. Wir machten ihm nicht allzu viel Ärger. Manchmal schlüpfte er spätabends an den Überwachungskameras vorbei und erzählte mir von seiner Frau und seinen Kindern. Er war annähernd 1,90 Meter groß, wog sicher hundert Kilo und hatte, glaube ich, den Job im Strafvollzug angenommen, als seine Tage in der Footballmannschaft am College zu Ende gingen und die Talentscouts für die Profiliga ausblieben. Er erzählte es mir zwar nicht, aber ich vermutete, dass er zu langsam war. Unter den Muskeln, von denen er eine Menge besaß, steckte ein Mann, der Tiere auf Cafeteriaservietten zeichnete. Vielleicht hielt er mich für ungefährlich.

Wenn man eine gewisse Zeit hier unten verbrachte, lernte man, Leute an ihren Schritten zu unterscheiden – an der Schwere ihres Gangs, an der Schrittlänge, an der Art

420

ihrer Schuhe. Jesse klopfte mit seinem Stock an die Tür, aber nur, weil er das in Filmen gesehen hatte. Nicht einmal eine Handgranate würde diese Tür aus ihren Angeln sprengen. Er nickte dem Wachmann zu, der am Ende des Flures hinter Glas saß und auf einen Knopf mit der Nummer 217 drückte, worauf meine Tür sich öffnete. Jesse winkte mit dem Stock. »Picasso, da sind ein paar Leute, die dich sprechen wollen. Komm. Du hast zwanzig Minuten.«

Der Senator kam als Erster herein, gefolgt von drei Männern in Anzügen. Anwälte, vermutete ich. Sie stellten einen Kassettenrekorder auf den Tisch. Er sprach, ohne mich anzusehen. »Ich werde dir ein paar Fragen stellen, und du wirst mir antworten. Wenn nicht, kannst du zur Hölle fahren.«

»Glaubst du wirklich, dass mir das was ausmachen würde?«

Er legte ein einzelnes Blatt Papier auf den Tisch. »Das ist der toxikologische Untersuchungsbericht meiner Tochter. Abigail Grace hatte genügend Narkotika im Blut, um jeden Einzelnen in diesem Raum umzubringen. Das allein reicht schon aus, dich im Gefängnis vermodern zu lassen.«

»Da bin ich ausnahmsweise mal ganz deiner Meinung.«

»Ist das alles, was du dazu zu sagen hast?«

»Du bist mit einer vorgefassten Meinung hierhergekommen. Daran kann ich nichts ändern. Du bist Politiker und schielst auf Umfrageergebnisse. Im Gegensatz zu dir hat Abbie sich nie um die öffentliche Meinung gekümmert.«

»Ich werde vorschlagen, dass sie die Anklage wegen Euthanasie in den Vorgrund stellen.«

»Was immer dir hilft, nachts zu schlafen, Senator.«

Er deutete auf den Rekorder. »Du könntest diesen ganzen Prozess beschleunigen, wenn du eine Aussage machen würdest.«

»Du meinst ein Geständnis?«

»Wenn du es so nennen willst.«

»Ich erwarte wirklich nicht, dass du es verstehst, aber lass es mich mal so sagen … Vier Jahre lang musste ich zusehen, wie meine Abbie ab- und wieder zunahm, wie ihr die Haare ausfielen und wieder nachwuchsen, wie ihr schlecht wurde, sie sich übergeben musste, ihr Zahnfleisch blutete, sie von den Steroiden fünfzig Pfund zulegte und dann wieder alles auskotzte. Ich sah, wie ihr mehr Nadeln unter die Haut gejagt wurden, als ich mich erinnern mag. Und die Hälfte dieser Spritzen bekam sie von mir. Ich schaute zu, wie mehr Gift in ihre Venen tropfte, als man irgendjemandem zumuten sollte. Also komm ruhig mit deinen Drohungen und Anwälten. Du könntest mich hier begraben, das würde nicht annähernd an den Schmerz heranreichen, den ich empfinde.« Der Schmerz kam in Wellen. Auch er hatte seine Gezeiten. Ich drehte meinen Ehering am Finger.

Lange herrschte Stille.

»Krebs kann viel anrichten. Er kann dein Leben zerstören, stehlen, was dir lieb und teuer ist, Träume zerschlagen, Vertrauen erschüttern, die Seele zerreißen und dich völlig ausgelaugt und am Boden zerstört zurücklassen. Er kann dir deine Hoffnung rauben, dir Lügen zuraunen, die du zu glauben lernst, und die Lichter am Fluss verschlucken. Er raubt dir deine Stimme, deine Gesundheit und dein Selbstbild. Er macht, dass dir übel wird und du den Unterschied zwischen Müdigkeit und Erschöpfung kennenlernst. Und wenn du glaubst, dass du es nicht mehr aushältst und nicht mehr denken kannst, dann erfüllt er dich mit Verzweiflung. Bald durchdringt und prägt er alles. Es ist die absolute Hölle. Aber …« Ich merkte, dass ich aufstand und auf den Tisch schlug.

Ich setzte mich und sagte leise: »Hoffnungslosigkeit ist eine schlimmere Krankheit als die, die Abbies Leben geraubt hat. Weil sie das Herz angreift … Es gibt keine Impfung dagegen, niemand ist dagegen immun. Und es gibt nur eine Waffe dagegen.« Er schaute mich an. »Die Waffe besteht darin, zu sagen: Ich werde mit dir durch die Hölle gehen – egal, was kommt.« Meine Stimme hallte durch den Raum. »Letzten Endes raubt der Krebs nur das, was man ihm gibt. Ich mag auf der Stelle sterben oder irgendwo in einem Gefängnis nicht weit von hier, aber ich werde in dem Wissen sterben: Ich habe ihm nie Abbie gegeben. Und ich habe ihm nie uns gegeben. Senator, es gibt Schlimmeres, als zu sterben.«

Er lachte mit spürbarem Zorn. »Zum Beispiel?!«

»Zum Beispiel … lebendig tot zu sein.«

»Was soll das heißen?«

Ich schüttelte den Kopf. »Abbie ist nicht mit dem Gefühl gestorben, dass sie mit ihrem Schmerz allein ist. Der Platz neben ihr war nie leer. Du kannst ruhig wütend auf mich sein, weil ich sie weggebracht habe. Schlimm. Dein Verlust. Ich würde es wieder tun.« Ich schaute ihm in die Augen. Ich hatte genug gesagt. Ich war fertig mit meiner Rede.

Er stand auf und ging.

そ

Zwei Tage später kam er wieder. Dieses Mal allein. Ohne Kassettenrekorder, ohne Krawatte, in einem offenen blauen Sportsakko und mit einer Kunststoffröhre unter dem Arm.

Er setzte sich, faltete langsam sein Taschentuch zusammen, auseinander und wieder zusammen. Schließlich sprach er. Ein schmerzliches Eingeständnis. »Ich habe lange an dir gezweifelt. Die …« Er zuckte die Achseln. »Die Entdeckung in der Mayo-Klinik hat fest in meinem Kopf zementiert, dass du Abigail Grace betrügst.«

»Sir, sie heißt Abbie. Und egal, wie es ausgesehen hat, als du hereingekommen bist, ich habe Abbie nie betrogen.«

Er nickte zögernd. »Dein Freund, der fliegende Priester, war bei mir. Hat mir von deiner Beichte erzählt.«

»Hat er es so genannt?«

»Ja.«

»Was ist mit dem Beichtgeheimnis?«

»Er sagte, da er entlassen sei, gelte es für ihn nicht mehr.«

»Komisch, davon hat er mir nichts gesagt.«

Er trommelte mit den Fingern auf den Tisch. »Ich dachte, ich könnte … Abbie … die Augen öffnen, aber sie kannte dich besser als ich.«

Er legte die Röhre auf den Tisch. »Wir haben dein Kanu gefunden. Das hier klemmte unter dem Sitz.« Er drehte die Verschlusskappe ab, entrollte die Leinwand auf dem Tisch und betrachtete die Zeichnung eine Weile. »Ich dachte immer, sie würde es schaffen.« Er ließ das Bild los, das sich zu einer lockeren Rolle krümmte. Kopfschüttelnd sagte er: »Kein Mann ist gut genug für die Tochter eines anderen.« Als er an die Decke starrte, lief eine einzelne Träne über seine Wange. »Nachdem ich ihre Mutter verloren hatte, war für mich klar, dass kein Mann je gut genug für sie wäre. Dann traf sie dich. Und du warst …« Er lachte achselzuckend. »Nicht das, was ich mir vorgestellt hatte.«

»Sir, darf ich dich etwas fragen?« Er hob eine Augenbraue.

»Was habe ich dir getan? Ich meine, was habe ich dir je getan, dass du so sauer auf mich warst?«

Er wischte sich die Augen. »Du hast Abbie gegeben, was ich ihr nie gegeben habe. Du hast dich ihr gegeben.«

»Ja, Sir. Jeden Tag.« Zum ersten Mal sah ich ihn als Mann. Sogar als Vater. »Sir, bei allem Respekt: Dass die zweite Transplantation nicht angeschlagen ist, hatte nichts mit dir zu tun. Du hast getan, was du konntest.«

Er schaute mich flüchtig an und nickte beinah. Dann klappte er sein Handy auf, tippte aus dem Kopf eine Nummer ein und wartete, bis sich am anderen Ende jemand meldete. Er räusperte sich und sagte: »Haben Sie unterschrieben?« Er nickte und wartete. »Ich wäre Ihnen dankbar, wenn Sie es mir unter dieser Nummer faxen würden.« Er gab die Nummer durch und klappte das Handy zu. Nach einer Weile kam ein Wärter herein, gab ihm ein einzelnes Blatt Papier und ging wieder hinaus. Der Senator las, legte das Blatt auf den Tisch und stand auf. »Die Mordanklage wurde fallen gelassen. In der Anklage wegen der Narkotika kann ich nicht viel machen, aber wenn du dich schuldig bekennst, können wir erwirken, dass deine Strafe zur Bewährung ausgesetzt wird. Vielleicht zu einer gemeinnützigen Tätigkeit. Wie … einem alten, sturen Politiker das Malen beizubringen.« Er stand auf – kehrte mir den Rücken zu –, holte einen zerknitterten Brief aus seiner Jackentasche und legte ihn behutsam auf den Tisch. Seine Fingerspitzen glitten sacht über das Briefpapier wie bei einem Blinden, der Braille-Schrift las. Er schluckte und flüsterte heiser: »Du bist frei.«

Langsam, fast humpelnd, ging er hinaus. Ich faltete den Brief auseinander. Ihr New Yorker Parfüm strömte in den Raum und hüllte mich ein.

31. Mai
Lieber Dad,

es ist spät, und die Wirkung des Morphiums lässt nach, was gut und zugleich schlecht ist. Die Hospizpflegekräfte schlurfen unten herum. Chris ist oben auf dem Krähennest. Ich höre es unter seinem Gewicht quietschen.

In den letzten Jahren habe ich gelernt, auf meinen Körper zu hören. Nun sagt er mir, dass ich, wenn Du diesen Brief bekommst, nicht mehr da sein werde. Was immer der Krebs mit mir vorhat, er hat es vollbracht. Neue Behandlungen, Spezialisten, Meinungen und Medikamente und die ganze Macht des Senats werden daran nichts ändern. Es bleibt nur eins. Weine nicht. Ich sehe diese großen, breiten Schultern bei der Erinnerung an Mom und nun beim Gedanken an mich beben. Tränen steigen auf. Dad, halte sie nicht zurück. Selbst Senatoren weinen. Was mich betrifft – ich bin inzwischen groß. Natürlich habe ich mir das nicht ausgesucht. Wenn es nach mir ginge, würde ich noch fünfzig bis sechzig Jahre bleiben, würde lernen, wie Rosalia zu kochen, und durch Chris' schönes graues Haar streichen. Das hätte ich gern gesehen. Ich glaube, er wird sich im Alter gut halten.

Falls Du glaubst, Chris hätte mich Dir gestohlen, irrst Du Dich. Nur wenige respektieren Dich mehr als er. Diese Fahrt ist meine Idee. Es gibt noch eines, was ich ihm zu geben habe, und dazu brauche ich den Fluss. Bitte versteh das. Er ist begabt wie kein anderer, den ich je gekannt habe, und ich möchte nicht, dass diese Begabung mit mir stirbt. Also lass uns bitte auf dem Fluss. Denk daran, wenn Du wütend wirst, Anwälte engagierst und Intrigen spinnst. Lass es einfach geschehen. Chris hat mich nicht getötet. Das war der

Krebs. Gib ihm die Schuld. Chris ins Gefängnis zu schaffen, bringt mich – oder Mom – nicht zurück. Ich hatte ein gutes Leben. Nun lass mich in Frieden sterben.

Als ich klein war, nahmst Du mich an der Hand und gingst mit mir die Dock Street hinunter zur Premiere von Annie. Ich hatte solche Angst. Aber im Theater nahmst Du mich beiseite, knietest Dich vor mich, strichst mir das Haar aus der Stirn und sagtest: ›Abigail Grace, du bist nicht dazu geschaffen, auf diesen Plätzen zu sitzen.‹ Dann lenktest Du meinen Blick auf die Bühne und das Scheinwerferlicht. ›Du bist dazu geschaffen, da oben im Rampenlicht zu stehen. Geh, nimm deinen Platz ein.‹ Dad, Chris ist mir sehr ähnlich. Vergiss das nicht. Er ist es wert, er braucht Dich, und wir alle brauchen ihn. Vertrau mir.

Ich hinterlasse Dir ein Geschenk. Aber es hat einen Haken. Es ist sicher in der Brust meines Mannes verwahrt. Wenn Du es öffnest, findest Du mich. Vor langer Zeit habe ich ihm mein Herz geschenkt, und da, wo ich hingehe, brauche ich es nicht. Wenn Du Deinen Stolz lange genug überwindest, um über Deinen eigenen Schmerz hinwegzusehen, wirst Du feststellen, dass Ihr beiden Euch ähnlicher seid, als Du denkst. Und dass Du von ihm lernen kannst.

Ich weiß, dass es schwer für Dich sein wird, das zu lesen. Aber glaube nicht, ich wollte nur das letzte Wort haben. Ich würde es nur zu gern eintauschen.

Ich liebe Dich.
Deine
Abigail Grace

Danach

Ich fuhr nach Hause, ging in mein Atelier hinauf, rollte meine Leinwand aus und fing ganz von vorn an. Mein Leben mit Abbie. Ich ließ das Band zurückspulen, ging jeder schmerzlichen Spur nach – jeder Ankerkette –, und wenn es zu sehr wehtat, hielt ich das Band an, tauchte hinein und skizzierte dieses eine Standbild. In einem Jahr weinte ich mehr als in meinem ganzen übrigen Leben zusammengenommen.

Tränen auf Leinwand.

Der einzige Unterschied war, dass ich nicht die Welt malte, in der ich gern gelebt hätte. Vielmehr malte ich die Welt, wie sie war.

❦

Der Senator gewöhnte sich an, mich an Wochenenden zu besuchen. Anfangs ging er nur in meinem Atelier herum. Wir redeten nicht viel. Aber nach und nach kamen die Worte. Er stellte mir Fragen nach Stil, Form, Vorgehen. Gute Fragen. In einem anderen Leben hätte er, meiner Ansicht nach, eine künstlerische Ader haben können. Schließlich stellte ich ihm eine Staffelei auf und brachte ihm bei, mit Kohle zu zeichnen. Das machte er auch nicht schlecht. Erstaunlicherweise besaß der Senator einen weichen Kern. Er hasste zwar die Yankees, aber nach einigen Wochen ließ er seine Finger über den Rahmen meines Nat-Fein-Drucks gleiten und sagte kopfschüttelnd: »Vermutlich steht das uns allen bevor.« Ich kramte meinen verstaubten Versuch, Babes Gesicht zu malen, aus dem Schrank und reichte ihm das Bild. Das Foto vermittelte eine Traurigkeit, die Worte kaum auszudrücken vermochten, dagegen zeigte mein Bild Babe, der mit eingefallenen Wangen aus schlaffen Lidern in das Stadion schaute, das er gebaut hatte. Doch unter der Hülle der Haut, in der er einst von einem Base zum anderen gerannt war, lächelte er. Er war immer noch Babe. Das gefiel dem Senator. Ich reichte ihm beide Bilder. »Bitte. Sie gehören dir.«

Eine einzelne Träne lief ihm über die Wange. Schließlich sagte er: »Abbie sagte mir mal, niemand male wie Gott, aber …«, er deutete mit der Hand auf das Atelier, »du kommst dem ziemlich nahe.«

Es gab kaum eine Woche, in der wir nicht in meinem Atelier saßen und Kunst schufen. Denn genau das taten wir. Gemeinsam. Man hätte meinen sollen, dass Washington ihn vermisst hätte, aber er konnte sich davonstehlen, wann immer er wollte.

Ein Jahr verging.

∽

Er war schon den ganzen Vormittag da. Wir fühlten uns wohl in der Gesellschaft des anderen und verloren uns im Geruch der Farben. Wir konnten inzwischen gut miteinander schweigen. Was mir viel über uns sagte. Um die Mittagszeit wollte er gehen. Außer der Zeit wusste ich keinen Grund dafür, aber er blieb stehen und stellte mir die Frage, die ihm seit fast einem Jahr auf der Zunge lag. Er deutete auf die *Unbezwingbare*. Ich hatte das Gemälde vor Monaten fertig gestellt und es hängen lassen, damit sie auf mich herabsah. »Darf ich … bitte«, fragte er.

Es war sein Ölbaumzweig. Der Senator hatte mir verziehen. Vor allem aber hatte er sich selbst verziehen.

»Ja.«

Ein Atemzug, der tief genug war, seine breite Brust zu füllen. »Bist du sicher?«

»Senator, unser Trip den Fluss hinunter war nicht mein Geschenk an Abbie. Es war ihr Geschenk an mich – und ich habe das Gefühl, dass sie es schon lange geplant hatte.« Ich musterte mein Werk. »Ich habe sie nicht gemalt, um sie einzusperren. Ich habe sie gemalt, um uns zu befreien.«

Abbies Tod hatte seine harte Schale erschüttert. Mittlerweile lebte er damit, seine Gefühle zu zeigen. Wie ein Abzeichen am Ärmel. »Hat sie dir das beigebracht?«

Der Schmerz erinnerte mich daran, was Schönheit war und ist. Was ich erlebt und verloren hatte. An geschenkte und weggenommene Liebe. Je mehr es wehtat, je tiefer der Schmerz, umso süßer die Erinnerung. Und obwohl der Schmerz mir durchaus etwas ausmachte, lebte ich damit.

Ich lächelte.

Der Senator hängte die *Unbezwingbare* und viele weitere Bilder in Abbies Designstudio, aus dem er eine Galerie für mich machte. Oder vielmehr für uns. Wir nannten sie »Abbie's«. Er gab ihr diesen Namen. Den Nat-Fein-Druck hängte er in sein Badezimmer, wo nur er ihn sieht. Jedes Mal wenn er sich rasiert, schaut er ihn an. Das Interesse an meinem Werk ist überwältigend. Komisch. Inzwischen kommt New York zu uns. Vor zwei Wochen rief er an, um mir zu sagen, dass wir eine sechsstellige Summe für ein Gemälde bekommen hatten, das ich vor einigen Monaten gemalt hatte – das Bild zeigt mich auf dem Rückweg über den Rasen im Nudistencamp Bare Bottom und Abbie, die so sehr lacht, dass es wehtut. Der Käufer sagte, etwas an diesem Lachen, an Abbies Gesicht ließe ihn einfach nicht mehr los. Es spräche ihn an.

Das freute mich mehr, als Worte ausdrücken können. Der Senator erzählte mir, ein Philosoph namens Ludwig Wittgenstein habe einmal gesagt: »Wovon man nicht sprechen kann, darüber muss man schweigen.« Ich kenne das Schweigen schon mein Leben lang. Damit komme ich gut zurecht. Der einzige Unterschied ist, dass jetzt meine Hände aus Leibeskräften schreien.

Vergangene Woche zog ich meine Kappe tief ins Gesicht, setzte mir eine Sonnenbrille auf und mischte mich unter die Besucher der Galerie. Belauschte sie sozusagen. Niemand erkannte mich. Ich kam mit einer Dame ins Gespräch, die mir erzählte, sie sei schon vier Stunden da. Das mache sie seit einem halben Jahr einmal im Monat. Sie tippte sich an die Brust und sagte: »Irgendetwas daran macht mich zufrieden.« Als ich sie nach ihrem Lieblingsbild fragte, zeigte sie ohne Zögern auf das kleine Bild von mir und meiner Mutter auf der Bank am Fluss. Ich zog Kappe und Sonnenbrille ab, nahm das Bild von der Wand und schenkte es ihr. Als ich ging, weinte sie noch immer. Vielleicht hatte meine Mom Recht. Vielleicht mussten manche Menschen einfach eintauchen und trinken. Vielleicht brauchten wir das alle.

～

Der Farbgeruch erfüllte mein Atelier. Das Malerhoch. Sanftes, sogar goldenes Licht lag über Fort Sumpter. Ich betrachtete die Urne, die links von mir auf dem Regal stand. Jeden Tag hatte sie dort gestanden und zugesehen. Und mich an mein letztes Versprechen erinnert.

Den elften Wunsch.

Ich legte den Pinsel ab, griff zum Telefon und tippte die Nummer ein. Als er sich meldete, fragte ich: »Kannst du das Ding auf einer Schotterpiste landen?«

Ich hörte, wie er die Zigarre von einem Mundwinkel in den anderen schob. »Kommt auf die Piste an.«

Ich rief meinen Bewährungshelfer an. Der Bezirksstaatsanwalt hatte zwar sämtliche Anklagepunkte fallen gelassen, die mit Abbies Tod zu tun hatten, aber an der Drogensache führte kein Weg vorbei. Ich hatte tatsächlich eine beträchtliche Menge Betäubungsmittel gestohlen und über mehrere Staatsgrenzen transportiert. Das hatte ich zugegeben. Die Beweise hätten sich nur schwer unter den Teppich kehren lassen. Aber da sie in meinem Körper keine Drogen hatten nachweisen können, hatten sie mir eine zweijährige Bewährungsstrafe gegeben. Wenn ich die Stadt verließ, musste ich mich jedes Mal bei einem Beamten abmelden, der meine Malerei mochte.

Ich schaute beim Senator vorbei. Er saß in seinem Arbeitszimmer. Am Vortag hatte er bekannt gegeben, dass er sich nicht zur Wiederwahl stellen würde. Er sah die Urne in meinen Armen. »Du hast beschlossen, dein Versprechen einzulösen?«

Ich nickte. »Ich kann dich neben ihr beisetzen.«

Er lächelte. Wir hatten es weit gebracht. Abbie hätte es gefallen.

Er nickte und fing an, sein Taschentuch auseinander- und wieder zusammenzufalten. »Das würde mir gefallen. Das würde mir sehr gefallen.«

ᨳ

Bob holte mich vor der Stadt ab, und wir flogen an der Küste entlang nach Süden. Als wir Cumberland Island erreichten, bog er scharf nach Westen ab und brummte über das Städtchen St. Marys hinweg. Wir kreisten einmal darüber, bevor Bob auf einer Schotterpiste nicht weit von der Landspitze landete. Ich ging den Schotterweg entlang, sprang über den Graben und watete durch den Sumpf. Abbie hatte ich in einem Rucksack bei mir. Als ich Cedar Point erreichte, sagte ich: »Jetzt dauert es nicht mehr lang.« Ich ging zwischen den Zedern durch kniehohes Gras und um die Stelle, an der wir kampiert hatten.

Es war schwer.

Der Fluss glitt vorüber wie eine polierte Schieferplatte. Sobald ich hineinstieg, zerrte die Strömung an mir. Ich watete bis zur Taille hinein und drückte Abbie an meine Brust. Ich vermisste sie. In diesem Wasser vermisste ich sie sehr.

Über mir segelte ein Fischadler, und ein paar hundert Meter entfernt schwamm ein Pelikan. Weiter flussabwärts tutete ein Krabbenkutter. Ich hob den Deckel, drehte sie um und sah zu, wie Abbie ins Wasser tauchte.

🙟

Nach elf Tagen auf dem Fluss hatten wir Cedar Point erreicht und alle Punkte bis auf einen abgehakt, so unglaublich es auch war. Neun von zehn. Ich zog sie halb an Land. Von ferne war ein Hubschrauber zu hören. »Schatz … Abbie …« Ihre Lider flatterten. »Wir sind da.« Ich hörte Männer durch den Sumpf näher kommen. Im Hintergrund die Stimme ihres Vaters.

Sie schluckte und versuchte zu atmen. Ich wusste nicht, was ich sagen sollte. Sie nickte, öffnete aber nicht die Augen. »Die Delfine heben wir uns für einen anderen Tag auf.«

Ich tätschelte ihr die Wange. »Du hättest dir mehr wünschen sollen.«

Sie hob die Hand und berührte mein Gesicht. »Ich habe alles, was ich mir je gewünscht habe.«

Ich spielte auf Zeit. »He, du … du hast gesagt, du willst mir etwas geben. Oder nicht? Ein Geschenk zum Hochzeitstag?«

Sie nickte. »Hab ich schon.«

»Aber …?«

Sie tippte mir auf die Brust. »Es ist da, wenn du es brauchst.«

Ihre Augen verdrehten sich nach hinten. Sie holte tief Luft. Mit geschlossenen Augen zog sie meinen Kopf zu sich und presste ihre Stirn an meine. »Behalte das alles nicht für dich. Die Menschen brauchen das, was du hast. Also gib es weiter. Lade sie auf deine Insel ein.« Sie schloss die Augen und sank zurück. Ihr Gesicht glühte, aber ihre Hände waren feuchtkalt und ihr Atem flach. Sie zog mein Gesicht zu sich und wisperte: »Wenn du aufwachst und die wehen Stellen entdeckst, lauf nicht weg. Paddele auf dem Fluss.« Sie tippte mich fest in die Brust. »Jedes Mal. Tauch ein und lass dich vom Fluss treiben, dann wirst du mich finden.« Sie deutete aufs Meer. »Ich werde warten.« Tränen begannen zu fließen. Ihre Arme wurden schlaff, ihr Atem hörte nahezu auf. Ich hielt ihren Kopf in meinen Händen. »Abbie? Abbie?«

Ihr Körper straffte sich, sie atmete ein – bis in den Bauch – und konzentrierte sich auf eine Stelle Tausende Meilen jenseits von mir. »Abbie?«

Sie zog an mir. »Versprich.«

»Aber …?«

Sie lächelte, und ihr Blick kehrte zu mir zurück. »Chris?« Ich konnte nicht hinsehen. Sie zog wieder. »Das Leben ist eine Abfolge von Begegnungen und Abschieden. Das hier … ist ein Abschied. Aber es ist nicht unsere letzte Begegnung.« Sie tippte mir wieder an die Brust. »Sag es.«

Meine Stimme versagte. »Ich verspreche es.«

Sie sog scharf die Luft ein, Blut triefte aus ihren Nasenlöchern. Sie deutete aufs Meer. »Ich werde da sein. Warten. Also begrab mich … am Ende des Flusses.«

Sie hob meine Hand, legte meinen Finger zwischen Schläfe und Ohr – und dann war sie gegangen.

Ihre Asche breitete sich auf dem Wasser aus. Es war so wenig. Sie verteilte sich an der Oberfläche und dehnte sich von Kräuselwelle zu Kräuselwelle weiter aus. Die Strömung erfasste sie und zog sie als lang gedehnten Streifen in Richtung Ozean. Hundert Meter entfernt sah ich eine Schwanzflosse aufblitzen. Ein Tümmler tauchte durch die Asche auf. Dann ein zweiter. Und noch einer. Schließlich rollten vier Delfine langsam durch die weiße Asche, die sich auf ihrer Haut verteilte. Das Wasser war warm und klar. Leise raunte ich über die Kräuselwellen: »Warte auf mich, Abbie. Warte am Ende des Flusses.«

Als sie nicht mehr zu sehen war, ging ich ans Ufer. Triefend.

Ich stand am Strand und beobachtete eine Winkerkrabbe, die über meinen Zeh kroch. Dann überquerte ich die Landzunge und watete durch den Sumpf zurück zu dem Schotterweg. Ein Mann, den ich nicht kannte, kam mir entgegen. Lange Haare, gestutzter Bart, Notizblock in der Hand. Ein zweiter Mann mit Videokamera auf der Schulter folgte ihm. »Sind Sie dieser Künstler?«, fragte der erste. »Der, der den Fluss heruntergepaddelt ist … mit Abbie?« Ich nickte. Er verschränkte die Arme und stellte sich zwischen mich und den Anfang des Weges. »Das ist etwa ein Jahr her, stimmt's?«

Dumm war er nicht. Er war hier, weil er hinter einer Story her war. »Ja.«

»Warum sind Sie wieder hergekommen?«

Ich kratzte mich am Kinn. »Wir hatten noch etwas zu erledigen.«

Er nickte, als wüsste er Bescheid. »Sie haken immer noch Ihre Liste ab?«

Ich starrte ihn an. »Etwas in der Art.«

Er trat beiseite, während der Kameramann einen besseren Blickwinkel suchte. »Laut Grundbuch haben Sie dieses Stück Land gekauft. Stimmt das?«

Ich beschattete meine Augen, schaute flussabwärts und nickte.

»Haben Sie einen Namen dafür?«

Ich schüttelte den Kopf und dachte an Abbies Worte: *Ich habe dem Zeitungsfritzen nicht alles gesagt.*

»Okay, sagen Sie … Würden Sie es wieder tun?«

Darüber hatte ich viel nachgedacht. Manchmal, in schwächeren Momenten, konnte ich an mir zweifeln. Aber dann fiel mir alles wieder ein. Ich nickte. »Sofort.«

Er kritzelte auf seinen Block und ging einen Schritt rückwärts. »Es war im letzten Jahr ziemlich still um Sie. Es heißt, Sie hätten die meiste Zeit in Ihrem Atelier verbracht und gemalt. Stimmt das?« Ich nickte. Achselzuckend trat er vor mich. »Also, ich meine, was ist der Grund? Wozu die ganze Mühe?«

Ich musterte ihn. »Atmen Sie einmal tief ein.«

Er schaute den Kameramann an, zuckte die Achseln und grinste mich unsicher an. »Was?«

»Atmen Sie tief ein.«

»Okay.«

»Und jetzt halten Sie die Luft an.«

»Wie lange?«, fragte er wie jemand, der gerade einen tiefen Zug an einem Joint getan hatte.

»Halten Sie einfach die Luft an.«

Er schaute wieder achselzuckend in die Kamera. Eine Minute verging. Sein Gesicht lief rot an. Nach weiteren zehn Sekunden nahm sein Gesicht die Farbe roter Bete an. Schließlich atmete er aus, rang nach Luft, starrte mich an und hielt mir das Mikrofon ins Gesicht. »Das ist der Grund.«

Ich ging zu Bobs Flugzeug, wo der Wind Staub aufwirbelte, der mir in der Nase kitzelte.

Er lehnte an einer Tragfläche und schaute zu, wie die Brise die Marsch zerzauste und ihre Farbe von Grün zu Braun und wieder zu Grün veränderte. Nach einer Weile murmelte er: »Denkst du je daran, wieder zu heiraten?« Seine Miene war nicht die eines Piloten, Sprühfliegers, Diebs oder Ehebrechers, sondern die eines Priesters. Bob wollte wissen, wie es in mir aussah. Es war eine ehrliche Frage.

Ich schüttelte den Kopf und drehte den Ehering an meinem Finger.

In der Ferne bimmelte eine Glocke, und Dutzende schmutzige Möwen und zerzauste Pelikane flatterten, wie von einem Kanonenschuss aufgeschreckt, aus der Marsch auf und flogen in Scharen nach St. Marys zum Kai, wo ein Krabbenfischer gerade seinen Fang auslud. Die Glocke bimmelte weiter.

Er beugte sich über die Tragfläche. »Was jetzt?«

Seit Monaten hatte ich eine Kopie von Abbies Wunschliste in meiner Brieftasche. Nun holte ich sie heraus, faltete sie auseinander und las sie Punkt für Punkt. »Eigentlich ist

es ganz einfach. Ich male, was mein Talent mir erlaubt …
und ab und zu besucht Abbie mich.«

»Klingt schmerzlich.«

Es trat eine lange Stille ein.

Schließlich faltete ich den Artikel zusammen und steckte
ihn in meine Brieftasche. »Ja.« Ich atmete tief durch. »Es tut
höllisch weh. Und das ist gut so.«

∽

Als ich aufwachte, war das Hochwasser gestiegen und die
Unterströmungen zerrten an mir, ohne dass ich mich dagegen wehren konnte. Es überflutete meine Ufer, breitete
sich aus und drohte, meine Insel zu überschwemmen.

Aber die Zeit heilte tatsächlich Wunden. Nicht so, wie
wir es uns vorstellen oder wünschen – von vorn –, sondern
eher von hinten, von den Seiten oder von irgendwoher, wo
wir es nicht kommen sehen. Es brodelte von unten und
stieg rundherum auf. Mit einem Mal trocknete ich lange
genug meine Augen, um aufzusehen, über mich selbst hin-
auszuschauen und festzustellen, dass mein Schmerz die
Kraft war, die mich zusammenhielt. Ich stand am Ufer,
schaute über mein weites Epizentrum hinaus und sah mich
vor die Wahl gestellt: Sollte ich den Fluss wagen? Also paddelte ich aus meinem schwarzen Loch hinaus und entdeckte, dass der Fluss nicht aus einem, sondern aus vielen
Strömen bestand, die alle zusammenflossen, ob es mir gefiel oder nicht. Jede Biegung, jede Kehre führte zu etwas
Schönem, Ganzem, Denkwürdigem. Warum? Wieso? Das
konnte ich nicht beantworten. Ich wusste nur, dass sie ihr
Versprechen gehalten hatte. Sie wartete tatsächlich auf
mich. Und dort am Devil's Elbow fand ich den Kitt, der
meine Teile zusammenfügte.

Auf Flut folgt Ebbe, Flüsse folgen einem gewundenen Lauf, und Liebe ist mit Schmerz verbunden.

Bob deutete auf den Fluss. »Als ich aus dem Gefängnis kam, suchte ich einen Ort, an dem ich mich verkriechen konnte. Einen Ort ohne Vergangenheit. Kurze Zeit später lief ich Gus über den Weg, und wir freundeten uns an. Im Gegensatz zu anderen hielt er mir nicht vor, wie ich war. Als ich ihn fragte, wieso, erzählte er mir etwas, was ich bis heute nicht vergessen habe. Er stand im Wasser, zeigte auf die Strömung und sagte: ›Wenn dieses Wasser den Ozean erreicht, lässt die Sonne es aufsteigen, sammelt es zu Wolken, bis sie dick genug sind und der Wind sie wieder über Land treibt, wo sie sich über dem Kontinent entleeren.‹«

»Und was heißt das?«

»Der Fluss endet nie.«

Wir stiegen ein, er ließ die Maschine anrollen und hob ab, indem er fest am Steuerknüppel zog. Mein entlassener Priester sang vor mir aus vollem Hals. Ein paar Töne waren schief, als er die Wolken dirigierte, durch die wir flogen. Und während ich seinem herrlichen Lied lauschte, hörte mein Herz Lachen. Wir kreisten über der Stadt, folgten dem Fluss vorbei an Point Peter, um Cumberland und die Ruinen von Dungeness und flogen hinaus über die Wellen, die sich an der Küste brachen, wo gerade die Ebbe einsetzte.

Als ich das letzte Mal hinuntersah, schwamm Abbie immer noch mit den Delfinen.

Danksagung

Dieses Buch ist mein sechster Roman, der seinen Weg in die Bücherregale findet. Welcher mein liebster oder gelungenster ist, wüsste ich nicht zu sagen. Ebenso gut könnte man mich fragen, welchen meiner drei Söhne ich am meisten liebe. Jede Geschichte hat mich ein gewisses Maß an Schweiß gekostet, an körperlicher, emotionaler und geistiger Kraft, die ich mir abringen musste. Aber als ich dieses Buch im August 2007 ablieferte, wusste ich, dass diese Geschichte mir mehr abverlangt hatte als jede andere, die ich bis dahin geschrieben hatte. Vielleicht sogar mehr als zwei der vorigen zusammen. Das kann Christy bestätigen. Denn es dauerte fast eine Woche, bevor wir wieder ein ernsthaftes Gespräch führen konnten.

Das mag man nehmen, wie es ist.

Auf dem Weg dahin erfuhr ich viel Unterstützung – mehr, als ich verdiene. Im Folgenden seien nur einige wenige genannt, denen mein Dank gilt:

John Train, M. D., möchte ich nochmals danken, dass er mir die richtige Richtung gewiesen hat. Er ist wirklich ein Genie. Ich bin froh, dass er Arzt und nicht Anwalt ist.

Kathryn Pearson-Peyton, M. D., danke ich, dass ich einen Tag mit ihr verbringen durfte und sie mir Einblick in ihre Arbeit und die Freuden und Probleme gewährte, mit denen sie täglich konfrontiert ist. Die Frauen in Jacksonville haben Glück, dort eine so begnadete Ärztin zu haben wie sie.

Elizabeth Coleman hat mir die Augen für ihr Charleston geöffnet und es mit ihrem Charme für mich lebendig gemacht: eine segensreiche Begegnung, denn ohne sie hätte ich diese Seite der Stadt nie gesehen.

Kim Neitzel danke ich für freimütige E-Mails und ihre Ehrlichkeit. Ich hoffe, dass wir uns eines Tages persönlich kennenlernen.

Laura Wichman-Hipp vermittelte mir bei einem Rundgang durch Charleston Einblicke und geschichtliche Hintergründe, auf die ich ohne sie nie gestoßen wäre. Ich kann ihr gar nicht genug danken.

John und Kay Miller ließen mich an ihrer Geschichte teilhaben, erzählten mir von Misty und ihrem Leben und verbrachten mit mir einen Nachmittag an ihrem Grab. Ohne ihre Ehrlichkeit, ihr Lachen und ihre Tränen – die wir gemeinsam weinten – wäre dieses Buch in seiner jetzigen Form niemals möglich gewesen.

Carol Fitzgerald hat mich vor sechs Büchern »entdeckt« und seitdem nicht mehr zu reden aufgehört. Tausend Dank.

Virginia McNulty und mich verbindet ein langer Weg, seit sie mir die Windeln wechselte. Sie machte mich mit John und Kay bekannt und hatte ein offenes Ohr für meine Geschichten.

Jon Livinston und David Flory verdanke ich zerbrochene Paddel, durchnässte Schlafsäcke und drei Tage voller Lachen auf dem Fluss.

David Wainer, mein Freund, ist ein wahrer Fels.

Bei Todd Chupp bedanke ich mich für den Fluss, für meilenweites Kanuziehen, für die gute Vorbereitung mit Rettungsdecke, Leuchtstab und Mückenschutz, vor allem aber für seine Freundschaft. Psalm 144. Ach ja, übrigens habe ich jetzt genug für mein Buch recherchiert.

Chris Ferebee danke ich für seine Freundschaft, seinen Rat und … hierfür. Für die Zukunft sei ihm gesagt: Man sitzt auf dem Ding, das wie ein Sitz aussieht, und die flache Seite gehört nach unten.

Mein aufrichtiger Dank gilt auch dem Team von Doubleday Broadway und allen dort, die ich noch nicht persönlich kennengelernt habe, die aber schon viel für mich getan haben. Vom Marketing über die Werbung bis hin zu den Auslandsverkäufen haben alle sämtliche Erwartungen übertroffen.

Michael Palgon danke ich, dass er es mit mir versucht hat, unermüdlich mit dieser Geschichte Schritt gehalten hat, mich mit Stacy hat arbeiten lassen und … hierfür.

Stacy Creamer machte aus einer relativ guten Geschichte eine weitaus bessere. Dafür bin ich ihr ebenso zu Dank verpflichtet wie für ihre Begeisterung, Ermutigung, Freundschaft und … hierfür. Ich kann ihr gar nicht genug danken.

Band-Aid, Scoop und Sportmodel, verkauft eure Träume nie auf dem Altar der Bequemlichkeit, des Geldes, der Trägheit oder, was das Schlimmste wäre, der Angst. Eines Tages werdet ihr es verstehen. Vermutlich genau dann, wenn ihr es hören müsst. Verzeiht mir, falls ich euch dabei jemals in die Quere kommen sollte. Ich liebe euch.

Christy danke ich für fünfzehn Jahre; dafür, dass sie mich dies tun lässt, mich liebt, wenn ich nicht liebenswert bin – was öfter vorkommt, als ich mir eingestehen mag –, mir verzeiht, wenn ich im Unrecht bin … und mir die Freiheit lässt, zu träumen.

Herr, *Sohn Davids … ich will sehen.*

Kristin Hannah

Wer dem Glück vertraut

Roman
Deutsche Erstausgabe

ISBN 978-3-548-26603-9
www.ullstein-buchverlage.de

Weihnachten war für Joy immer die schönste Zeit des Jahres – früher. Dieses Mal ist alles anders. Frisch geschieden von ihrem Mann, der sie ausgerechnet für ihre Schwester verlassen hat, graut es Joy vor den Feiertagen. Kurz entschlossen kauft sie ein Flugticket nach Kanada und begibt sich auf eine Reise ins Unbekannte – an deren Ende für sie die Hoffnung auf ein neues Glück steht ...

UB372

Dorothy Koomson

Von nun an für immer

Roman
Deutsche Erstausgabe

ISBN 978-3-548-26488-2
www.ullstein-buchverlage.de

Als Kamryn einen Brief von Del bekommt, will sie ihn zunächst nicht öffnen. Zu tief sitzt die Wut und die Trauer über den vermeintlichen Verrat ihrer einstmals besten Freundin. Doch als sie ihn liest, ist sie wie vom Donner gerührt: Del ist todkrank! Sie bittet Kamryn, die Vergangenheit ruhen zu lassen und sich um Tegan, ihre kleine Tochter, zu kümmern …

»Wunderbar geschrieben, ich musste abwechselnd weinen und lachen.« *Cosmopolitan*

ullstein

UB371

Anette Göttlicher

Paul darf das!

Maries Tagebuch
Originalausgabe

ISBN 978-3-548-26683-1
www.ullstein-buchverlage.de

Marie ist seit einem Jahr glücklich mit Jan. Er ist bei ihr eingezogen und spricht immer häufiger von einem gemeinsamen Kind. Marie genießt die normale, harmonische Beziehung und freundet sich sogar mit dem Gedanken an Nachwuchs an. Doch eines Tages taucht Paul, von dem sie fast ein Jahr lang nichts gehört hat, wieder auf. Und Maries geordnete Welt gerät exakt in dem Moment ins Wanken, als ihr Pauls Duft in die Nase steigt.

»Und jede Frau wird ein Stück Marie in sich selbst entdecken.« *Cosmopolitan*

UB426